17,90€

Ena Lucía **PORTELA**

La sombra del caminante

KAILAS
EDITORIAL

Título original: *La sombra del caminante*

© 2001, Ena Lucía Portela
© 2006 de esta edición: Kailas Editorial, S.L.
Rosas de Aravaca, 31. 28023 Madrid

Diseño de colección: Manuel Estrada
Cubierta: Marcos Arévalo

ISBN 13: 978-84-89624-15-3
ISBN 10: 84-89624-15-1
Depósito Legal: M. 36.800-2006
Impreso en Imprenta Fareso, S. A.

kailas@kailas.es - www.kailas.es

Ena Lucía **PORTELA**

La sombra del caminante

para Waldo Pérez Cino,
por el empeño y la fe

La pelota de colores es la pelota de la ira,
que rueda rencorosa por la playa.

Roberto FRIOL

1

Diablillos de cola torcida. A media tarde, los muros del campo fabrican una sombra que se derrama sobre los tabiques de madera casi hueca por la humedad y la carcoma. Con tal de prolongar la decadencia, de hacerla todavía más indiscutible, después del hediondo embaldosado de la oficina y el armero, el suelo entre los tabiques aparece cubierto de cemento sólo hasta la línea de tiro. Más allá, lo que se extiende es un tapiz de hierbas enfermo de tiña, o sea, ralo en algunas partes y abundante en otras; una planicie que amarillea, reseca, bajo esta nube confusa de polvo y resplandor, tan cálida como si aún fuera verano. Estamos a finales de octubre y es verano, siempre verano en la zona tórrida. Uno se coloca en la línea de tiro, de frente, sin miedo a enloquecer con los brillos de la resolana, y desde allí, si no es un desgraciado miope, uno divisa las dianas a cincuenta o sesenta metros. Yo soy un desgraciado miope y es por eso que no aparezco en esta historia.

Las dianas repiten un aburrido esquema con círculos negros dentro de círculos blancos, círculos blancos dentro de círculos negros, círculos y círculos hasta el mareo, una manada de cebras redondas, números y cruces. Las dianas son ojos de cartón con la pupila ciega. Ojos muy parecidos a los que antes podían comprarse en las barracas de tiro al blanco con escopetas de perle encadenadas por la culata al mostrador. Allí donde el recién llegado de algún otro rincón de la hispanidad, con gran asombro por lo abrumador y lo definitivo del cartel, se enteraba de que todo cubano debía saber tirar. Y tirar bien, no faltaba más. El recién llegado sonreía. Lo imagino sonriendo ante tamaño alarde –qué presuntuosos, los cubanos–, pues en su país *tirar* significaba otra cosa, lo mismo que *follar* en España o *coger* en México y en otras regiones donde *guagua* significa «niño», en modo alguno «ómnibus», y es de todo punto inadmisible que alguien, en medio de la acera bajo la tostadora de los rayos solares y en presencia de un montón de personas sin otro tiempo que su agobiado y casi derretido presente, afirme que «la próxima guagua que pase la vamos a coger, aunque sea por detrás».

Pero esas barracas tan simpáticas ya no se ven. Su desaparición fue así: desaparecieron. Un buen día, nadie sabe cómo, se esfumaron en la batahola tropical donde todo se esfuma sin dejar ni huella. Tal vez las trasladaron a lo profundo de la maleza desaliñada y rota que circunda la capital desaliñada y rota y se va colando dentro de ella como la selva entre las ruinas de las ciudades mayas. Quizás las ubicaron en la costa, en la provincia o todavía más lejos. O quizás aún están ahí, disfrazadas, convertidas en puestos de tamales y pergas de cerveza, serpentinas, confetis, pitos, matracas, antifaces, gorros de papel y demás rocambolescos aparaticos en temporada de carnaval. Da lo mismo.

Ahora sólo queda este campo mugriento y bastante obligatorio para los muchachos que estudian en la Universidad, en nuestra gloriosa Colina, y que por inepcia para nadar, correr, saltar, capturar una pelota, empuñar un florete, desplazar un alfil u obtener del médico un papelote poblado de cuños y firmas que certifique infortunios en los vericuetos de la columna vertebral, la silla turca o el bulbo raquídeo –por ahí se habla de uno extraordinario que atestigua un Parkinson Plus con atrofia multisistémica y posible atrofia olivo-ponto-cerebelosa, algo así como un árbol parásito de las sustancias neuronales, un olivo sembrado en el cerebelo por el Buen Hacedor de cerebelos con los peores materiales, aunque no está de más advertir que el paciente luce de lo más florido y primaveral–, o por azar o dejadez, alegría chapucera del «qué más da» o auténtico amor al tiroteo, se ejercitan con pistolas de verdad dos veces a la semana o una vez al mes o, en fin, cuando se consiguen las municiones de verdad que requieren las pistolas de verdad para realizar su propio ser, aunque sólo sea desguazando ojos de cartón, y para realizar el ser momentáneo de los muchachos, quienes necesitan aprobar de cualquier manera (aunque sea por detrás) una asignatura ilustre que se llama Educación Física, *mens sana in corpore sano*, con el fin de progresar en sus respectivas paideiai para graduarse, enmarcar y encristalar el título cual pieza de museo, colgarlo en la sala de la casa junto a la foto del añito, de los quince añitos o de la boda con un cake plástico cuya sola autenticidad consiste en ciertos horripilantes arabescos de merengue rosa, para que todos los envidiosos palurdos pelagatos pelafustanes del barrio, gentecilla de bajísima estofa, tengan noticia de la licenciatura aunque hayan pasado de moda la toga y el birrete, para llegar a ser, un día de estos, ciudadanos prósperos, felices y muy patrióticos, ejemplos concluidos y concluyentes de ese indescriptible arquetipo que se denomina el Hombre Nuevo. Uf.

Entre ellos, proyectos de ciudadanos prósperos, felices y muy patrióticos, futuros hombres nuevos por ahora igualiticos a sus congéneres de todas las épocas, se encuentra Lorenzo Lafita. Y, en su mismo espacio, también se encuentra Gabriela Mayo. No se trata de dos personas distintas, ni de una sola con doble personalidad, ni de la metamorfosis de Orlando, ni del misterio de una Trinidad donde el Padre y el Hijo se hubieran confabulado para expulsar a patadas al Espíritu Santo, ni de ninguna otra cosa que hayas visto antes. Sólo están ahí, ambos. A veces se manifiesta Lorenzo y a veces Gabriela, nunca los dos a un tiempo y ninguno sabe de la existencia del otro. Por uno de esos caprichos de la vida que nadie consigue explicarse, la distinción no procede. Y no procederá, como verás, a todo lo largo del relato. Así que no te rompas la cabeza con las estalactitas y las estalagmitas de esta excepcional criatura dúplex, nuestro héroe, quien ahora, en este preciso momento, acaricia ensimismado las aristas de una caja de madera cerrada con llave.

Las cuenta. Vuelve a contarlas y, por supuesto, la cantidad no cambia. Como suele ocurrir con los ortoedros, las aristas son doce, los vértices ocho y las caras seis. Pero nuestro héroe no confía. El tacto se torna aprendizaje, percepción de objetos extraños y extrañamente familiares para quien está habituado al cañón largo y a la vez ligero, mucho más fácil, mucho más seguro y afirmativo día tras día en la barraca de la feria. Allí donde una vez se tomó tan en serio lo del cartel que llegó a coronarse maestro, campeón, as de ases, Búfalo Bill de la escopeta de perle cuando el primer disparo perforaba el centro exacto, casi omphalos, de la pupila y los siguientes no dejaban apenas rastro: entre aplausos y gritos de admiración iban entrando todos por el único boquete. La habilidad suprema, lo increíble: como en un torneo medieval de ballesta, trompa de plata y caballero negro, una saeta partía otra del penacho a la punta, limpiamente.

Por aquel entonces nadie se fijaba en la mueca torva del tirador. Nadie advertía la rabia reconcentrada y contenida a medias para aflorar en la profunda arruga vertical del entrecejo, en las comisuras caídas, los labios finos y mordidos, el perfil de ave rapaz. Tal vez el gesto asesino era parte de la puesta en escena, o quizás el tirador sentía particular ojeriza por las dianas, quién sabe. El asunto es que a nadie preocupaba el visaje del mismo modo en que a nadie preocupan los rostros velados —la condición velada de los rostros que embisten— del pelotón de fusilamiento en el cuadro de Goya. Y es que no había riesgo. Qué iba a haber. Es más, ni siquiera se pensaba que no había riesgo. Se daba por descontado al ver el arma sujeta al mostrador, al saber que las cadenas no las parten así como así ni los orangutanes más enfurecidos, que el perle no mata, puede alcanzar a incrustarse en lo blando o romper un cartílago o reventar un globo ocular, pero no más. En general, el tinglado de la barraca imponía un límite, una frontera bien definida y semejante a los barrotes que en el zoo nos aíslan de las fieras feroces. Así, libre de suspicacias y recelos, el tirador ensayaba.

Ah, lejanos tiempos de gloria.

Ahora la caja es pequeña. Al sacudirla suena como si contuviera una cabeza reducida o un guante de hierro. De manera que –piensa Lorenzo– el artefacto se va a acomodar de lo mejor en mi mano hasta subir a la temperatura de lo vivo y formar parte del cuerpo. La más importante de las partes del cuerpo. La más poderosa. Más que una prótesis, la memoria latente de Mario, el de Torre di Venere, o de Mersault en una playa africana. De tantos y tantos pistoleros casuales. Ahora yo soy la ley, pensaba y pensaba también en la mano de un solo dedo, el dedo de Dios. La que permite y hasta sugiere la venganza, el atentado, el aniquilamiento. La más directa y simple expresión de desacuerdo. La *ultima ratio regum*, que en realidad no siempre tiene por qué ser la última.

No conoce del artefacto la marca ni el calibre. Ni que el calibre, según explica el manual, es el diámetro o la distancia entre dos campos opuestos y que los campos, en este caso no mugrientos, son los espacios entre las cuatro estrías del ánima y otros detalles meramente curiosos. No habrá de conocerlos nunca, ni siquiera después de incorporarlos a su propia persona por primera y única vez. Tampoco recordará las facciones a su alrededor desdibujadas por el pánico, la histeria con aullidos y manos crispadas, manos de pronto convertidas en las garras de un ruedo de siluetas rampantes. Olvidará el momento inerte donde todo resbala. Y también la nube que, confusa de polvo y resplandor, se desplaza ahora a través de un cielo empedrado, anuncio de los próximos ciclones. Porque esta atmósfera reúne un conjunto de circunstancias sin sentido, susceptible de intercambio con cualquier otro conjunto: una lluvia, un suelo fangoso, una academia militar, una barricada, una trinchera, la guerra... Un conjunto condenado a borrarse en el marasmo en torno a lo esencial. Condenado a perecer en el murmullo, en la duda que absorbe toda la veracidad del episodio y se siembra en la tierra como semilla de futuras ficciones y mitos.

Gabriela reconoce las aristas de la caja. Vuelve a contarlas. Con cierta neurosis muy suya vuelve a comprobar que siguen siendo una docena, ni más ni menos que una docena. Piensa –por ahora todo es pensar y repensar, imponer una red, una estructura lo más coherente posible a las divagaciones que se expanden como pseudópodos en ambiente gelatinoso– en la función de los objetos extraños y extrañamente familiares, lo cual, como es de suponer, los vuelve aún más extraños. En primer lugar, el trozo de nailon opaco atravesado con una tira de elástico. Es el parche del pistolero, que desde luego no es tuerto, pero, precisamente, debe deshacerse de un ojo como quien apaga un farol para concentrar el otro sin pestañeo ni párpado vacilante en la mira. En el primer punto de una recta definida a lo lejos por un segundo punto que puede ser de cartón o de viento. Órganos de puntería.

–Borde centro inferior –indica la instructora.

Otro objeto. El que se parece a los audífonos del equipo de sonido y sirve para no escuchar. Para adentrarse en un silencio dónde sólo existen el tirador y la diana, frente a frente, como en la escena culminante del western. Para desaparecer de golpe la trompetilla acústica como una vieja extenuada por las habladurías y ronquidos del mundo. Para que no haya conciertos de ondas en el tímpano ni se revienten las trompas de Eustaquio con las detonaciones y rebufos que uno mismo provoca. Es decir, que funciona a modo de amputación protectora. ¿Cómo lo llaman? No sé. También se lo ponen los técnicos de audio y los picapedreros que manejan el martillo neumático. Ese objeto, sin embargo, apenas se usa. Quizás porque resulta demasiado civilizado o porque es mejor estar al tanto de lo que ocurre, atender a las voces de mando.

Por último, la llave de la caja. Como la amante ideal, sólo vista en el teatro hacia lo lejos, en un palco ajeno. Pero más que soñada. Sí, porque la llave es la clave. Sobre todo ésta, que mantiene separados durante la mayor parte del tiempo los dos elementos fundamentales de la realización, el artefacto y el tirador, con tal de evitar un accidente... ¿Accidente? Pues sí. En el campo mugriento no se razona en términos de «asesinato» y mucho menos de «masacre». Aquí, el tiroteo es un deporte. En virtud de alguna fórmula civil, de pacto racional entre seres racionales, no se concibe a un estudiante universitario, a un proyecto de ciudadano próspero, feliz y muy patriótico, a un futuro hombre nuevo, capaz de transformarse de repente en un loco arrebatado. Una cuestión de *bona fide,* muy simple si se viene a ver, que podría plantearse más o menos de la siguiente manera:

«Si usted es cuerdo —y nosotros le creemos porque usted así lo afirma—, usted sabe que asesinar al prójimo es de mala educación. Sabe que es un acto vulgar, prosaico, grosero y cavernícola. Si por alguna falla en su cordura usted ignorase lo anterior, al menos debe saber qué les espera a los que asesinan sin pedir permiso a las autoridades competentes. Debe saber cómo acaban sus días los que asesinan así, al descaro, al garete, por la libre. En nuestro país se aplica la pena de muerte y a mucha honra. Expulse, pues, de su mente esos sentimientos y deseos incorrectos como diablillos de cola torcida. Repudie ese incitante cosquilleo que le recorre todo el cuerpo y lo acaricia por dentro. Aplaste esas mariposas dañinas que lo asaltan de vez en cuando y no lo dejan dormir. En una palabra: reprímase».

Muy lindo eso de respetar el contrato social, eso de comportarse como si uno fuera una persona pacífica y decente. Muy lindo, cómo no. Precioso. Aunque el dedo de Dios está por encima de los contratos y —piensa nuestro héroe de pie frente a la caja, palpando aristas—, si bien se mira, cada realización es en sí misma un accidente y cómo distinguir lo que debió ser de lo que...

Cuando la instructora tropieza con ella y con sus diablillos, cosquilleos y mariposas, Gabriela siente el empujón y un gruñido:

—Sal del medio, blanquita. ¡Brrrr!

La muchacha se aparta con mucha calma, toda la que se precisa en la barraca de la feria cuando la multitud corea y se cruzan las apuestas, y aún más en el campo mugriento, justo antes de apretar el gatillo. La chispa, una diminuta ráfaga contra lo reseco del tapiz de hierbas, muros, tabiques, alambradas, una espalda que se aleja de lo más campante y enfundada en un mono deportivo, azul, dura menos de un segundo. Una escueta fracción. Se acaba de encender la mecha y algo va a explotar. Pero nadie lo advierte porque nadie mira. Si acaso, alguien se encoge de hombros o suelta una risita.

Sucede: uno cree que lo vigilan y se asusta. Intenta adivinar. ¿Por qué miran? ¿Qué estarán pensando? ¿Qué irán a comentar luego por ahí, por los lugares? Pero en realidad no es así. Ni vigilan ni piensan ni comentan. Para ellos, uno es insignificante, indigno de ser tomado en cuenta.

Más tarde, a la hora del motivo –porque siempre hay un motivo, más o menos difícil de rastrear, pero imprescindible para no perder la compostura ni el sueño–, a la hora de la partícula razonable inmersa en un cosmos donde rigen otras leyes que nada tienen que ver con la lógica, todos, casi todos, seis o siete muchachos y el hombre del armero, durante un vertiginoso lapso incluido en el momento inerte donde todo resbala, supondrán que la instructora y Lorenzo se conocían de antes, lo cual no es cierto. Para evitar cualquier error en tal sentido, hay que advertir que la instructora es nueva en el campo mugriento y que Gabriela también es nueva en la más elegante Facultad de nuestra gloriosa Colina, la del jardín interior, arbóreo y muy frondoso entre las columnas de orden jonio, el techo a dos aguas, la calle breve y el Patio de los Laureles, la de paredes pardo claro y neoclásico donde se estudia Matemática. Viven separadas por muchos kilómetros de ciudad, los más densos en población e infamia entre los kilómetros, y hasta por el túnel de la bahía. Lorenzo no llega a los veinte, edad manifiesta en el tono febril de sus ideas, en el tremendismo, la grandilocuencia y el afán de insurrección. La instructora, ex campeona retirada, gente de copas y medallas, cachivaches dorados hasta inundar varios anaqueles, pasa de los cuarenta.

Le ha dicho «sal del medio» porque el muchacho, en efecto, ha estado medio bobo plantado en el mismísimo y no debe ser. Como las fieras feroces en el zoo, aquí cada cual debe mantenerse en su territorio. Todo sea en nombre del orden, de la disciplina jamás inútil donde resulta bien posible la irrupción del fallido escandaloso. Del accidente. La ha llamado «blanquita», eso sí, con voz grave y perentoria. Pero, ¿qué hay con un adjetivo (un adjetivito graciosito y pequeñito) que califica, con gramaticalidad impecable y cabal sentido, lo mismo a la masa del coco, a la trenza de la abuela, a la diana pese a los círculos negros, al azúcar refino, a la mota de algodón, a la poodle gemela monocigótica de la susodicha mota, a la cáscara del huevo, a la vicaria, a la ovejita de Mary, a la montaña de cloruro de sodio, a la tradición benévola y evangelizadora de la conquista del Nuevo Mundo, a la foca bebé sobre la nieve recién caída y otras tantas clases de escarcha cada una con su nombre en lengua esquimal, a esta página antes de mí, a la estrella solitaria de la bandera que... etcétera?

A lo mejor el quid del asunto, el motivo, radica en la etcétera. Inefable particuleja que con gran naturalidad suele colocarse al final de las listas incompletas y que en repetidas ocasiones (no muchas, pongamos un billón) deviene panacea. La cura de todos los males. La solución de todos los problemas. Elíxir fabuloso donde cabe la eternidad, el universo con todas sus culpas y el alud de recuerdos, la avalancha de asociaciones libres y no tan libres, fichas de dominó puestas en hilera que una tras otra van cayendo sobre la mesa, trac trac trac... hasta rozar las cicatrices de antiguas heridas y quemaduras, desgarramientos aún dolorosos cuando el frío y el cielo empedrado. Imágenes que se suscitan unas a otras hasta clavar púas, astillas, aguijones en la carne tumefacta y acceder al reencuentro con las marcas, con las historias primitivas que nos han señalado para siempre. ¿Acaso hubo alguien, antes, que también la llamara «blanquita»?

Pero el muchacho permanece en silencio.

Pequeñajo y gordinflón como una piececilla de Botero, modelada a propósito para estirar con la barriga cual pera o calabaza portentosa un pulóver donde puede leerse que SOMOS LO MÁXIMO (seguro, puesto que sabemos tirar y tirar bien —piensa Lorenzo), el hombre del armero va abriendo con la misma llave, con la misma clave, cada una de las cajas al tiempo que anota algo con un mocho de bodeguero en una libreta grasienta.

—A ver lo que hacen hoy —murmura de medio lado con un timbre melifluo bien chirriante, como haciéndose el Humphrey Bogart con mucho catarro, mientras se guarda el objeto más que soñado en lo recóndito de un bolsillo.

Irradia incomodidad y ante él los muchachos tienen la miserable impresión de ser bastante superfluos. Meras pulgas, microbios, moléculas. Sin duda este gordo asqueroso prefiere las mañanas y las tardes en que faltan municiones, paquetes de cien balas calibre veintidós, tiro efectivo a cien metros (él sí sabe, sabe muchísimo porque las administra como un escudero moderno, un perro de tres cabezas, estampa de nibelungo), para ahorrarse el triste espectáculo que acostumbran ofrecer las sucesivas oleadas de torpes, verracos, ineptos embriones de matemáticos, físicos, biólogos, proyectos de ciudadanos prósperos, felices y muy patrióticos, futuros hombres nuevos y por el momento etéreos fastidiosos irresponsables jovencitos sin problemas en la vida... *ni siquiera hacen el servicio militar, qué descaro...* al formar el desbarajuste, el embrollo, el revoltillo, el caos en este campo que sin ellos no sería tan mugriento y todo eso, desde luego, sin acertar una diana ni por casualidad.

Lo mismo de todos los años –suspira el panza–, lo mismitico. Rastrillar. Apuntar hacia arriba como quien prepara un tiro de arrancada. Disparar a la nube confusa de polvo y resplandor, a los espectros voladores del espacio o del falso techo de la oficina, imaginarios globos inflados con helio, para vaciar alguna recámara que la maligna desidia hubiese rellenado a destiempo. *Sí, no vaya a caer en desgracia alguno de los verracos y que después vengan a echarme la culpa a mí... Claro, ¿a quién más se la iban a echar...? Está visto y comprobado que la culpa nunca puede caer en el suelo...* Entregarles las armas con otro suspiro, de uno en fondo. Resoplar. Exigir tranquilidad. Afirmar con mucha convicción y su muy aguda vocecita que *tranquilidad* viene de *tranca* y *tranca* viene de *trancazo*, o sea, que él sí que le suena un trancazo a todo aquel que no se esté tranquilo, porque él sí que no está pintado en la pared por gusto, no señor. Escupir en el piso y mirarlos con tremenda mala cara mientras ellos no le hacen a lo máximo el caso más mínimo. Al final de todos estos manejos y otras fantochadas por el estilo, el panorama luce más o menos en orden: seis balas por cargador, cada parche en su sitio, los ojos de cartón enfrente y los verracos detrás de la línea de tiro. Pronto comenzará la función.

La instructora los va revisando uno por uno como la gallina a sus gallinitos.

—Párate bien, chico. Tú también. Y tú, enderézate, que pareces una etcétera. ¿Todos jorobados? ¿Será posible?

Aún no conoce los apellidos. Lafita o Mayo, qué más da, si todos son iguales, unos encorvados tan incorregibles como el de Notre Dame. *Mira que venir a dar clases aquí, a esta partida de soco-ñames... Cómo se nota que no les interesa, que vienen porque no les queda más remedio...* Lo que ella ignora es que nunca llegará a conocerlos. Que hasta su propio apellido dejará de tener importancia. Nadie como la instructora (quizás el gordinflas) para acomodarse a la indefinición, al desfile de roles secundarios.

—¿Qué bolá con ustedes? ¿Cuántas veces tendré que repetir lo mismo y lo mismo? Por eso es que apuntan p'al Morro y le dan a La Cabaña... ¡Hay que concentrarse en el enemigo!

El enemigo, monigote inerme y blanco fijo, es un ojo de cartón infeliz, una cebra redonda con cuatro círculos más pequeños alrededor. Ojuelos de avispa allá, en lontananza. Pero a falta de otro con más arrestos, con la roja insignia del coraje, apto para subvertir y defenderse, hay que odiarlo. Mejor, hay que temerle para odiarlo más. Temer la muerte y odiar a muerte. Hay que recordar que las avispas pican, que clavan su aguijón en la carne tumefacta. Hay que olfatear el peligro con las naricitas universitarias y acabar con él. Convertirlo en natilla de papilla de puré de talco.

Siguiendo las instrucciones del manual, porque aquí lo del tiroteo es una moña científica y de lo más epistemológica, se separan las piernas de modo que el peso del cuerpo recaiga sobre la mitad privilegiada, siniestra la de Lorenzo. Siniestro el dedo de Dios que brota como una flor de pasmo en la mano del diablo, en la mano del artefacto y de la escritura. Se contiene la respiración, se oye el vuelo de una mosca. La mano derecha de nuestro héroe sostiene el brazo izquierdo para reducir al mínimo el temblor. Para evitar el desvío del borde centro inferior que se corresponde, allá en lontananza, con el centro exacto, casi omphalos, de la pupila. Para apuntarle al Morro y darle, como quien no quiere la cosa, al Morro.

No se escucha la voz de fuego. No es necesario que todos disparen a la vez, pues en modo alguno se trata de una ceremonia solemne en honor a los mártires del tren dinamitado o del barco hundido, ni tampoco de una ejecución como en el cuadro de Goya. Los improvisados tiradores se realizan cada cual a su tiempo, a su propio aire, según se van sintiendo listos para no fallar. Al menos eso es lo que ellos creen. O al menos eso quieren creer, no olvidemos que estos muchachos constituyen, entre otras cosas, una partida de socoñames. Y como tales se realizan, tiro a tiro, sin ráfagas, en imitación de las notas de un coro dodecafónico integrado por gatos y chicharras. Es el desbarajuste, el embrollo, el revoltillo. El tableteo anémico de un clave mal temperado. La discontinuidad de la batalla contra el enemigo cartón y el tiempo de crecer, de escapar. Desastrosas realizaciones. El hombre del armero mueve la cabeza y vuelve a suspirar antes de retirarse del escenario. Ya lo decía él. Verracos.

Transcurren cinco minutos. Tal vez once, o dieciocho. Cualquier cantidad de ellos y es la impaciencia decorada con cifras.

—¡Todo el mundo quieto! —ordena la instructora y su voz no tropieza con el que-sirve-para-no-escuchar—. ¡Todo el mundo quieto!

A grandes zancadas, quizás un tanto varoniles, atraviesa el campo. Va a revisar las dianas y va ella misma, en vez de enviar a los verracos, para impedir que hagan trampa. ¡Tienen unas caras de tramposos...! Lo que ella ignora es que existen muchas clases de trampas. A cada rato vuelve la cabeza en dirección a la partida de socoñames y alza una mano en señal de bandera blanca como quien dice «soy yo, soy yo», no fueran a confundirla con el enemigo. ¡Ah! Ingenua coraza de civilización y *bona fide*. Porque, después de todo, ¿quién es ella?

—¡Todo el mundo quieto!

Si yo fuera ella, no haría eso. De ninguna manera yo haría eso. Hay que ser muy, pero que muy comemierda para pasearse como un posible trofeo de caza frente a las armas de seis o siete individuos cuyas historias no se conocen... Qué confianzuda... Qué fresca... En el cargador de Gabriela hay todavía cinco balas.

Los seis o siete individuos se mantienen quietos, serenos como la mar en calma. Algunos cuchichean con los artefactos ya descargados encima de un banco. Han salido por fin de algo que no les gusta, que los aburre mortalmente. No parecen cazadores. La instructora llega al fondo, muy cerca de los muros que fabrican la sombra. Camina de un lado a otro, se pasea como un posible trofeo y encuentra sólo una diana perfecta. Mucho más, sin embargo, de lo que cabía esperar. Algo inaudito, impresionante. Mejor, imposible. Un solo agujero, justo ahí, en el centro exacto. ¿A dónde han ido a parar los otros disparos? A la tierra o al aire, a cualquier sitio. Qué importan cinco fracasos frente a semejante éxito. De nuevo la instructora se vuelve, ahora para ver, entre los iguales, la cara del tirador sorpresa a través de la nube con los brillos de la resolana en contra. Es entonces cuando se produce el segundo disparo. Le silba en el oído y sigue de largo. En medio de un silencio de muerte, se oye bien clara la exclamación de Lorenzo:

–¡Mierda!

¿Por qué la instructora no se deja caer al suelo? ¿No es ese, no debe ser ese el primer impulso, el de ofrecer la menor superficie a lo que ataca? ¿Qué recomienda el manual en estos casos?

–Me cago en... –es lo que masculla antes de gritar–: ¡Todo el mundo quieto!

Entonces se produce el tercer disparo.

Fascinados como por serpientes, inmóviles, todos contemplan la mancha oscura en el azul del hombro. Una mano indecisa, otra firme. Un olor entre pólvora y acre, reverberaciones. Ahogo. Náusea. Los brillos de la resolana. Alguien grita. Otro alguien arroja a la hierba su arma vacía. ¿Quién es esta persona que no cuchichea, que aún no ha salido de algo que ya puede ser cualquier cosa menos aburrido? Esta persona de aspecto frágil, tan serena como la mar revuelta... Extrañado, reaparece el pequeñajo del armero. *¿Y ahora qué coño pasa? ¿Quién cojones metió la pata? Y la culpa no puede caer en el suelo... No, si cuando yo lo digo... ¡Qué salación...! Estos verracos...*

La mirada incrédula de la instructora se desplaza de la palma viscosa, roja, a la figura todavía en posición, apuntando. *¿Pero qué* *es esto...?* ¿Se puede aún hablar de «accidente»? En cierto sentido, sí. Un caso de pérdida momentánea de la razón, un impulso incontrolable... *Este sol hijoeputa, que le derrite los sesos a la gente...* En vez de buscar explicaciones, ¿por qué no se deja caer ya, ahora que hay apenas un rasguño? Todos deben dejarse caer ante el dedo de Dios y permitir al gordo voz de pito del armero que avise a alguien, a las autoridades competentes, desde el teléfono de la oficina. Pero no. Qué va. El dedo de Dios se muestra, según dicen, tan pocas veces, que hay que vivirlo a plenitud para uno sentir que *realmente* ha sucedido algo. En nuestra época una historia sin violencia no es ya una historia. Es, en el mejor de los casos, una historia de segunda. Alguien, además, prisionero de un heroísmo fuera de lugar o contagiado a lo mejor por la locura y el ímpetu del tirador sorpresa, supone que debe hacer lo posible por «controlar la situación», lo inusitado, lo nunca visto.

La instructora avanza despacio. Muy despacio, como fingiendo no avanzar. Se dirige a la línea de tiro... *Si yo fuera ella, no haría eso. De ninguna manera yo haría eso. Hay que ser muy, pero que muy comemierda para dejarse acabazar así...* La instructora avanza apretando el hombro con la palma viscosa. Fija la mirada, ya no incrédula, en el ojo abierto del pistolero. Avanza porque los accidentes no suelen repetirse en un intervalo tan breve, porque ya ha pasado lo peor. Lo que ella ignora es que siempre puede haber algo peor que lo peor y que a pesar de los sesos derretidos, ahora mismo nuestro héroe se siente muy feliz, pues acaba de inventar una palabra nueva: *acabazar,* la cual significa, justamente, «acabazar».

–Tranquilo –ordena la instructora–. No te asustes, que no pasó nada. Tranquilo, no hay problema –como quien camina por una cuerda floja, sobre el filo de la navaja, no se detiene en su desesperado y desesperante conato de hipnosis–, tranquilo. No pasa nada. Ahora baja el arma. No me apuntes, bájala.

¡Pero qué gran embuste! ¡Qué descaro! ¡Qué cinismo! Hasta el más idiota puede advertir que sí ha pasado algo. Y muy grave, además. El tirador sorpresa se ha metido en un lío espantoso, en un rollo de incalculables consecuencias. Sabe que su poder como encarnación

del logos divino es más que efímero y que nunca más se le ofrecerá una oportunidad como ésta. Por otra parte, ¿quién en verdad tiene motivos para asustarse? A medida que la diana se acerca diciendo mentiras, a nuestro héroe le tiembla el brazo izquierdo pese al apoyo de la mano derecha. Le tiembla atrozmente, como poseído por un Parkinson Plus con atrofia multisistémica y posible atrofia olivo-ponto-cerebelosa, es decir, como poseído por el diablo. ¿Perderá el control del arma? Los nervios, los gastados nervios, le juegan una mala pasada. Se enfurece consigo mismo, con su horrenda timidez. ¿Acaso piensan que pueden engañarlo así tan fácil, para luego atraparlo y meterlo en una jaula, sólo porque actúa de un modo diferente, sólo porque *es* diferente? ¿Acaso pretenden hacerle creer que los demás son buenas personas, unos angelitos bajados del cielo que lo quieren y quieren protegerlo y se preocupan por su destino? ¿Acaso le han visto cara de imbécil? *Alguien ha dicho que todos somos malvados, gentuza de la peor calaña, pero que algunos se empeñan en no reconocerlo...*

El gordinflas, que muy pagado de sí mismo y de su gran valor ha estado sigiloso tratando de aproximarse, no a la oficina y al teléfono, como debe, sino al vórtice del conflicto para sorprender (aunque sea por detrás) al delincuente, al verraco, arrebatarle el arma y luego derribarlo de un culatazo, da un paso en falso y un crujido se desliza entre las palabras de la instructora —tranquila, cálmate, no ha pasado nada, tranquila, no tengas miedo—, también sin tropiezos, oh fatalidad, con el que-sirve-para-no-escuchar. La persona temblorosa *parece* frágil, pero cuidado. Lorenzo gira veloz y entonces se produce, sin advertencia, casi a quemarropa, el cuarto disparo. Con él, la frase grotesca de Gato Jazz:

—¡Panzón, te acabas de suicidar!

El gordo, bocabajo a partes iguales entre el tapiz de hierba y el cemento, ha hecho pof como un bombillo que se funde, como un sapo toro que revienta por su malhadada pretensión de aventajar al buey. Ha sido muy simple: antes se movía y ahora ya no se mueve. No es que luzca muy bien bocabajo, no. Lo cierto es que luce horrible, pero así les ahorra a todos su triste espectáculo unipersonal.

A saber: un hueco de bordes chamuscados en la frente, por donde fluye un chorro mezcla de sangre y materia cerebral, y un pulóver que, deformado por la boterística barriga, desde la muerte insiste en delirios de grandeza.

Ahora sí. Accidente ni coño. Gritos, más gritos y más... *¡Auxilioooo...! ¡Socorroooo...! ¡Una vieja sin gorroooo...!* Aullidos... *¡A correr, liberales del Pericoooo...!* Alaridos... *¡Paticas pa' qué te quieroooo...!* Mugidos... *¡Huye pan, que te coge el dienteeee...!* La desbandada, el despelote, la turbamulta, el correcorre, el acabóse, el hálame la colcha, huéleme la alpargata y dale al que no te dio. Objetos nada extraños por doquier y las armas justo ahora inofensivas, si bien a ninguno de los proyectos de ciudadanos prósperos, felices y muy patrióticos, se le hubiera ocurrido ¡por nada del mundo! enredarse a tiros con este paranoico energúmeno demente sanguinario. Unos por fin al suelo, otros petrificados, alguien procura ganar la salida y es el desbarajuste, el embrollo, el revoltillo en todo su esplendor. Quién hubiera creído que seis o siete futuros hombres nuevos fueran capaces de formar semejante pachanga.

Entretanto, la instructora aprovecha la confusión para avanzar mucho más rápido por el lado del nailon opaco, por el lado opaco y ciego del tirador sorpresa. Con un gesto de máquina, Gabriela vuelve a girar. El brazo izquierdo, tan recto y seguro como si fuera de metal, ya adaptado y parte de un engranaje, no necesita más el soporte de la mano derecha. Se produce el quinto disparo. Varios metros y los brillos de la resolana separan a nuestro héroe del cuerpo desplomado. Se arranca el parche. Camina. Ya no cuentan la puntería, los dos puntos que determinan una recta, el borde centro inferior, el desvío, el manual, la filosofía del accidente ni todo lo que él no hubiese hecho en el lugar de la instructora. Nada. Ya no cuenta nada. Se inclina dulcemente sobre el cuerpo enfundado en un mono deportivo, azul, y el último disparo le sirve para rematar.

2

Sangre y chamusquina en los altares. Los seis o siete muchachos han desaparecido del campo mugriento, se han esfumado. Muy bien. Todo está muy bien. No hay ningún problema. Pero ahora, así de pronto, ¿a dónde ir? Nuestro héroe examina el paisaje más allá de los muros en busca de algún escondrijo entre las ceibas, álamos, almendros, una yagruma y otros árboles de perenne y aburridísimo verdor. Su mirada explora la profundidad de un panorama con edificios desollados, la osamenta de vigas y cabillas casi a la intemperie como un cadáver a medias putrefacto, hormigón en lugar de carne, corroído lo metálico por la proximidad del mar y la falta de mantenimiento. Coloca a modo de pantalla la mano que aún sostiene el arma y se esfuerza en ver algo a través de una grieta enorme que desciende vertiginosa por la pared trasera de uno de los edificios, una pared monótona, salpicada por dos o tres ventanitas, lunares, respiraderos, claraboyas, ojos de buey con los cristales rotos. Desde luego, por más que escudriña en la distante oscuridad de la grieta, no encuentra nada que no sea el pronóstico de al menos uno entre los numerosos derrumbes que gravitan por la inminencia de la temporada ciclónica.

Mira entonces al cielo de la media tarde con el mismo desamparo de quien aguarda ansiosamente por el advenimiento de algún signo de victoria como el que le fuera otorgado a Constantino, ya sabemos por Quién. Y si la cruz latina con su exergo y su leyenda fuera demasiado pedir para un ateo empedernido y de repente en apuros, lo que se llama acordarse de Santa Bárbara cuando truena, ¡cuánta desfachatez! –es más, si yo fuera el Supremo Dador no soltaba ni una migaja, ni una, a la porra con la inescrutabilidad de Mis designios y qué se fastidie el malandrín–, nuestro héroe se conformaría con cualquier otro signo. Hasta con uno adverso, con alguna revelación de pulgar hacia abajo, muerte al gladiador u horóscopo mal aspectado en forma de guillotina, de parte meteorológico allí donde la nube confusa de polvo y resplandor se esconde entre las otras nubes. En el cielo inaccesible de la media tarde, Lorenzo descubre todo un reino de copos enrarecidos, cúmulos, masas, cirros blanquisucios o purpúreos por el avance del crepúsculo en la sanguinolenta bóveda que imita los paisajes imitados por ese pintor cubano de cielos europeos, Esteban Chartrand. Descubre al sol detrás de la nube confusa mientras pasa un aeroplano de fumigación, rasante, veloz el aeroplano, antes de caminar (él) entre los cuerpos y los objetos desparramados alrededor de los cuerpos.

No corre. ¿Para qué correr? Se dirige a la oficina que, desierta y con tantas cajas apiladas, apenas parece una oficina, más bien un almacén de misceláneas, destartalado mausoleo sin revelaciones de ningún tipo. Deposita el arma en el buró, junto a la libreta grasienta y el mocho de bodeguero amarrado con un cordel. Todo prolijo, pulcro, muy bien acomodadito como los juguetes del nene ejemplar. Por un instante se concentra en el artefacto. Ya no le sirve ni le importa. ¿Acaso le ha servido antes? Vana pregunta. El repaso de las funciones de los objetos extraños y extrañamente familiares...

el parche, el que-sirve-para-no-escuchar, la llave... ¿qué habrá sido de la llave...? lo recóndito del bolsillo va a ser aplastado enseguida por una rigidez donde la barriga máxima será lo primero en estallar... en estallar como un melón de agua... pero él mismo se lo buscó, sí, el Barriga se lo buscó... me quería joder... me quería joder a mí, que no le había hecho nada... cómo me gusta esa palabra: recóndito... y el recuento de las etapas para alcanzar la posición de tiro, según las instrucciones del manual, fueron movimientos espirituales tan desquiciados como la sospecha que le inspiraba el número de aristas. Fueron terremoto psíquico con saltos y volteretas en el pliego cuadriculado del *electroanimograma*, producto éste de una máquina conjetural inventada por él a imagen y semejanza del detector de mentiras.

Movimientos espirituales como el vicio de no pisar jamás las rayas de la acera, pues siempre puede sobrevenir una catástrofe y es preciso conjurarla por más que los transeúntes se maravillen (o se indignen) de tan extravagante caminar hecho de arrastres y brinquitos. Movimientos como la necesidad de un exhaustivo paralelismo entre la libreta, el mocho y el arma, porque nuestro héroe no está dispuesto a soportar la acusación de chapucero y regado; con la de asesino múltiple tendrá más que suficiente. Movimientos como la equívoca sensación de haber olvidado algo muy importante, terrible, abrumadoramente importante, dentro de un bolso con flecos encima de la cama, que para mayor fatalidad ha dejado medio destendida, sí, por una esquina, en la mañana de este día difícil. En fin, que la suya es una estupenda provisión de manías, fobias, desconfianzas absurdas y otras locuritas de carácter ritual. Nada más ajeno a él que razonar en términos de utilidad, de conveniencia. Aún no ha comenzado a repetir palabras, a multiplicarlas al principio y al final de cada frase, anáforas y epíforas, siempre las mismas una y otra vez en el mismo tono, como si creyera que así, dobles, triples, martilladas y machacadas, las palabras pueden adquirir significados más precisos y preciosos que los habituales. Eso terminará de aprenderlo, como tantas y tantas cosas, entre los brazos de una muchacha negra.

Yo no soy ningún cretino... La gente suele equivocarse conmigo... Ellos se confunden... Ellos piensan que yo no funciono bien, que hay algo en mí que no funciona bien... Pero yo no soy lo que ellos se imaginan... Ellos no me calculan... Por eso los cogí desprevenidos, fuera de base... Ahora mismo yo podría darles tremendo trabajo... Yo podría cargar con el hierro, con el hierrito éste tan confortable, y tomar prestada una caja de balas... una caja de balas calibre veintidós, tiro efectivo a cien metros, para enfrentar lo que vendrá. Las consecuencias de lo que aún no descifra de tan novedoso, de tan sin precedentes, al menos para él. La onda expansiva de la explosión, del estallido que ha desgarrado brutalmente, con furia y también con ironía, el tiempo de su vida hasta dividirlo en dos pedazos: «antes de» y «después de». En el medio, irrepetible por costosa, definitiva, impresa en el momento inerte donde todo resbala y tal vez magistral, aquella escena de toma 1 del capítulo anterior. Sin embargo, como si la energía se le hubiera congelado en un mar de hielo, bajo la noche larga de los pingüinos en la Tierra de Reina Maud, nuestro héroe no siente el más remotísimo deseo de enfrentar a nadie. Ni a una hormiguita loca, de las que no pican, de las que se apachurran con la suela del zapato, 54.2 kg de peso corporal y asunto concluido. *Cómo me gusta esa palabra: confortable...*

Descuelga el teléfono y comprueba que tiene tono, mmmm... *Vaya, vaya, qué bueno...* El mmmm... lo sorprende y luego lo sorprende su anterior sorpresa. ¿Acaso no es normal que un teléfono tenga tono? Por algún incierto motivo había imaginado que *éste* no lo tendría. Piensa que se está volviendo demasiado hipocondríaco, descreído y escéptico, metido en el sarcófago del pesimismo como un viejo idiota que no llega a los veinte. Piensa que tendrá que regañarse, hablar muy serio consigo mismo para apretarse las clavijas y ponerse las íes debajo de los puntos, ahí donde las llevan las personas sensatas. Muy bien. Todo está muy bien. No hay ningún problema. En su debido momento se las apretará y se las pondrá. Pero ahora, así de pronto, ¿a quién llamar? *¿A quién, por el amor de Dios, a quién para informarle que ha ocurrido algo horrible...?*

Carece de agenda con direcciones y teléfonos. Tampoco guarda señas en la memoria. Ni siquiera el apellido de alguna persona cuyas señas se le hubiesen extraviado. Por muy triste que suene, lo cierto es que nuestro héroe nunca ha tenido a quien llamar cuando ocurren cosas horribles. Nunca ha intimado tanto con nadie. El intruso de Hojo, ese sinvergüenza que se pretende su amante y su mejor amigo, está descartado. Por lo general, como si fuera un buzo frente a los peces y otros animalejos acuáticos, Lorenzo apenas articula al hablar cara a cara. Eso, si habla. Si remotamente llega a plantearse la necesidad de hablar según el milenario hábito de los seres humanos y los papagayos. Tampoco ha requerido nunca de los servicios de nadie y, por supuesto, nadie le ha dejado su tarjeta de presentación. Ni siquiera un médico o un abogado. Maniobras tales como internarlo en una clínica, evitar un escándalo o propinarle un sopapo que lo ponga a dar vueltas sobre su propio eje, han quedado siempre a cargo del coronel Lafita, halcón de la Fuerza Aérea y ex combatiente de varias aventuras africanas. Pero al muchacho, por alguna razón harto enigmática, no se le ocurre llamar a ese sujeto poderoso, irreductible, autoritario dentro del uniforme verde olivo con pespuntes azules y estrellas doradas en la charretera, quien aún pretende, el muy iluso, hacer de su único hijo un hombre nuevo.

La línea zumba mmmm... mmmm... como un panal inquieto ante la pata amenazante del oso maloso. Bueno, en realidad la línea es neutra, insensible y despreocupada. Lo de la inquietud es una hipálage, es decir, el inquieto es nuestro héroe, quien se estremece y advierte el sobresalto de sus jugos gástricos a la manera de un convicto que esperase el descenso del hacha del verdugo con la cabeza sobre el tajo y la vista fija en cierto balcón de palacio. Una sombra vacilante tras la cortina de gasa, en el balcón. Frente al patíbulo, a un costado de la plaza, los aposentos de *ella*, deseada y temida, tan delatora a la postre como los latidos de un subsuelo transformado en tumba, corazón acusador... Lorenzo, ya lo vemos, no sabe qué hacer y coquetea con la posibilidad de condenarse a sí mismo. Juega con el demonio perverso, con ese diablo hocicudo, ojipelambrudo, cornicapricudo y rabudo, que empuja en sentido contrario a la salvación a tantos criminales demasiado propensos a meditar en la penumbra de lo razonable, a sacar cuentas chinas en el ábaco de esa penumbra.

¿Por qué informar si nadie lo ha hecho? Informar, qué tontería. A lo mejor lo sucedido no es tan horrible, dos cadáveres... *Dos muertecitos más o menos... ¿Qué importancia pueden tener...? Una minucia... Una bagatela...* A lo mejor no ha sucedido nada y el tiroteo es un mero producto de su imaginación exuberante y más recalentada que una sopa de tres días... *Yo hago así y cierro los ojos... Todo oscuro, tan oscuro como muy oscuro y fluorescencias verdes... Cuando los abro, los dos muertecitos ya no están... Cómo me gusta esa palabra: fluorescencias...* ¿Por qué hacer algo distinto de lo que hacen los demás? ¿Por qué comprimirse con tintura de yodo entre el portaobjeto y el cubreobjeto para ubicarse al fin, de mansa palomita (verraca, verracutina, como diría el Barriga) en la platina del microscopio y, arriba, vengan todos a mirar? ¿Para qué atraer con acciones descabelladas la atención de los que vigilan, piensan y comentan? De cualquier forma sucederá lo que tenga que suceder. Adelantarse a los acontecimientos para salir de ellos de una vez por todas no sería más que una estúpida manifestación de impaciencia. Un suicidio. ¿Y por qué habría de suicidarse justo ahora? ¿Para complacer a quién? Divagaciones. Aun sin saberlo nuestro héroe, sus divagaciones oscilan angustiosas entre la predestinación y el libre albedrío. Menuda faena. Pero así es él.

En lugar de la extraña, de la extraña entre las piedras, le gustaría haber sido una ciudadana corriente. Próspera, feliz y muy patriótica. Idéntica a los otros, cuyos matices y claroscuros no acierta a distinguir, si bien intuye aturdida que entre los iguales también existen diferencias, por más que sólo sea posible hallarlas a nivel epidérmico, aparencial de cáscara y accesorios. Puesta a escoger, hubiera preferido equipararse a la mayoría que sólo dispara contra las dianas aunque jamás logre un buen blanco. Asimilarse al *average man,* al «tipo medio» de las estadísticas con sus mismas fantasías, supersticiones y temores, con sus mismos dioses. Desde luego, nunca hubo elección. Mejor dicho, hubo una: la de acogerse o no al simulacro, al mimetismo protector. En algún momento que ya no recuerda, Gabriela optó por simular. Sí, porque simular equivalía a subsistir. Así, copió las modas, los estilos, las maneras de andar o de vivir en La Habana de fines de milenio, una de las capitales más traídas y llevadas por sus cronistas *in situ* y en el extranjero, una ciudad hecha de palabras a la que sólo la insistencia consigue a ratos rescatar de su limbo precario. Nuestra muchacha se aprendió la lección al dedillo, el discurso habanero de pe a pa con todos sus excesos y miserias. También aprendió a guardarse sus creencias impopulares. Ignoraba –y aún ignora– la notable semejanza entre sus opiniones y las de aquel sabio alemán que murió más loco que una cafetera, arrebatado por tanta lucidez. Aunque, aun enterada, igual hubiera mantenido el pico cerrado, pues a los sabios alemanes, y a los muertos en general, se les perdona cualquier cosa. Sí, uno hasta se ríe de ellos precisamente porque están muertos, porque sólo cuenta la vida. El simulacro, sin embargo, no resultó viable. El silencio de Gabriela, que ya de por sí sonaba a falso, se ha destrozado ahora con seis disparos.

Sus divagaciones vuelan muy lejos... *Un empujón más, uno menos, ¿qué importancia...? Si no me hubiera dicho blanquita... ¿Es que no podía llamarme de otro modo...? Ellas me decían blanquita... Me lo decían así mismo, con tremendo desprecio, como si les diera asco... Porque si yo cerraba bien la boca para que no se vieran los aparatos, entonces yo me parecía a la que hacía de Antonieta, la querida del duque en las aventuras del prisionero de Zenda... Ellas no podían parecerse a ninguna heroína de la televisión porque todas las heroínas eran blanquitas, hasta la droga que se llama heroína es blanquita... Pero yo qué culpa iba a tener... Ellas me trataban mal, muy mal... Como si yo las hubiera sacado de África para traerlas a cortar caña...* Con el auricular aún pegado a la oreja, ella sonríe. Su rostro, ni bello ni feo, es de esos que recuerdan siempre a una actriz española del Sur, amor brujo, la danza del fuego fatuo o las playas baleares, italiana del Sur, *madonna dal' collo lungo* y cejas negras o griega de algún sitio, hasta macedonia, montenegrina o las islas del Sur y del Levante mediterráneo, gitana tropical o el retrato de María Wilson, parecida también a la prima de Sancti Spíritus, o a la que despacha tornillos, clavos y tarugos surtidos en la ferretería de la otra cuadra, o a la vecina de enfrente, o a la que habita con su hijito en los altos del correo bajo un techo que se filtra. O sea, a cualquier mujer de su raza. Una raza sin nombre, lo mismo «sangre pura» en el Imperio Romano, dada a persistir en sus tonalidades y facciones más allá del Latium, que «sangre quebrada» en los siglos coloniales, fundida durante las noches de júbilo en la muy leal y siempre fiel Isla de Cuba o ya desde Sevilla con su pasado judío y moro. *Me decían blanquita porque eran más y eran más fuertes que yo... Pero un hierro lo cambia todo... Y bien que sí... El que tenga el hierro es el más fuerte... Yo no podía decirles que la tal Antonieta me importaba un rábano, que a quien yo quería parecerme era al duque de Zenda... O al malvado Ruperto... Seguro que al malvado Ruperto nadie le iba a decir blanquita ni nada de eso...* Un rostro, el de Gabriela, que se presta como ninguno al simulacro, que no deja rastros y se pierde entre las muchedumbres de su país al suscitar todos los días el por ella apetecido «yo te conozco de alguna parte, muchacha» y de ahí a la semejanza, a la dudosa certidumbre por más que en realidad no la conocieran ni hostia, qué conocer ni conocer.

Sus divagaciones regresan al campo mugriento cuando se pregunta si en verdad nadie lo habrá hecho y se refiere a la llamada telefónica pidiendo auxilio, a la denuncia. No, se responde. Nadie. Ni antes ni ahora. Antes, porque nadie de su entorno se atrevía a mirar con sus ojos, los de ella. Nadie osaba intentarlo siquiera como quien curiosea en la gran fiesta del eclipse a través de un cristal ahumado. Así quiere entenderlo, quizás por la serenidad que le deparan las coartadas globales. Por la paz tan apócrifa que le proporciona repetirse, aunque ni ella misma se lo crea, que las personas no son crueles. ¿Quién dijo que las personas son crueles? Las personas son maravillosas. No hay nada tan maravilloso como las personas. Lo que ocurre es que, por su híbrida condición a medio camino entre ángeles y bestias, las pobres personas experimentan un miedo tan lacerante, devorador, acerbo, implacable y sañudo, que para aliviarlo necesitan del sacrificio humano. Sangre y chamusquina en los altares.

Mirar con sus ojos, los de ella, como el ajedrecista de las piezas blancas que hace girar el tablero para ver la misma configuración que ve el ajedrecista de las piezas negras, hubiera implicado asumir la perspectiva de la niña más chiquita y enclenque de toda la escuela. El punto de vista de aquella benjamina con aparatos en las piernas, aparatos en los dientes, ortopedia y ortodoncia, horripilantes metales y ligas que apretaban, que dolían al comprimir, aparatos y más aparatos para enderezar lo que la madre naturaleza, a sus horas no tan sabia o quién sabe si borracha, si bebedora de vino de arroz, tendía a retorcer. Un diseño provisional –porque luego vendrían, quizás muy tarde, las bellas piernas y los bellos dientes– que se le iba tornando definitivo por dentro. *Verdad que los aparatos estaban del carajo... El que inventó los aparatos seguro que no los usaba... Pero yo qué culpa iba a tener...* Los aparatos la aislaban en flagrante segregación de la república de los niños derechos, futuros adultos derechos, quienes la cubrían de nombretes como brea y plumas: la Bruja, el Bicho Feo Triplefeo, el Aura Tiñosa, el Esqueleto Rumbero, la Ratona Estrambótica (*estrambólica*, decían), la Tatagua, la Piojosa, Doña Basura y otros peores, aunque no más originales, que mejor hago así y los encierro en una compasiva etcétera. También había chiflidos, avionetas de papel, terrones, tortas de barro y algún que otro huevo podrido contra el bicho feo triplefeo que se quedaba afuera en todos los juegos, los agarrados y los escondidos donde se agarraba y se escondía muy en serio, porque agarrar y esconder eran actos trascendentes, de enorme valor pedagógico por imprescindibles para el éxito en la vida. Y el esqueleto rumbero siempre terminaba hecho un manantial de lágrimas. ¡Ah! Aquellos sollozos de la reina del basurero que se ahogaban en la risa estridente de los demás y que tal vez por eso nunca fueron escuchados... Nada más cómico que el sufrimiento ajeno. Como dijera un anónimo poeta griego: *mira, mira a ese hombre que llora... vamos, vamos corriendo a burlarnos de él...*

Mirar con sus ojos, los de él, como sólo hace el ajedrecista de las piezas blancas cuando en realidad se siente seguro de su propia fuerza, cuando es el príncipe Alekhine, hubiera implicado asumir la perspectiva del niño pálido como una aceituna pálida, enanito flacundengo y ojiverde que parecía estar siempre disculpándose. Porque los ojos verdes, aun los muy grandes, en forma de avellanas y del color de una tierra llamada Rickey, aun los de pestañas largas y rizadas y negras, no proporcionan absolutamente ninguna ventaja en la existencia de un niño. La república de los niños se parece a la república de los tigres. Y vaya con la voz del ojiverde, apenas un hilo de casi no usarla, menos que menos tratar de ponerla por encima de los rebuznos y ladridos ambientales para gritar su yo (su diminuto yo) en el lenguaje bárbaro de los escolares barrioteros. Y vaya con las manos del ojiverde, esas garritas finas que en su amanecer debieron entregarse al piano o a la guitarra. Porque él ha visto, o tal vez lo sueña, las manos de Rachmaninov, las de Andrés Segovia. Pero no. Ni pensarlo. Según el coronel, eso era cosa de maricones y primero muerto. Había que vigilar de cerca a ese niño que no jugaba béisbol ni fútbol, ni ningún otro «bol», ni a las patadas y piñazos, ni a despanzurrar lagartijas, viviseccionar batracios o confinar camaleones hasta la asfixia dentro de un frasco. Había que amarrar corto a esa calamidad de criatura a quien los otros niños decían «¡Pajarito pajarito! ¡Haz de tu nariz un moñito!» y también las niñas, las malvadas niñas que no abusaban del prietecito mataperros del solar contiguo a la escuela, el paladín que no hacía caso a la maestra ni al director, que enarbolaba un tirapiedras antipajaritos de cualquier especie, una cuchilla para asesinar los papalotes ajenos y les enseñaba el pito, espeluznante exhibición que las convocaba a chillar ¡ay ay ay! y a mandarse a correr como gallinas locas, qué divertido. No abusaban de ése las malvadas niñas, claro que no. Para acabarlo de rematar, por alguna razón harto enigmática, el prietecito mataperros y sus compinches de la pandilla de los aseres *me querían joder... me querían joder a mí, que no les había hecho nada...* y los descalabros se sucedían con endemoniada frecuencia, día tras día, hasta que el ojiverde salió disparado por el techo cual muñecón de muelle para aterrizar en la consulta del psiquiatra infantil. Una vez allí...

Pero todo eso ocurrió hace mucho, muchísimo tiempo.

Ahora, si nadie ha llamado a las autoridades competentes, el diablo sabrá la razón. Habrá que ir y preguntarle, aunque no sé por qué creo que en este preciso momento el Maléfico debe andar bastante ocupadito. *Si les hubieran avisado, ya estarían aquí...* Por la imaginación de Lorenzo, exuberante y más recalentada que una sopa de tres días... *yo hago así y cierro los ojos...* desfilan tremebundos panoramas de superproducción. Mucha gente de índigo, que es el color de nuestra heroica policía uniformada, invaden el campo mugriento. Hay otros, de camuflaje con yerbajos en las orejas. Y otros más, de paisanos con cara de «yo no fui». Hay batas blancas, patrulleros y ambulancias con las sirenas enfurecidas. Hay silbatos que suenan sólo para los perros, para que huelan feroces lo que sólo ellos pueden oler. Hay bocinas para informarle que está rodeado... *¿rodeado...? pero qué noticia... qué novedad... si toda la vida me la he pasado rodeado... más que rodeado, acosado... sí, acosado y ahora por fin soy libre... aunque rabien y sufran y se halen los pelos... yo nunca había sido tan libre como lo soy ahora... yo sé que ustedes también me quieren joder, pero me temo que llegan tarde, je je...* y acto seguido pedirle por favor, muy gentilmente, que se deje de tanta esquizofrenia y salga de una buena vez con las manos en la cabeza.

Debe hacerlo, puesto que hay un francotirador disfrazado de ninja o de miembro de algún comando israelí, un canalla que, provisto de un superhierro bien largo con silenciador y mirilla telescópica, se trepa en el edificio agonizante, el de la grieta, con el malévolo y abusivo propósito de apuntarle a nuestro héroe desde una de las claraboyas con los cristales rotos... *¿Conque esas tenemos...? ¿Haciéndote el largo conmigo...? Tú vas a ver, ahora mismito tú vas a ver...* Ahora que lo piensa, tal vez debió asegurarse un rehén. Cogerlo por el pescuezo, apescuezarlo y meterle el cañón dentro de la boca. *Tranquila, mi amiguita, tranquila ahí o te hago un empaste... Tranquilo, mi socio, que tranquilidad viene de tranca y tranca viene de trancazo...* Sí, un rehén. No para negociar, pues en última instancia el ninja le tirotea una pata al rehén, después el cocomorioco a él y listo, sino para volver la cosa aún más compleja, más interesante.

Nuestro héroe diseña su escaramuza encantado de la vida, pues acaba de inventar otra palabra nueva: *apescuezar,* la cual significa, justamente, «apescuezar». Para que no falte ningún detalle, imagina también a los moscones del zarandeo y el escándalo público. Tras el cordón policial que ciñe el escenario de la masacre, un enjambre de ellos revolotea a más y mejor en su pugna por enterarse. Ahí están, multitudinarios y agitados como los extras de un rodaje sobre la erupción del Vesubio o el nacimiento del Paricutín. En el tremendo molote los hay pedestres, en bicicleta, en patineta, en carriola y en chivichana. Tampoco vendría mal un ecuestre –piensa nuestro héroe y se apresura a añadir la pincelada hípica–. Todo ello sin contar a los encaramados en las matas a la manera del barón Piovasco. Algunos aparecen enfrascados en el envío inmediato de las incidencias a través de sus teléfonos celulares. Otros, asomados por las ventanillas de los carros o atisbando por los espejos retrovisores. Hay uno, muy peculiar, que mientras mira pretende engullir de una sola sentada una chambelona gigante y para colmo azul con rayas anaranjadas. Varios se dedican a vaticinar el fin del asesino. Apuestan a que lo cogen o a que no lo cogen, a que lo matan o a que no lo matan. Les encantaría que lo cogieran y lo mataran. El de la chambelona se atraganta y pide auxilio, pero nadie se ocupa de él y muere en el acto. Los periodistas se mantienen firmes, al pie del cañón con las cámaras y las grabadoras en ristre a pesar de que, según Hojo, el gobierno en modo alguno favorece la crónica roja. Ni tan siquiera la rojiza, pintona o color mamey, que no hay necesidad de andar asustando al pueblo con historias de loquibambios sueltos, armados y peligrosos. *¿Pero qué sabrá Hojo Pinta del gobierno...? ¿Y qué tiene que ver el gobierno conmigo...? Sería fabuloso salir por televisión, salir en los periódicos... ¡Ah no! Hojo delira... El gobierno ni siquiera sabe que yo existo ni falta que le hace... Este Hojo, que se la pasa tomando ron en vasitos plásticos y hablando de no sé qué censura... ¡Censura ni censura...! ¿Qué es eso...? Los gobiernos no censuran, los gobiernos se ocupan de sus propios asuntos... ¡Ah no! Los periodistas no pueden faltar... ¿Cómo se atreve Hojo a quitarme los periodistas...? No, no pueden faltar, su misión es estar aquí... Cómo me gusta esa palabra: fabuloso...*

Y ese de ahí, el de los prismáticos, ¿quién es? ¡Ah, ese! Aunque no lo parezca, ese es muy importante. Se trata de un cubaniche tan folklórico y célebre como el jabón Nácar y los cigarros Populares, de un insuperable y emotivo comunicador, de un astro del periodismo insular que se las sabe todas y todas las divulga alegremente con profusión de datos y abundancia de floripondios. Se trata nada más y nada menos que del corresponsal emérito de Radio Bemba, la más espléndida de las emisoras, la más dramática, la bestial. ¿Quién sino él nos dio a conocer lo del asalto al Banco Financiero? ¿Quién sino él nos reveló las verdaderas causas del siniestro que redujo a escombros la Manzana de Gómez? ¿Quién sino él nos mantiene al tanto de las andanzas de los antenudos hijos de puta verdosos que cada año nos invaden en platillos voladores? Ya le parece a Gabriela escuchar los titulares bémbicos, la descomunal fanfarria de esquina a esquina: *¡Doble...! No, doble no... Más que doble... ¡Quíntuple degüello en el campo mugriento...! Mejor, mejor... ¡Catorce cuerpos descuartizados a puñetazos...! ¡A puñetazos no, a mordidas...! ¡Tremendo sal p'afuera...! ¡La policía apescueza a un fulanejo pero los demás se dan a la fuga en medio del tiroteo...! ¡Y ahora andan por ahí...! ¡Fíjense bien, amiguitos, papaítos y abuelitos, andan por ahí los caníbales sedientos de sangre...! ¡Andan a la caza de nuevas víctimas...! ¡Y a que no adivinan quién va a ser la próxima...! Yo sí sé... ja ja ja... Yo soy el único que sabe... ja ja ja... La próxima víctima va a ser...*

Jamás conoceremos a la próxima víctima de los caníbales sedientos de sangre, pues la muchacha abre los ojos y las fantasmagorías todas escapan, se borran, se desvanecen en la luz. Han transcurrido lo mismo tres minutos que tres horas o más. Con el auricular aún en la mano, mientras el cable del teléfono se desriza tanto que por poco se desconecta, ella vuelve a examinar el paisaje desde la puerta de la oficina. Bajo el cielo intraducible de la media tarde, el campo mugriento resplandece ahora más desolado que nunca. No hay nadie. Sólo dos cadáveres y esta calma pesada, plúmbea, quizás artificial, con sentido de trampa. Esta paz anómala y sobrecogedora, de las que no favorecen las decisiones. Este silencio aplastante que amplifica el zumbido de la línea, la taquicardia de quien escucha y algún que otro sonido lejano. Una chicharra, un moscardón, una reja herrumbrosa.

Cuelga por fin. ¿A dónde ir? Por lo pronto a la taquilla, a recoger la mochila. A lo mejor así da tiempo al arribo de la turba policíaca, un tropel responsable de mantener el orden, corregir los garabatos y borrar las manchas en la entrelazada escritura de la ciudad. Una caterva tal vez idéntica –piensa nuestro héroe– a la pandilla de los aseres que campeaban por su respeto en el patio de la escuela, allí donde le rompieron la boca al pajarito ojiverde con una botella de refresco. Para Lorenzo, un hombre joven con una cicatriz, apenas perceptible pero cicatriz, no hay resignación. Quizá temor, seguro frialdad y también asombro de su propio estar ahí. Porque al fin y al cabo nadie viene y con cierta repugnancia ha llegado a sentir que los necesita. Que ellos lo definen.

La desolación del campo mugriento se extiende hasta la calle, donde ahora los transeúntes no se maravillan ni se indignan, pues nuestro héroe ha renunciado a su antiguo y extravagante caminar hecho de arrastres y brinquitos. La catástrofe ya ha sucedido –aún no termina, la catástrofe prosigue, se extiende, se ramifica...–, de modo que la muchacha ni siquiera se fija en las rayas de la acera. Sólo se pregunta, una y otra vez, a dónde ir.

En la desolación hay pocos automóviles. Algunos quitrines y palanquines. Bicicletas. Un cocotaxi... *Qué carrito redondito, debe ser incomodísimo... Mira que viajar dentro de un coco... El coco no tiene agua, no tiene masa, no tiene na'... ¡Aaaaah, no tiene na'...!* El atrasado y apretujado hasta el exterminio «camello» de las seis y cuarto con rostros inexpresivos y cenizos a través de las ventanillas. El aeroplano de fumigación que regresa. Un viejo vagabundo muy sucio que pide limosna en nombre de su pierna amputada, el muñón envuelto en trapos churriosos y un San Lázaro de yeso con muletas y perros también de escayola. *Sí, sí, ya sé... Veterano de la cuadrilla de Su Pestilencia el Monipodio... Coge, veterano... Coge y déjate de mirarme así, como si yo tuviera la culpa...* El mendigo no oye lo que Lorenzo masculla, las palabras que muerde y luego sigue triturando mientras se dirige hacia el Oeste. Hacia el agónico sol, como las tres carabelas, para bordear la Facultad de Química, los laboratorios, el traspatio de la de Ciencias Nucleares... *tal vez me gustaría saber a qué se dedican ahí dentro...* más tarde salir a la Avenida de los Presidentes y después... Bueno, después ya se verá.

Alucinada, Gabriela camina como si algo dentro de ella caminara por ella, como si algo la arrastrase. ¿A dónde ir? ¿Al dulce hogar? No. Ahí no. A cualquier sitio menos al dulce hogar. Por alguna razón harto enigmática, ella está convencida de que su familia, tan deplorable y calamitosa como todas las familias, no va a entender lo ocurrido. Es más, se van a espantar, se van a horrorizar, se van a espeluznar y... *quién ha visto eso de que las familias entiendan algo... las familias no entienden nada... las familias no se hicieron para entender... uno no escoge a su familia... te toca la que te toca y si no te gusta, échale azúcar... los grados de papá oso... el coronel no tiene quien le escriba... ¿pero quién le va a escribir a un coronel volante que ya no vuela porque ahora dirige una corporación...? o los graditos de madrastra osa, cama blanda, sopa fría... no le gusta que le diga así, madrastra, se acompleja con lo de Cenicienta... la pobre, ella no sabe que lo mío es Ricitos de Oro... excelente señora, sí, excelente señora tenientica o algo de eso... no sé qué swing es el que le encuentra al uniforme la excelente señora tenientica madrastra osa, la verdad... ni a papá oso, que ya no vuela ni caza ni bombardea porque está muy gordo y se cae el «pájaro» y se estrella contra el piso, crash... no, uno no escoge a su familia... ni tampoco se escoge a sí mismo, al osito civil hasta el tuétano, hasta el culo, civilmente desaliñado y destartalado el osito... y tan malagradecido, lo mal que se porta después que papá oso y madrastra osa se lo han dado todo... cómo me gusta esa palabra: tuétano...* y lo van a arrojar otra vez a las fauces del psiquiatra. A la clínica de dos plantas en Miramar, la de paredes blancas, puertas blancas, cortinas blancas y todo blanco. Allí donde lo atiborran de sedantes. Donde alguien, después de escudriñar en su dibujo del hermafrodita crucificado y en un cuestionario surrealista repleto de respuestas aún más surrealistas, le pregunta con mucha amabilidad si de veras se cree Jesucristo. Y él, desde luego, contesta que sí.

Porque nuestro héroe nunca le contó a su deplorable y calamitosa familia que desde niño ya los otros, sus congéneres, lo habían señalado como la más adecuada entre las víctimas. La propicia. La perfecta. La ideal para los altares que muy voraces reclamaban a la pequeña humanidad continuas ofrendas de sangre y chamusquina.

Jamás habló del billete fatal en la lotería de los roles, esa mota oscura, ennegrecida con nitrato, que se adhiere a tu frente y ya no puedes huir. Papá oso y madrastra osa ignoran la historia de los cuadernos en la taza del inodoro, de los cuadernos embarrados de mierda. No saben nada de los golpes (un puño, una liga, un cartabón) justo en el brazo de la vacuna anti-tuberculosis que terminó por abrirse en una llaga de inagotable purulencia. No saben nada de nada. ¿Cómo iba a contarles aquello y más, mucho más, sin sentirse también él deplorable y calamitoso?

Gabriela sube por la Avenida de los Presidentes sin que nadie repare demasiado en ella. Ni los transeúntes, ni los choferes y pasajeros de los más estrafalarios vehículos, ni los antenudos hijos de puta verdosos en busca de un lugar para el aterrizaje. Mientras algo la arrastra, ella observa de reojo las carotas de ogros, medusas, cíclopes, gárgolas, mofletudas espantosidades y engendros diversos tallados en los muros y pedruzcones aledaños a los muros del Hospital General Calixto García, donde el vocablo «General», según Hojo, no corresponde a la especialidad de la institución, sino a los grados de Calixto... *Si la cosa es así, papá oso hubiera tenido que obedecer a Calixto, je je, me alegro...* Ella se alegra junto a los muchos y enormes árboles que se alzan a ambos lados de la avenida. Su vista de águila, imprescindible para un tirador eficaz, descubre enseguida un montón de figuras humanas, demasiado humanas y medio ocultas por los troncos. Son los habituales masturbadores transarborescentes del aburridísimo verdor... *Oh, ustedes, que desde atrás de las matas me chiflan y me enseñan algo que ya ni siquiera me horroriza...*

Entre los matorrales de lo alto del Castillo del Príncipe, un corneta invisible, apenas destello y sonido en el crepúsculo, practica sus mejores y más horribles cornetazos... *Ahí está... El gran músico de la gran sinfonía... ¿Cómo es que los infelices pajuzos pueden concentrarse...? Deben tener los oídos más cuadrados que Don Cuadrado...* Envuelta de pronto por las emanaciones pestíferas, amoniacales vapores del monumento a José Miguel Gómez devenido urinario público, Gabriela suspira frente a la inolvidable mentecatez de los graffiti sobre el mármol. No le importan los graffiti ni la cochambre ni mucho menos el presidente cleptómano que, según Hojo, era muy buena persona, en modo alguno egoísta, pues a diferencia de otros que se lo cogen todo para ellos solos y no le dan nada a nadie, a este señor le encantaba compartir el botín con sus amigos... *Eso debe ser mentira... No hay buenas personas ni las hubo nunca ni las va a haber...* Nuestra muchacha suspira de nuevo y piensa que bien puede ir al dulce hogar, pero en silencio. ¿No es acaso lo que siempre ha hecho?

Sí. Bastará con un escuálido «buenas tardes», pues ni el coronel ni la excelente señora son dados a las demostraciones de afecto (?) demasiado aparatosas. Revisar entonces el bolso con flecos encima de la cama para descubrir que en su interior no hay nada importante y callar. Bañarse y callar. O quizás, por qué no, alguna canción bajo la ducha... *amiguitos vamos todos a cantar... porque tenemos el corazón feliz... feliz... feliz...* Comer ensalada de marpacíficos sin perdonar un solo pétalo ni tener en cuenta la opinión que merezca tan saludable menú a los otros comensales... *míralo, ¿no te lo dije?, ya volvió otra vez con lo mismo... no le hagas caso, lo hace para molestar... pero... pero nada, te dije que no le hicieras caso, ya comerá algo más decente cuando le pique el hambre...* y callar además el susto que se llevó el sistema digestivo en pleno gracias al almuerzo consistente en una pizza con sabor a poliéster en la cafetería de nuestra gloriosa Colina. Preparar la clase práctica sobre el primero de los «teoremas fuertes» y callar. Ojo: no asustarse con el teorema, chasquear los dedos y considerarlo una bicoca, nada tan simple como jurar que si f es continua en [a,b] y f(a)<0<f(b), entonces existe algún x en [a,b] tal que f(x)=0 (espero que tú tampoco te asustes ante la belleza irreductible, cuajada, perfecta, digamos apolínea, de tan encantadora digresión), y callar. Luego, un bostezo sin que se cuele una mosca para frotarse vomitiva contra la campanilla y callar. Ver la telenovela colombiana, que el capítulo de esta noche va a estar buenísimo... ejem... ejem... sin mentiras innecesarias: el capítulo será tan oligofrénico y estulto como todos los anteriores, como todos los capítulos de todas las telenovelas

que en el mundo han sido, pero verlo de todas maneras y callar. Propinarle un tortazo a la mosca exploradora, bostezar de nuevo y callar de nuevo.

Callar, en fin, como siempre ha callado por no insistir en su caprichoso drama. Caprichoso porque aún no se parece al de nadie, porque ella aún no sabe sobre Daniel Fonseca, el más depravado de los hombres, ni sobre Aimée Despaigne, la más generosa de las mujeres. Callar por olvidarlo todo, por negarle a su historia la consistencia ontológica que a veces conceden los sabios matemáticos al x cuyo f(x) es igual a cero. Hacer de tripas corazón y reinsertarse en lo cotidiano. A la hora del cuajo, cuando estalle la bomba, quizás el coronel, la excelente señora y los vecinos declaren, con plena convicción, que en la tarde de los hechos nuestro héroe regresó muy tranquilo, sin cara de crimen. Ergo, no es el asesino. Ergo, los testigos oculares mienten al descaro, por mitomanía, por placer de fabular con tal de sentirse importantes o porque padecen de alucinaciones de tanto ver las películas americanas de los sábados por la noche en la tele. ¿Pero qué hacer cuando aparezca la turba con su turbulencia? Porque en algún momento tendrá que aparecer. La turba no se disuelve así tan fácil en la biografía del solitario. La turba rodea, persigue, acosa, destruye, conduce a los altares. De la turba no hay escapatoria. ¿A dónde ir?

3

Unos dentro de otros, pájaros y peces.

Sus pasos, maquinales, marcan una ruta profunda. Un camino habitual, mil veces recorrido y tan incorporado a los pies como lo estuvo hace un rato el arma a la mano. Siguen ese trillo de animal con cuernos a través de la selva, la vía del búfalo, kudú, rinoceronte, impala que va a beber al río, siempre a mirarse en las aguas de aquel río y allí lo cazan, el pobre, por rutinario, por costumbrista, por hacedor de lo mismo y lo mismo, siempre lo mismo día tras día... Pero vamos, ¿a qué viene rumiar así ahora? No señor. Mente positiva. Ánimo. Nada de persecución entre ladridos, disparos, voces airadas y el desenlace fatídico de una cornamenta que se enreda en el follaje. Solavaya. Hay que ser optimista. *¡A que no me cogen...! ¡A que no me cogen...! ¡A que no...!* es el sortilegio, la mejor manera de acceder al premio: la impunidad.

Nuestro héroe marcha en pos de algo vistoso, rutilante, colorido. Cualquier señuelo que lo demore un poco más, que lo retenga en la calle como al hombre de la multitud. Busca dilatar el momento de la decisión ya tomada: ir a carenar en la madriguera de Hojo Pinta, el Poca Cosa, el Nulidad, el Absolutamente Nadie, quien asegura, poca cosa, nulidad y absolutamente nadie al fin, que lo suyo es el *cognomen* de Howard Jones. Gabriela sabe que nadie irá a buscarla allí. ¿Cómo no saberlo, si a ese lugarejo de ocultamientos, no muy habitable por bajo tierra y sin ventanas, lo que se dice un sótano de mala muerte, nadie va nunca a buscar nada? Ni papá oso, ni madrastra osa, ni las autoridades competentes... ¡ni el gobierno! están enterados de la existencia del gran escondrijo. Así, los pasos, porque toda esta fronda nos conduce de vuelta a los pasos de Lorenzo, lo llevan rumbo al Oeste por un par de kilómetros de callejuelas interiores hasta salir a la calle 23, al cine Chaplin y una película francesa de la hipernovísima ola.

Durante el trayecto no se ha tropezado con ningún conocido. Ni más pordioseros de la cuadrilla de Su Pestilencia el Monipodio, ni la cáfila de los huraños delincuenciales y australopitecos, ni la mujer que se parece a Isabel Rawsthorne, ni el figurín calvo teñido de violeta, ni el genio de la lámpara, ni el sujeto que implacable remolca al bóxer de mirada romántica, perdida en los espacios siderales y siderúrgicos. Aún no es el turno de todos esos personajes y personajillos citadinos, si bien a nuestro héroe le hubiera importado un alpiste, un reverendo octavo de bledo, encontrarse con ellos hoy mismo, en el tercer capítulo. Por ahora no les teme. Y eso que enciende un cigarro con otro y deja caer enseguida las colillas humeantes como para subrayar su paseo por lo escarpado, por lo nebuloso del esquema urbano entre lomas, cuesta arriba y cuesta abajo las fatigadoras lomas del Vedado, uf. Y eso que la taquicardia insiste en estragar el romance entre su pecho y el oxígeno bajo los rayos cada vez más horizontales y oro viejo de la casi noche habanera.

Tampoco hay nadie a la entrada del cine. Qué raro pero no tanto. Mejor así. ¿O peor? Hum. Vacíos los escalones de mármol jaspeado. Sin personas el sitio frente al mural con la cartelera de octubre, donde clavadas con tachuelas, como los cautivos del entomólogo, yacen un par de hojas impresas en el territorio negro abajo y transparente superpuesto, hermético para que los vándalos arrancahojas y robatachuelas no arramblen con ellas. Artificio similar —relaciona Lorenzo— al de los murales de la más elegante Facultad de nuestra gloriosa Colina, donde en vísperas de cada clase práctica se exponen los decretos de Su Real Majestad Algebraica, Ph.D., en forma de ecuaciones, inecuaciones y sistemas de ecuaciones de inconcebible maldad.

Una cartelera, la del Chaplin, que no le interesa revisar.

Como suspendido en las atmósferas infinitas que apabullaban a Pascal con su destrucción de las diferencias, le da lo mismo una película que otra. Incluso le da lo mismo entrar en el cine que permanecer afuera. Ya no es la época agitada y algo bohemia en que seguía con Hojo, a retortero de Hojo durante las vacaciones y sin comer apenas, entrapados de negro como las dos urracas o una pareja de cuervos y tan pretenciosos como el Castor y Sartre, noche a noche el ciclo de las cien mejores películas de todos los tiempos. Los congestionados tiempos de fines del XIX a la fecha y encabezado el *hit parade,* a ratos injusto en la opinión de aquella Gabriela tan ansiosa, tan buscadora de algo, tan infantil y atrevida..., por *Citizen Kane,* pieza de museo que muy poco o nada le decía. Oh fantástica primera juventud *gone with the wind...* Un mango que en la noche del trópico se acostó verde y en la mañana del trópico se levantó podrido, erosionado hasta la semilla y no supo qué hacer con la soledad y la falta de fe. Dónde esconderlas por tempranas en demasía, por escandalosas.

Al principio había jugado a creerse fascinada por aquel homúnculo de nombre estrafalario y apellido más estrafalario aún. Todo porque sus padres fueron arqueólogos y fueron al valle del Nilo para no volver, qué felicidad. Porque vacilaba como nadie la moña ecoalimenticia de una ensalada de marpacíficos y cebolletas, aceite, vinagre y sal o aliño de yogur sobre los pétalos rojos, qué delicia. Porque estuvo una vez en Alepo, con desastrosos resultados para su autoestima o al menos así lo había entendido ella... *¿Cómo pudo contarme aquello sin sentirse también él deplorable y calamitoso...? Hay algunos que nacen para bufones... No tienen vergüenza... No tienen cara... Nacen para hacer del ridículo una profesión...* Porque medía alrededor de un metro noventa, el homúnculo del piso a la testa, y se daba tremendo aire a Averrell, el mayor y más guanajo de los cuatro Dalton, los enemigos de Lucky Luke, tú sabes, los de la balada... *Ah, Lucky Luke, especie de coyote...* Porque gracias a la perseverancia del bufón, nuestra muchacha atrapó los indicios de algo posible, de algo latente y misterioso... *Con los dedos o con la lengua y por mucho rato... Si no, nada... Pero nada de nada... Eso otro molesta, incomoda, arde, a veces duele... La verdad es que no acabo de entender a los maricones... Están loquitos, pobrecitos... Mira que despatarrarse y desparramarse por una cosa que molesta, incomoda, arde y a veces duele... Masoquistas... Quién sabe, va y a lo mejor son ellos los de la razón y yo la del problema... Pero no es mi culpa...*

Por aquel entonces, mientras se empeñaba en estremecer a su amante de hielo, en derretirla siempre atento a cualquier suspiro, a cualquier murmullo, sonrojo o dureza... *ninguna chiquita me ha gustado como me gusta ella... ninguna tan estrecha, tan sufrida y temerosa y culpable como ella... Gabi me enloquece por eso mismo, porque es de hielo... es decir, conmigo, es de hielo conmigo... aunque también fue así con todos los anteriores, así y hasta peor... ni siquiera sabe fingir... yo sé muy bien lo que pasa, sí, yo sé... porque yo no nací ayer, sino en el 67, igual que el mequetrefe de Emilio U... pero ella no, ella no lo sabe, ella ni se lo imagina y por mí no se va a enterar...* Hojo se consideraba un crítico de arte bastante serio y de lo más respetable. Un entusiasta colaborador en ocasiones, sí, en rarísimas ocasiones, porque siempre planeaba colaborar, pero casi nunca lo hacía de vago que era y de obsesionado con Gabriela como estaba, con el Noticiero Cultural de CMBF, la única emisora de música culta, preterida y cenicienta al extremo de que lo de culta se lo ponen entre comillas, así: «culta», para que los dignísimos públicos de los salseros y la frambuesa –la canción romántica, el instrumental ligero y otras babosadas según el homúnculo–, integrados ambos por unos cuantos millones de personas, no se sientan ofendidos, discriminados, ajenos al monopolio de lo sublime, de la Gran Obra y el poema único de Mallarmé. Vaya, que las ondas hertzianas en cuestión no se contonean como bailarinas de cabaret por los etéreos laberintos de Viena, Praga, Milán ni cosa por el estilo, sino por los del Caribe, mar de los sargazos y zona turística muy propicia para las meditaciones turísticas.

Desde hace un par de años, sin embargo, Lorenzo y su lado matemático reposan cada vez más libres de la tiranía culturosa de Hojo. Han aprendido a desoír, a entrecomillar como se merece al amateur impenitente que muy en serio se dedica a colaborar con *El Hideputa*, suplemento crítico-destructivo-negador de una revista subterránea bien célebre por su insolencia, malevolencia, virulencia y truculencia en las lóbregas alcantarillas de la hispanidad literaria: *El Bejuco Hirsuto*. Sí, ese mismo. El temible, el atroz, sanguinario y nunca bien denigrado bejuco, responsable de la desgracia y el sufrimiento de tantos escritores inocentes. Para los temas bejucales Hojo no es haragán. Al contrario, trabaja muchísimo. Ya no se la pasa todo el tiempo tratando de descifrar la disparatada personalidad de Lorenzo, preguntándole para fastidiarlo (después de haberlo penetrado con suma violencia) si su gran problema en la vida, su inmensa tragedia, no será que en el fondo le gustan las mujeres... *Funciona, sí, claro que funciona... Mera cuestión anatómica: no puede no funcionar... Pero el diablo hocicudo sabrá qué revuelve este muchacho en su cabeza, en qué piensa, qué desea... ¿Será posible que alguien se equivoque tanto consigo mismo...? ¿Tanto así...? ¿Al extremo de ir a contracorriente por error...? No quiero ni pensarlo...* Y sigue redactando artículos impregnados con fuertes dosis de cianuro potásico para aniquilar, demoler, reducir a polvo a cualquier dramaturgo, novelista, pensador o poeta, cubano o extranjero, hombre o mujer, sin distinción de raza, ideología o credo religioso. No hay pereza en el bufón cuando le pagan en dólares. *Hay que vivir, qué cojones, que no todo el mundo tiene un papá coronel de la fuerza aérea con pespuntes azules y estrellas doradas en la charretera dizque dirigiendo una corporación... Uno, además, se divierte una pila machacando y destripando a toda esta gente con ínfulas de genio... ¿Alguien habló de escritores inocentes...? ¿Dónde se ha visto eso...? ¡Inocente la hostia...! La de los escritores es una casta malvada, nada más hay que ver cómo se tratan entre ellos... Emilio U, por ejemplo...*

Así pues, nuestro héroe y su lado matemático permanecen indiferentes a la desinformación, muy grave ésta, pero convencidos de que hagan lo que hagan jamás conseguirán curársela ni maldita la falta que les hace. Si resulta que los escritores son tan inicuos y viles como el resto de la humanidad y quizá más, ¿para qué entonces ocuparse de ellos? Por otra parte, los cines y teatros, el ballet y la danza contemporánea con sus respectivos festivales, los conciertos de la Sinfónica o del grupo Ars Longa, uno de música medieval con instrumentos y estalajes la mar de raros pero fascinantes en la basílica menor de San Francisco de Asís, la sala cubana de Bellas Artes, donde justo a la entrada hay un retrato de Gabriela pintado por Víctor Manuel mucho antes de que ella naciera y también se puede admirar (o despreciar) el anodino rostro de una tal María Wilson, los grabados de antiguos maestros o quién sabe de quién, nombres, siglas y anagramas nuevos, tentáculos de la ilusión distante en una Isla endiablada, guiños de un mundo que fenece sin jamás haber nacido, se han esfumado de su vida.

La casualidad, o alguna emanación tangente a la casualidad y tan arbitraria como ella, sólo le ha dejado unos paisajes que recuerda poco y en los que piensa todavía menos. Óleos aún no museables, colgados en una galería para su venta, carísimos, inaccesibles los lienzos que absorbieron como esponjas las últimas gotas de su entusiasmo, los restos casi secos de aquel Lorenzo tan ansioso, tan buscador de algo, tan infantil y atrevido... ¡Ah, los paisajes! Escenas no muy terrícolas con el mar encima del cielo para estarse horas enfrente, sentado, agachado, de hinojos, de pie o en un solo pie como los solípedos y las zancudas, con la mirada hecha un zigzag, un calidoscopio, un estira y un encoge, un dale p'alante y dale p'atrá la mirada de un jovencito que pudiera ser el honorable Felix Krull en la tienda de las golosinas... *Un planeta con otro orden, otras combinaciones, otras leyes... Con los colores absurdos y secretos de la utopía... Un planeta sin altares que reclamen sangre y chamusquina... Cómo me gusta esa palabra: utopía...*

Por ahí, extraña como los objetos extraños del campo mugriento, se alza una cordillera de olas y nubes cabeza abajo que no sorprende, sin embargo, al espíritu cartesiano de la vigilia. Más bien lo serena en una especie de invitación a recordar lo irrecordable. A la anámnesis del ciego que, ignorante de su propia ceguera entre la niebla espesa de los siglos y recontrasiglos en la caverna, algo alcanza a ver a través de un hoyito en el muro del topus uranus. Algo como pájaros y peces oníricos (unos dentro de otros, pájaros y peces) escapando en bandadas de un solo huevo, el *ovo* cascado de Ieronimus Bosh junto a unas monumentales barras de incienso. Humareda blanca sobre el fondo de magnolia y fucsia. El búho que a pleno sol emerge de un nicho en el tronco añoso. Un reloj de péndulo din don din don, la mirada hecha un zigzag imagina el sonido y en la ribera divisa un andarín de epidermis verdeazul y armadura verdeáurea. Uno y el mismo con su tricornio, el andarín persigue al peludo que rueda un monociclo. Innumerables andarines con aspecto de recién alunizados, el platillo volador en segundo plano. Libélulas gigantescas a los pies de un San Cristóbal gigantesco, santo y sonriente patrón de la capital de la Isla endiablada. En una esquina ajena a los demonios de la Isla, al gobierno de la Isla, a los enemigos del gobierno de la Isla y a la Isla misma, una pareja de enamorados: él toca el laúd mientras ella duerme. Hacia lo alto, el pequeño barroco de una catedral con dos torres bien distintas entre sí y también orquídeas animales, escorpiones vegetales y las alas descaradamente membranosas de unos escarabajos al detalle gracias a la línea y el pigmento precisos, rojo, amarillo, *cyan* allí donde el pintor, laborioso habitante de Mercurio, cuenta su historia para ahuyentar el vacío. Una historia loquísima de trivialidad, abigarrada de tanto brotar de muy diversos manantiales. Una historia de algún modo parecida a *ésta*, quizás la misma, desde su imaginería propioflamenca, habanaéxtasis y muy Brueghel con el perfil gótico de las capitulares y *marginalia* de los Libros de Horas, manuscritos iluminados y...

Un toc toc de uñas perentorias lo extrae del ensueño.

Tras el vidrio, cual goldfish sin una escama de onírico, la taquillera le extiende un ticket azul turquesa aún no desprendido del talonario −sí pero no, curiosa reticencia−, al precio de $2.00 en moneda nacional, o sea, un *dime* con la majestuosa efigie de Franklin D. Roosevelt, o sea, nada. Un par de moneduchas inválidas por la inflación. Insiste, la taquillera, en señalar toc toc el letrero donde incluso hipermétropes y présbitas podrían leer sin demasiada fatiga la frase lapidaria:

SIN SUBTÍTULOS

Es preciso deslindar responsabilidades. Así, por este fin de milenio –asocia Gabriela en mitad de una sonrisa algo desquiciada–, los administradores de algunas panaderías han dado en exhibir, en un sitio de honor bien visible a la manera de los altares de la Virgen de El Cobre con sus tres Juanes en el bote, una ampliación 40 x 40 de la foto del empleado culpable de las flautas y panecillos nuestros de cada día, de su tiempo de cocción y, sobre todo, de sus ingredientes. De la consistencia veleidosa entre arena y estropajo de aluminio, del sabor a suela de zapato mezclada con alquitrán, algún increíble mazacote de corpúsculos verdes y dos o tres etcéteras. Bajo la faz del envenenador público, otro letrero: Paracelso Martínez, alias «El Alquimístico». Sólo falta añadir: «Es vuestro. En cuerpo y alma, todo vuestro. Si no lográis devorar su obra, entonces devoradlo a él».

De igual modo, en el Chaplin es necesario dejar bien claro a todos los candidatos a compradores del ticket que cada cual entra en el ámbito del no subtítulo, un ámbito semejante al increíble mazacote de corpúsculos verdes y a las dos o tres etcéteras, como quien se apresta a redactar un testamento: en pleno uso de sus facultades mentales, capaz de optar y de mantener su opción, de ser posible hasta la muerte. Es decir, que a los arrepentidos, remisos y relapsos, porque siempre hay imbecilitos y estupidiñanes para todo y luego es una (la taquillera) quien tiene que lidiar con ellos, porque además son anarcosindicalistas y dados a formar tumultos –un suspiro empaña el vidrio–, no se les reintegrará ni un quilo.

–¡Ni un quilo prieto partido por la mitad! –la taquillera esboza la mímica de partir el imaginario quilo como si se tratase de una imaginaria aspirina–. ¡Se habrá visto!

–Bueno, sin subtítulos –Lorenzo el Temerario acepta el reto–. No hay lío con eso.

Nuevos visajes y contorsiones del otro lado.

–No, mi tía, no importa.

Inmerso en la pecera de la suspicacia crónica, el goldfish no para de abrir y cerrar el bembo. ¿Consejos? ¿Advertencias? ¿Amenazas? Cine silente.

—Mire, tía, ya le dije que no importa.

Lo de anarcosindicalista le suena gracioso. ¿No era esa la opción política que, según Monty Python, se otorgaban a sí mismos los plebeyos que no habían votado y en modo alguno votarían por aquel rey Artús que ya los tenía hasta el último pelo con su descascarada *Table*, su herrumbrosa *Excalibur* y su aún más descascarado y herrumbroso Santo Grial? *Holly Shit...!* Pues sí, en lo de anarcosindicalista hay un eco divertido y con disfraz de clown. Jovial como una trompetilla, como una de esas muecas «con dos manos y con lengua» donde se apoyan los pulgares en las mejillas, se abanica enérgicamente con los otros dedos y se saca la lengua, mientras más larga, mejor. Una pequeña burla para Gabriela, recluida en una minoría de la cual sólo ella forma parte quizás desde su perdida experiencia como embrión. Para Lorenzo, quien ha navegado mal que bien (a su juicio bastante mal) frente a los embates de gremios y comunas, sin jamás compartir intereses con nadie, ni siquiera los intereses que de hecho sí comparte.

Lo de imbecilito y estupidiñán, en cambio, ¿habrá sido con él? Vamos a pensar que no. Es lo mejor, pues ya hemos visto cuánto puede enojarse nuestro héroe con los insultos y hasta con los bordes de los insultos. Con esas ambiguas radiaciones que, emitidas por la ignorancia y la falta de tacto, parecen una ofensa y de las peores, pero en verdad no lo son y mucho menos a través del cristal de una pecera. Si bien tarda en reaccionar ante ellas lo mismo que un chiste inglés en descender por el cuello de una jirafa, lo cierto es que lo incomodan sobremanera. ¿Y si de pistolero desarmado le da por transformarse, de súbito para variar —piensa—, en el estrangulador de las nueve manos, en el vampiro de los ochenta y tres colmillos, en Vlad el Empalador o un espeluznante híbrido de Jack the Ripper con Hannibal the Cannibal...? ¡Oh no! ¡Qué barbaridad! Teóricamente le divierte burlarse de sí mismo. Lo considera, tal vez por contemporizar con Hojo, una acción propia de personas inteligentes y lúcidas y adultas, pero casi nunca lo hace. Su carácter es más bien de plomo y él, sin advertirlo, como Eurípides y también como el futuro Daniel Fonseca, el más trágico de los trágicos.

—La vida tampoco lleva subtítulos y bien que a veces los necesita, ¿no cree usted, mi tía?

La tía se encoge de hombros. Lo que faltaba. ¡Un filósofo!

Otra vez el flirt con el diablo hocicudo que empuja en sentido contrario a la salvación. Cuchi cuchi con un plumero por dentro del esófago y el estómago y los intestinos. Un irresistible tormento asiático. Tema de tesis: la risa y su relación con la muerte, con el acto de provocar la muerte. Mariposas dañinas. Diablillos de cola torcida. *Cuchi cuchi... acércate, mi amor... mi coffeecake... mi rosita de maíz... ven acá...* hasta que el incauto se deja llevar y hace justo aquello que no le conviene, aquello que no dejará de ocasionarle serios problemas. Pero Gabriela, que de niña ha tocado planchas encendidas, cables pelados y goticas de ácido sulfúrico, diluido pero aún sulfúrico, «a ver qué pasa», que lo ha visto y es toda una autoridad en el arte de estropearse las huellas dactilares, tanto así que apenas le quedan (según ella, que no ha leído *Un siglo de investigación criminal*, donde se habla del asunto de modo tal que los lectores proclives al homicidio casi siempre terminan por desanimarse) y está segura de no haberlas dejado impresas en ninguna superficie del campo mugriento (qué ingenua y vaya usted a saber a qué viene pensar en eso ahora, frente al cristal, quizás nuestro héroe se considera a salvo y no quiere estropear a última hora su brillante fuga, quizás...), reprime el impulso de obsequiarle a la tía un emotivo resumen del incidente de la media tarde frente a las dianas:

—Hoy liquidé a dos... ¿Me copia? A dos. A la instructora y al panza. Los acabacé. Los suicidé como si fueran dos cucarachas. Es más, creo que lo eran. Sí, lo eran. Dos cucarachas. Y lo grito como quería Sonia que lo gritara Rodia: en una encrucijada y a los cuatro vientos... —nada de gritos, la alocución imaginaria se desliza entre susurros y, por supuesto, nada de encrucijadas ni de vientos—. Por alguna casualidad de la vida, ¿usted sabe quién es Rodia, Rodia Romanovich...? No, usted no sabe nada. Eso se le ve. Porque si usted supiera no me estaría mirando con esa cara suya, tan... tan estrambólica. Rodia es... Bueno, Rodia es el aniquilador de las viejas inmundas. A propósito, usted es una vieja inmunda. ¿Conoce el significado de la palabra *inmunda*...? Pues mírese en un espejo. ¿No me cree? Le digo y le repito que hoy despanzurré a dos... Los desguacé así: ¡Pum pum pum! ¡Pum pum! ¡Pum! –la onomatopeya surge del dedo de Dios, ánima de tendones y huesecillos celestiales, para permitirle a Gabriela Wyatt Earp soplar un poco después la ardiente y destrozada yema de su propio dedo–. ¡Seis tiros! Qué desperdicio, ¿no cree? Si de algo me arrepiento es de no haber despachado también a las otras cucarachas. A estas alturas ya deben andar en el chismorreteo por ahí, levantando calumnias y falsos testimonios... Cucarachas. Debí reventarlas... Si no a todas, por lo menos a un par de ellas. Y también a usted, vieja inmunda... Aunque, pensándolo bien, ese último error, ese lapsus diminuto, podemos subsanarlo enseguida... ¿No le parece?

Sin gestos obscenos, sin malas palabras –fantasea–. Porque ese filo, dado lo muy reducido de su léxico y lo tristemente escaso de su sentido, se mella muy rápido. La cumbre de su carrera fratricida, pues sólo funciona, cuando funciona, entre hablantes de una misma lengua, sobreviene en el momento en que ni siquiera sirve para pelar papas o sacarle punta a un lápiz. Uno (Lorenzo) corre el riesgo de perder enseguida ese lejano aire de dignidad que en ocasiones acompaña a las naturalezas tímidas. Se expone a lanzar por un despeñadero hasta las últimas virutas de respeto que aún podría inspirar. Y es que cuando alguien recibe, entre ademanes de rompeolas o de torpedo –fantasea más y más–, una cordial invitación para visitar la casa del recoñísimo de la puta que lo parió o cualquier otra residencia en el mismo barrio elegante, a ese alguien, al convidado, le resulta en extremo fácil arribar a la certeza de que su amable interlocutor carece, no sólo de imaginación para idear sitios más originales donde agasajar a sus huéspedes, sino también de verdadera fuerza, de verdadero poder.

A lo largo de su corta vida Lorenzo ha recibido numerosas invitaciones de esa índole, las suficientes como para aburrirse de ellas. Muy atrás ha quedado el tiempo en que les temía y ahora piensa que lo más adecuado a la hora de intimidar a través del verbo (imposible renunciar del todo a la enaltecedora empresa de la intimidación del prójimo) vendría a ser justamente lo opuesto. O sea, un discurso en estilo mandarín, a nivel muy diccionario y hasta enciclopédico, bien conjugado y bien pronunciado, transido de concordancia, despiojado de solecismos y anfibologías, con períodos infinitamente largos de los que colgaran infinitas subordinadas y figuras retóricas y citas de autores famosos y alusiones eruditas y latinajos y todo. Gracias al bufón, Gabriela no ignora que, por esa misma gracia, como para demostrar a la bullanguera y chancletera tribu mediterránea de ágora y foro que dondequiera cuecen habas, Disraeli fue abucheado con una brutalidad, un desparpajo y un encono dignos de la pandilla de los aseres durante su primera perorata en la Cámara de los Comunes. Pero él, nada. Perseveró en lo suyo sin inmutarse y hasta llegó a primer ministro. Moraleja: paciencia, mucha paciencia y otra vez paciencia. No ser más bruto que los muy brutos, no bestializarse. Mantener una distancia aristocrática. A ver, a ver si entonces la vieja inmunda se encoge de hombros o lo llama imbecilito y estupidiñán con tanta tranquilidad. A ver...

A todas estas, la taquillera observa a nuestro héroe con tal perplejidad, que él se pregunta si en sus balbuceos no habrá llegado a confesar. Se dirige hacia la sala oscura con los nervios a flor de piel y la mitad del azul turquesa estrujada, hecha una bolita como la que suele atravesarse en su garganta durante las noches de pesadilla. Casi todas las suyas son así: noches de sima, descenso, báratro, orco, antenora, infierno recurrente. Otro ámbito sin subtítulos donde tropieza consigo mismo bajo la forma de un cachorro de tigre en una guarida de tigres, ojiverdes como él y de pelaje disruptivo, silenciosos, meditabundos entre las tinieblas y las sombras mutiladas de un páramo con la luna al revés. Allí forcejea por no tragarse una aguja, quizás porque a su espiritualidad matemática, tan afín al espíritu cartesiano de la vigilia, le repugna operar con cantidades heterogéneas. Sólo un gnomo de paseo por esta hiperrealandia de los sueños, o tal vez un nauta de las avenidas virtuales, se arriesga a colocar juntos el adminículo de neceser y el pequeño tigre, uno dentro del otro como las muñecas rusas o los pájaros y peces del huevo en la imaginería propioflamenca. Mas no llega a tragarse la aguja, no. Semejante deglución implicaría el fin de la tortura. Quizás el comienzo de otra peor, pero seguro el fin de ésta donde aún cabe la esperanza de sobrevivir... *Yo creo que no hay nada más angustioso que el intervalo entre dos condenas, la apelación... Dice Hojo que el horror de la historia de José K radica en que el pobre infeliz nunca pierde la esperanza... También dice que los imbéciles de ahora no saben escribir... Cómo me gusta esa palabra: apelación...* Sólo se atora con la aguja que se humedece en sangre y se encaja en la bolita, antes de hundirse, el cachorro vertiginoso y espantado, incapaz siquiera de silabear las palabras vér-ti-go y es-pan-to (esas palabras no son suyas, no son de nadie, en el vértigo y en el espanto no hay palabras), en un turbión cual cono del Maelström que lo lanza muy centrífugo y bañado en sudor del repentino despertar al orine en la cama al suelo qué duro al desastre inminente al total desconflautamiento del electroanimograma. Emerge de la catástrofe entre los brazos de un coronel empiyamado, con pespuntes azules y estrellas doradas en la charretera del piyama, furioso por tanta mariconería. Alrededor de ellos revolotea una excelente señora coronada de rolos y con la cara cubierta por un emplasto color caca de lo más extragaláctico contra las arrugas, las verrugas o algo de eso... *Te lo dije... Va a tener que volver al psiquiatra... Tiene que seguir con el tratamiento... Porque esta cantaleta todas las noches es insoportable... Así no hay quien viva... Siempre lo mismo... ¡Siempre lo mismo...!* Como los temas de Wagner, murmura el loco desaforado mientras el coronel lo mira con odio y la excelente señora con horror. *Todo por una mísera bolita igual a ésta, azul turquesa... Cómo me gusta esa palabra: mísera...* Penetra en la sala justo cuando acaban de apagarse las luces. Así, aunque prefiere el balcón a la platea, no le queda más remedio que incrustarse con su inquietud y sus divagaciones en la butaca más próxima a la puerta.

La película.

¡Ay, la película! Todo oxítono, agudo acutángulo afilado desde el comienzo, desde los créditos sobre el yámbico y edithpiafesco tema musical *trrralá lalí* ♪♫♩♪♪ *trrralá lalá* ♪♫♩♪♪ con una *errré* más que *vibrrranté, velarrr, guturrral... Errré* con *errré, cigarrró... Errré* con *errré, barrril...* Una *errré* que *rrraspá, rrretumbá, rrretuerrrcé* el *ectoplasmá* en la *salá oscurrrá...* Allí donde *rrrapidós corrrén* los *carrrós...* por debajo de los créditos una escena de persecución bien espectacular, abundante en choques, vuelcos, incendios y explosiones, como si a los del Cinema Europa les hubiera dado por un calco del cine americano de vigésimonovena categoría... *porrr* la *lineá* del *ferrrocarrril...* tremendo embrollo y para qué empeñarse en describir lo que ferozmente se resiste a ser descrito. Nuestro héroe sólo escucha rugidos chillidos bramidos aullidos ladridos y, como es de suponer, no entiende absolutamente nada.

¿Qué manera de hablar es esa?, se pregunta, de súbito muy a gusto entre las retículas de un razonamiento más bien propio del negro Jim al remontar el Old Man River. ¿Son seres humanos o qué? ¿Acaso es posible contar a los franceses entre los seres humanos? ¿Aunque no sepan expresarse como tales? En buena lid, nuestro héroe no debería quejarse demasiado. Bien que se lo advirtieron tanto la vieja inmunda que despacha los tickets como la vieja inmunda encargada de dividirlos, mitad para ti mitad para mí, algunos metros más adentro, en la segunda capa de la cebolla cinematográfica. Pero, ¿quién detiene la marcha de un agonista que avanza desbocado en su carroza de fuego por el camino de la perdición?

La trama, si la hay, que con este cine hipernovísimo nunca se sabe, se deforma ante sus ojos como si muchas manos tiraran de ella en desmesuradas y opuestas direcciones. Como si muchos garfios la desgarrasen hasta obligarla a parecer una sonrisita sin dientes, algo sardónica, toda encía devastada y sangrante, repleta de burbujas. Segundo tras segundo va adquiriendo ribetes cada vez más grotescos, bestiales, un aire expresionista fantasmagórico y arrebatado de puertas y ventanas imposibles. Una atmósfera de Ciudad Gótica, donde la sonrisita sin dientes pertenece al joker o al pingüino siniestro. Un ambiente bufo de casa de los espejos, donde las personas, y también los personajes que misteriosamente atraviesan de extremo a extremo el luminoso cuadrilátero –un muchachito endeble como un junco, planta anémica, puro nervio, un tipo con espejuelos oscuros y propósitos también oscuros y una mujer de pelo rojo, único detalle coloreado sobre un fondo en blanco y negro: pongamos Arlequín, Pierrot y Colombina– se ven chimpancacos, gorilutanes, orangurilas y otros adefesios. Tamaño disloque de las habituales proporciones, relaciones y funciones en el reino de este mundo le permite a Gabriela incorporar planos y secuencias como otras tantas metáforas de su lugar sobre la Tierra. El absurdo engendra el absurdo.

La mujer del pelo rojo, esa Colombina que ahora escucha muy atenta las palabras (los rugidos) de Pierrot en un café al aire libre, es la maestra de quinto, la de ciencias. Se llamaba Magaly y la de letras, Elsa. Nuestro héroe lo recuerda porque, a raíz de las clases sobre el primer viaje de circunnavegación del globo terráqueo, los niños, también fanáticos de la paronimia y el segundo bautismo en todas sus variantes, sustituyeron a escondidas aquellos nombres tan poco eurítmicos, tan comunes y corrientes de Magaly y Elsa, por los más conspicuos apellidos de Magallanes y Elcano. Pero no hay que ilusionarse: aquella pelirroja falsa no tuvo el buen gusto de morir a mitad de viaje, a mitad de curso. De eso nada. Sobrevivió para asegurar que ella no era la guardiana de su hermano, ni del trigal, ni de nadie. Para afirmar rotunda que no era su problema si a los otros niños no les fascinaban los aparatos de la reina del basurero, demasiado extravagantes por cierto... *Cada cual debe aprender a defenderse solo...* Una maestra que cortaba la retirada del bicho feo triplefeo..... *no puedes salir... no puedes quedarte en el aula... no puedes sentarte ahí... no puedes decir eso... no puedes andar aparte... no puedes, no puedes, no puedes...* para propiciar situaciones en las cuales no quedaba a éste, al esqueleto rumbero, más opción que enfrentar a la pequeña turba con un lenguaje que no era el suyo... *¿cómo que no...? aquí todos hablan el mismo lenguaje... aquí nadie es mejor que nadie... aquí todos TIENEN que ser iguales...* en tantas y tantas escaramuzas perdidas de antemano. Según el coronel, había que respetar y agradecer (?) a los maestros, lo cual no sólo era sinónimo de punto en boca, la boca *chiusa*, sino también de pensamientos y hasta de sensaciones amables, acordes con lo establecido, que así de ambiciosos suelen ser los tiranuelos. Sin embargo, por más que se esforzó en cumplir las órdenes, Gabriela nunca pudo sustraerse a la sospecha de que a Magallanes Peloteñido no le iba del todo bien en la república de las personas mayores y por tal motivo, a manera de compensación, se afiliaba al partido más poderoso, el partido único de la república infantil y ponía todo su empeño en triturar y reducir a partículas cualquier vislumbre de heterodoxia, por mínimo que fuese. Nuestra muchacha, desde luego, no sospechaba en esos términos. Los probables significados del tétrico asunto accedían a su conciencia en medio de lo oscuro, del temor, el temblor y la incertidumbre, con la opacidad y las lagunas de lo que suele denominarse «una intuición confusa».

El tipo de los espejuelos oscuros y los propósitos también oscuros, ese Pierrot que ahora vocifera y da puñetazos encima de la mesa en un café al aire libre, es el director de la secundaria. El mismo que, en medio del apiñado patio a la hora del matutino, poco después de que izaran la bandera de la estrella solitaria y entonaran a coro las sublimes y valerosas notas de nuestro himno nacional, anunció la diferencia a bombo y platillos como si se tratase del rostro ganador de Quasimodo en la fiesta de los tontos. *Para que tomen ejemplo, les voy a presentar a un alumno que sacó cien puntos en todas las asignaturas...* ¡Menudo ejemplo cuando cualquier maestro, por muy idiota que sea, sabe como que 2 + 2 = 4 que no existe nada más impopular y unánimemente detestado entre los escolares que un chiquillo estudioso, diligente, aplicado, comelibros, abelardito! ¿Y por qué tintineaba sarcástica la desdichada frase de Pierrot? Quién sabe. En cierto famoso reportaje sobre el proceso de Nurenberg creo recordar que se define la monstruosidad específica de Julius Streichel (pues en aquella galería de sinvergüenzas *públicos y notorios* y que, además, *eran los vencidos,* cada acusado tenía la suya propia) del siguiente modo: «El que entregaba a la multitud enfurecida a las muchachas, con el pelo cortado al cero, que habían osado amar a hombres hebreos». *El que entregaba a la multitud enfurecida... Si aquel tipo no lo hubiera dicho, a lo mejor nadie se hubiese enterado... Una multitud puede estar muy contenta y de repente enfurecerse... Una multitud enfurecida es el vér-ti-go y el es-pan-to... Hay individuos que saben manipular a las multitudes... Primero las enfurecen y luego las alimentan con la carne de otros individuos...* ¿Qué no hubiera hecho Pierrot –se preguntaba Gabriela a pesar de las monsergas del coronel– de haber tenido las oportunidades para desplegarse que tuvo Streichel? La posible respuesta la llenaba de pánico.

Y por fin el muchachito endeble como un junco, planta anémica, puro nervio, ese pobre Arlequín atisbando desde un rincón del luminoso cuadrilátero los ademanes de rompeolas o de torpedo con que Pierrot parece atacar a Colombina, es él, Lorenzo. El pajarito ojiverde, el gran alumno con una maletona rebosante de libracos... *El Atlas de la Isla había que enrollarlo para que cupiera... Yo creo que el único que cargaba con eso en toda la escuela era yo... Yo el mulo, el rey de los tontos, el verraco supremo... Qué clase de mamotreto el desgraciado Atlas... Ni que la Isla fuera tan grande... ¡Ah, la Isla...!* Ahí lo tenemos. Ahí está el rey de los tontos en uno de sus momentos cruciales. Encogido, ovillado, trémulo, incapaz de comprender de qué se ríen esta vez. Por qué se le encasqueta un triste gorro de cascabeles cuando su mayor ambición en la vida consiste en ser tomado en serio. Qué tiene de malo sacar cien puntos en todas las asignaturas es lo que se pregunta al borde del llanto, casi a punto de revelar que no lo ha hecho a propósito...

En la sala oscura, unas filas más allá de la mente donde reverbera tan inadecuada memoria (en *The way of all flesh*, Samuel Butler hace alusión a la irremediable tontería del hombre que recuerda algo sucedido hace más de una semana, a menos que se trate de algo agradable o útil en algún sentido; pero, como diría Hojo, no hay que hacerle el más mínimo caso ni a Samuel Butler ni a los escritores en general), un espectador traduce entrecortado la película, en voz alta y en beneficio de otros espectadores anhelantes y arracimados en torno a él. Alguien se ríe... *Vaya, vaya... Así que entiendes la jerigonza de la errré con errré... Te felicito... Eres un lorito sabio, un excéntrico, una insultante rareza... Yo conozco un lugar donde no te hubiera ido nada bien... Pero que nada, nada bien...* Como fieras al acecho, pues el más trágico de los trágicos no puede excluir de sus evocaciones la palabra *fieras*, lo hubiesen esperado en la esquina de la secundaria los sucesores adolescentes del prietecito bandolero y sus compinches. Se hubieran arrojado todos sobre él para arrastrarlo a algún sitio, un terreno baldío, un solar yermo y hasta entonces ajeno al mundanal ruido, un escondite donde adorar sin interrupciones indeseables esa pútrida cabeza de cerdo también conocida como el Señor de las Moscas y, de paso, divertirse... *A que nunca has fumado de esto, ¿eh? Qué vas a fumar tú... ¿No tienes novia...? Qué novia vas a tener... Tú no eres hombre... No eres hombre... No eres hombre... ¡Tú lo que eres un mariconcito de mierda...!* A los trece años se encontraba una maldición existencial, un pecado irremediable, en aquello de no ser hombre, lo que se dice hombre-hombre. Por una de esas paradojas bien paradójicas que se agazapan en los terrenos baldíos para saltar sobre nuestras incautas humanidades, Lorenzo se sintió compulsado a hacer (a dejarse hacer) lo posible y hasta lo imposible con tal de demostrar que sí lo era...

Las discusiones violentas de la película no puede seguirlas ni el espectador bilingüe. Se le escapan casi por completo. Y casi todos los diálogos son discusiones violentas con dicharachos de la calle, del bajo fondo parisino, palabras cojas y mancas, tuertas y muengas, abundante mímica. El ejercicio de la traducción resulta sin duda más fácil con los intertítulos del cine silente, piensa Gabriela y de pronto recuerda, sin saber por qué, al intérprete voluntario de las noches francesas durante el período de las cien mejores películas a retortero de Hojo... *Sí, él traducía para nosotros y su voz era hermosa... Hojo, tan ingrato, decía que histérica... Pero luego se quedó pensando y dijo que la histeria, a veces, también tiene su belleza y no sé qué más de un tal doctor Lacan... Cómo me gusta esa palabra: histeria...* Lorenzo rememora al otro excéntrico, al otro buen samaritano en lo de Jeanne d'Arc y cuántas veces se repetían en la pantalla diversas formas de la palabra *brûler*. Sí, aquella, su única palabra francesa. Porque el francés, como el piano o la guitarra, era según el coronel un asunto de invertidos. Un macho que se respete no arrastra la erre ni cruza las piernas así... ¡Qué complicado ser hombre-hombre! ¡Cuántas interdicciones, cuántas reglas! En lo de Jeanne d'Arc, por el contrario, todo estaba claro. Había un tribunal donde la cuestión era *brûler* o no *brûler*. Al final, *brûler*... Pobre Jeanne. Pobre amarrada a la pira y tras la cortina de humo su rostro indefinido de tan pálido, visionario, extático y Dante Gabriel Rosetti. Pobre Jeanne con su pelado de paje, muchacho o muchacha, entre efebo y ninfa, nunca hombre y mucho menos hombre-hombre... *¡A que no lo eres...! ¡A que no lo eres...!* Qué pavoroso martirio el de la hoguera, si sólo el extremo encendido de una breva dolía tanto en la espalda del lorito sabio con más de una cicatriz...

El bilingüe se desconcentra, se aturde, se agobia, tartamudea. Sobre todo cuando la pelirroja, el dudoso gafioscuro, el junco y un gigantón recién llegado, gritan, chillan, baladran, profieren las más insólitas injurias, blasfemias, amenazas, juramentos apoyados en gestos feroces, vituperios y vilipendios. Cuando se interrumpen los unos a los otros superponiendo las voces en estruendosa algarabía, *sound and fury*... Pero cuando estalla la primera bofetada todos comprenden. Incluso Gabriela. ¿Quién no entiende una bofetada? Alguien se ríe. Y en eso, una voz que no proviene de la banda sonora se expande por la sala llamando:

—¡Emilio! —silencio dentro del ruido—. Emilio... Emilio, mi amor, ¿estás ahí?

Una voz insegura y al mismo tiempo resuelta a escapar del interior de una vasija. Una voz como de sordomudo, como de alguien que se atreviera a usarla por primera vez. Sin ser ubicua ni divina, su fuente se traslada de una región a otra con la inquietante movilidad de los fuegos fatuos.

—¡Emilio!

No hay respuesta. Nada más que un eco mullido de alfombras y forros de butacas, el titubeo del bilingüe y la película andando y andando ya en el punto culminante de su aberración. Alguien se ríe y Lorenzo, sacudido por un estremecimiento de hoja sobre el agua quieta de un estanque, se asombra de no ser él a quien...

—¡Emilio!

...reclama la voz. Aunque no. Ni hablar. ¿Por qué tendría que ser con él? ¿Acaso no hay en el mundo otras personas también dignas de ser localizadas? Por otro lado, ningún agente del orden llamaría de esa manera, mezcla de ansiedad y afecto, al abominable acusado de los más sangrientos crímenes del día... *Esto es un delirio de persecución... Voy a tener que refrescar... Voy a tener que meter la cabeza en un tanque de agua fría... Aunque no... Ni hablar... No es ningún delirio... En realidad me persiguen... No digo yo si me persiguen...*

Detrás de la primera bofetada aparece la segunda, pues la primera no podía quedar impune. ¿A quién se le ocurre? En la película nadie es manco de Lepanto. Nadie está dispuesto a poner la otra mejilla así como así, como Nazarín, ni mucho menos por amor al arte, a la calidad dramática de la bofetada única en el instante de mayor tensión, el espléndido sopapo, menos físico que moral, que suelen recibir los villanos de celuloide a modo de premio por sus comentarios cínicos. Y enseguida irrumpen otras más, bofetadas que van y vienen, cachetes y soplamocos de todos colores, la mayoría de ellos lo bastante duros y explosivos como para que nos sea posible afirmar, con toda propiedad, que de un momento a otro le van a partir la cara por lo menos a uno de los personajes. Y en efecto. Los espejuelos oscuros...

—¡Emilio!

...vuelan hacia la cámara. Es decir, hacia el sitio donde debió estar la cámara en la mañana o la tarde del tropelaje, el mismo que ahora corresponde al público. Por un instinto quizás secuela de los pretéritos bombardeos con avionetas de papel, terrones, tortas de barro y algún que otro huevo podrido, Gabriela hace el ademán de esquivar un proyectil. Los demás espectadores brincan de júbilo en sus butacas. Alguien se ríe. Las gafas desaparecen del encuadre sin descubrir la mirada y con ella los propósitos de Pierrot. Más bien sucede lo contrario: la mirada y los propósitos se borran debido a la rotura del arco superciliar con un fluido tan copioso y tan rojo como el pelo de Colombina sobre el fondo en blanco y negro y un cristal clavado en el párpado o en la córnea. Siguiendo la tradición detallista y anatómica de los combates singulares en la *Ilíada*, estas escenas, acentuadas por los *close-up*, transcurren en cámara lenta, a mucho menos de veinticuatro por segundo. El cristal punzante es un pedazo agudo acutángulo afilado de uno de los cristales de...

—¡Mi ojo! ¡Mi cabrón ojo! —aúlla el traductor como si en verdad se tratara de su ojo—. ¡Ay ay ay!

—¡¡¡Emilio!!! ¿Qué te pasa? ¿Qué te hicieron? ¡Emilio!

...las gafas voladoras. Alguien se ríe.

Ajá, piensa nuestro héroe, si es que se vale pensar «ajá». *Conque era esto lo que se andaba buscando la vieja inmunda de la pecera... Esto es lo que es... Lo que se pide, lo que se siente, lo que se vende como pan caliente... Nada de conducta aristocrática... Abajo los discursos mandarines... Si llego a bajarle un piñazo...*

Y entonces sobreviene el piñazo, muy certero, en la boca del estómago. Un golpe bajo, *foul* según las reglas de Queensberry, sin la sublime belleza de una doble trompada limpia: derecha recta al mentón, izquierda simultánea contra el plexo solar y *knockout...* Aquí faltan el árbitro, los protectores y el recurso de la toalla. Se sobran, en cambio, los golpes y contragolpes de inexcusable bajeza en compañía de sus correspondientes expresiones acústicas... *ah oh oh... ah...* un botellazo... *oh... merde...!* más cristales y un reguero de brazos y piernas y manchas rojas sobre el fondo en blanco y negro... *oh ah...* unas cuantas patadas a lo que se revuelca en el suelo entre las patas de las mesas del café... *merde alors...!* y de colofón un disparo, una bala girando helicoidal dentro del ánima, después en el aire, el suéter, la camisa, la epidermis, la dermis y otros estratos, algunos de ellos muy grasientos, hasta atravesar la caja torácica para alojarse en un pulmón y adiós Lola. ¡Impresionante *close-up*! ¡Impresionante cámara lenta!

Entre chorros de adrenalina y el pum pum de otros disparos, Gabriela empieza a interesarse por la película en sí, más allá de los recuerdos y las metáforas. Comienza a...

—Emilio, Emilio... ¿Estás ahí?

...querer saber qué ha sucedido antes, cuando discutían Pierrot y Colombina y a pocos metros Arlequín vigilaba y el gigantón aparecía por la acera de enfrente como un toro a punto de embestir y ella en su butaca, ante los preliminares de aquel desastre, sin entender un carajo. Ahora, a nuestra muchacha le gustaría conocer los motivos de la bronca, tan inverosímil en apariencia. Las causas puras y prácticas y simples, sin mucho trasiego psicoanalítico, de estos disparos tan bien hechos, tan perfectamente malintencionados. Las razones últimas, que quizás se remonten a lo más inescrutable, a lo más recóndito y sumergido en las infancias de los personajes... *¿Tienen infancia los personajes que conocemos ya adultos...?*

–Por favor, Emilio, dime algo...

Piensa que tendrá que averiguar con el traductor. Piensa que lo hará en cuanto se acabe la película y salgan del cine. Se le ha despertado la curiosidad y ya no se conforma con una historia que se inicia en una masacre y prosigue con una fuga. Alguien se ríe y aquí Gabriela confunde el filme con su propia vida, pues hay días en que no resulta nada fácil la tarea de eludir recuerdos y metáforas como quien sortea obstáculos o se desplaza por un campo minado.

–Emilio... Háblame... ¡Emilio!

–¡Emilio, por tu madre, contéstale! –sugiere alguien del público.

Ya no le basta con la historia de un personaje que huye mientras otros, invisibles pero ciertos, le dan caza. ¿Y hacia dónde escapa el personaje? ¿Qué posibilidades...

–¡Emilio!

...tiene? La voz de la Persona Que Busca recorre la sala. Planea sobre las cabezas cual murciélago ebrio. Persevera, se obstina, machaca y machuca. Se proyecta en el luminoso cuadrilátero, sube por los pies y tira de una cremallera. Expulsa al traductor de su precaria concentración y a nuestro héroe de sus divagaciones... *¿Pero no se cansa...? ¿No se rinde?... ¡Qué clase de aguante...! Y el tal Emilio, haciéndose el duro... Si fuera yo, no lo llamaba más... Nunca más...* La voz embadurna a todos con su presencia viscosa. Alguien se ríe, pero el interpelado no da de sí. Nada, ni un suspiro.

–¡Emilio! ¿Me vas a contestar, sí o no?

Lorenzo no sólo se pregunta si el individuo capaz de provocar tamaña insistencia estará presente en este lugar y en este momento, *hic et nunc*, sino también si en realidad existe, pues no le regatea a la voz de la Persona Que Busca cierta entonación irónica, muy sutil, de agarrados y escondidos... *Emilio, ¿dónde te escondes...? Emilio, ¡a que yo te agarro...!* Nuestro héroe se pregunta, además, si el tal Emilio no será el mismo buen samaritano que traducía histérico en lo de Jeanne d'Arc... *Muy bien podría ser él... ¡Qué casualidad...! ¿No me estaré volviendo profeta...? Yo creo que sí...* De algún modo la oscuridad se aclara, se vuelve penumbra y en ella su vista, la de Gabriela, se acomoda al punto de distinguir una silueta menuda que se difumina y se desvanece para enseguida reaparecer en pleno correteo por uno de los laterales gritando Emilio Emilio y perseguida por la acomodadora.

–¡Párate ahí, chica! ¡Párate ahí!

–¡Detente, César!

–¡Emilio, sálvame!

–¡Deja que te coja! ¡Tú vas a ver! ¡Tú vas a ver!

–¡Por ahí viene! ¡Allá va! –y la silueta rauda y veloz por los pasillos de la platea dibujando un fantasma sombrío, un personaje más, sobre la película.

–¡Manda mierda! ¡Agarren a esa loca!

–¡Corre, Emilia, corre! –aunque parezca increíble, algunos transgresores siempre encuentran quien los apañe.

–¡Te dije que te pararas!

–¡Cógela, linternera! –exclama un espectador en el clímax de la euforia mientras los otros aplauden, rebuznan o mandan a callar.

La penumbra se aclara aún más porque la riña tumultuaria de los franchutes enloquecidos, aumentada y corregida por la injerencia belicosa de todos los parroquianos, dependientes del café y transeúntes casuales de la que amenaza convertirse en la *rue* de la paz, quienes, después de probar la deliciosa manzana de la discordia, pugnan por tragársela entera con la consiguiente proliferación de bofetadas, mamporros, moquetes, pescozones, sopapos, soplamocos, piñazos, empellones, pellizcos, trompadas, trompones, escupidas, mordidas, arañazos, halones de pelo, codazos, rodillazos, estrellones contra el piso, disparos y cadáveres, todos ellos acentuados en la última sílaba, sucede a pleno sol, fabricando en la sala un peculiar ambiente de luz y sombra, crepúsculo salvaje.

A Hojo le va a encantar esto... Se divierte tanto con la indisciplina y el desorden público... Estas cosas lo excitan... Si estuviera aquí, ya me hubiera metido la mano en... Es un pervertido... Gabriela no puede evitar una sonrisa mientras observa de reojo a la silueta escurridiza, que ahora retorna como la suprema estrellanga del espectáculo, entre las aclamaciones del público, férreamente escoltada por la acomodadora rabiosa o vieja inmunda número tres y el gigantón que, en un descuido, se ha fugado de la pantalla. Alguien se ríe.

—¡Emilio, Emilio, diles que me suelten!

Cuando la comitiva llega a la puerta donde dice Exit en rojo cabeza de fósforo encendido, muy cercano el fin de la peripecia con el destierro de la silueta intrusa (el fantasma sombrío se ha esfumado y la película retorna a lo normal de su anormalidad), ocurre algo que no debemos calificar de insólito, puesto que concuerda a las mil maravillas con las incoherencias y dislates anteriores. En un desesperado último intento, la silueta prisionera escapa de sus captores y, de un brinco bastante canguresco, se coloca justo detrás de la butaca de Lorenzo, quien percibe el jadeo, sonido y aire caliente, sin atreverse a voltear la cabeza. Es la mano sobre el hombro, cálida, seca, un ligero temblor. Es la momentánea anulación del ámbito del no subtítulo. Es el deseo, desgarrado y no hay más palabras, de transformar un cuerpo en otro, de unir en un murmullo sólo audible para quien acepta el mayor de los imposibles sin preguntarse cuál podría ser. Es la voz de la Persona Que Busca:

—¿Emilio?

Alguien se ríe.

4

Agonizan, mueren.

Mira en derredor, con suspicacia. Con atolondrado, tur-
bio afán por descubrir la suspicacia en las expresiones ajenas, por
localizar en la muchedumbre ese ojo que te observa y que se mueve
contigo como en los retratos donde el modelo enfrenta al pintor o
al lente de la cámara. Es ya la noche y hay rostros, gentes que también salen entre murmullos y cigarros.

Un traductor de cuello-y-corbata, chaqueta florida por delante,
negra por detrás y *jean*, con la cara cuadrada y los pelos cortados al
cepillo en el estilo de Manolito el de Mafalda, el hijo del tendero
(no me preguntes cómo sabe nuestro héroe cuál es el traductor: la
verdad es que lo ignoro), que ni por asomo se llama Emilio, tiene
a bien comentar que el tal Emilio, el ambicionado, el perseguido
y en cierto modo protagonista del show del capítulo anterior, con
una flamboyante U por más señas –*flamboyante*, así dice y Lorenzo,
incondicional partidario de los neologismos, se apresura a tomar
nota del hallazgo... *cuando Hojo se ponga pesado, le voy a decir que lo
que pasa es que él me tiene envidia... sí, tremenda envidia, porque yo soy
el más flamboyante...*–, Emilio U, es uno ahí que estudió con él en
la Alianza Francesa, tú sabes, en la Avenida de los Presidentes. Un

tipo inteligentísimo, genial, ingenioso, divertido, brillante como un sol, a quien no ve desde la prehistoria.

El traductor y el tipo inteligentísimo, también traductor y además escritor y realizador de muy diversos menesteres, coincidieron más tarde en un curso de francés comercial. Sí, durante la prehistoria Manolito aspiraba nada más y nada menos que a la gerencia del Havana Club en París... *Yo era más iluso que Madame Bovary...* Fue un cursito de lo más interesante, donde les enseñaron en la primera clase que la industria automovilística francesa... *fíjate bien, la industria automovilística francesa, para que lo sepas, se apoya sobre tres pilares básicos: Renault, Peugeot y Citröen...* Manolito se regodea al pronunciar la diéresis y añade que tal noticia resultó en su momento de suma importancia, pues todos los alumnos la apuntaron en sus cuadernos y acto seguido emitieron algunos suspiros. Emilio la consideró, al parecer, más que suficiente en lo relativo a su formación profesional (y a su vida misma, pues si algún día iba a la République Française y de pronto le entraban ganas de suicidarse, ya sabía delante de qué arrojar su miserable cuerpo de extranjero vigilado por la Sûreté: otra muerte hubiera parecido indigna y hasta ofensiva a los sentimientos patrióticos del pueblo galo), puesto que nunca regresó al aula.

Cómo sabe Manolito que se trata precisamente de *ese* Emilio y no de otro, por ejemplo Fray Candil o Bacardí o Rocanera, señor de Valpenta y de Ventimiglia (por si no te acuerdas, el Corsario Negro, tan Emilio como su padre Salgari), es algo que también ignoro. Correr por la sala oscura de un cine a la hora de la proyección en busca del Corsario Negro resulta, si bien se mira, apenas un ápice más extravagante que correr por la sala oscura de un cine a la hora de la proyección en busca de Emilio U. Pero sucede que los seres humanos muy a menudo hablamos por hablar y si por casualidad alguna vez nos decidiéramos a hacerlo sólo cuando estuviésemos bien informados acerca de lo que hablamos, entonces, como diría Emerson, un silencio sepulcral descendería sobre el planeta. En lo que respecta a Manolito, parece evidente que su condiscípulo llegó a impresionarlo como nadie allá en la prehistoria de la Alianza y, por tanto, ¿qué tiene de extraño el hecho de que también deslumbre a otros ciudadanos, incluso al extremo de inducirlos a cometer toda suerte de locuras?

Las dos mareas de indiferentes a (o intrigados por) la ausencia de subtítulos, los pocos que salen de la primera tanda y los muchos que aguardan para entrar a la segunda, se juntan, mariposean y hacen remolino en el portal y los escalones de mármol jaspeado como las aguas verdes y azules en un delta. Unos procuran descifrar la cartelera de octubre en medio del molote y la sofocación. Otros, frente a la taquilla, escuchan sin excesivo asombro lo del quilo prieto partido por la mitad; oyen tan tranquilos cómo se les tilda de imbecilitos y estupidiñanes, de anarcosindicalistas y dados a formar tumultos. Cada cual está en lo suyo, más allá del bien y del mal. Nadie parece escarbar en los antecedentes penales de Lorenzo y la suspicacia, poco a poco, va cediendo terreno otra vez a la curiosidad.

Así, Gabriela se sobrepone a su horrenda timidez y se aproxima a Manolito. En voz muy baja le pregunta algo. Él le suplica encarecidamente que hable un poco más alto, linda, pues toda esta horda de cavernícolas vocingleros no lo dejan oír. Gabriela, con gran naturalidad, sube el volumen y repite la pregunta. Y es que en La Habana cualquiera puede interpelar a cualquiera como si se conocieran desde la más tierna infancia, desde los pañales y el babero. Como si hubiesen compartido la almohada, las pantuflas y el cepillo de dientes. Muy pocos son los misántropos que se rehusan a atender las demandas del prójimo, a proporcionarle consejos, criterios, datos, referencias, diagnósticos, pronósticos, consultas legales o espirituales, posibles alternativas y hasta la hora, que así de pegajosos y serviciales somos los habaneros, los cubanos amigos, amigos todos, ¿por qué no decirlo?, ¿verdaderamente por qué no decirlo?, la cubanidad es amor. Por ello nuestro desamparo es enmascarado, perverso, hipócrita, menos obvio que el de otros en otras capitales. Infamias, abusos, crueldades, abandonos, heridas, quemaduras, sufrimientos y soledades se ocultan entre los pliegues del gran amor nacional.

Inclinado como la Torre de Pisa porque otra persona se le cuelga del brazo y se abrocha una sandalia sin descolgarse, Manolito responde complaciente que cómo no. Que los personajes lucharon y volverán a luchar, a formar el desbarajuste, el embrollo y el revoltillo, el caos dentro de veintisiete minutos y dieciocho segundos... Le echa una ojeada a su reloj pulsera. Lo sacude. Lo trastea. Lo cacharrea. Le propina un par de golpecitos. Vuelve a sacudirlo. Dice ah y levanta la vista.

—Bueno, más o menos, que tampoco estamos en Inglaterra...

Comprensivo, nuestro héroe sonríe. *Está claro que de Isla a isla sólo van una mayúscula y la Commonwealth... Ellos, los exactos... Nosotros, los del más o menos... Pero no hay duda de que nosotros somos mejores que ellos... Nosotros somos lo máximo... Más o menos lo máximo...*

Inocente de todo chauvinismo jovial, Manolito explica que los personajes se pelearon y volverán a pelearse, para inmenso regocijo de la horda de cavernícolas vocingleros, una horda joven y ansiosa por presenciar los filos de la ferocidad de una antigua nación, tierra exhausta y ensangrentada de catedrales góticas, en primera porque sí. Porque descienden, los personajes, de Carlos Martel, quien en Poitiers les paró la jaca a los musulmanes. Porque los musulmanes eran perjuros, eran la pata del diablo, eran unos perros circuncisos, eran del coño de su madre. No se les podía tener confianza a los muy bellacos. Uno les daba un dedo y ellos se cogían la mano entera...

Lorenzo imagina a Manolito el Generoso entregándoles un dedo a los musulmanes. Uno solo, el más inútil, el más innecesario, el meñique de la derecha, para que se refocilen y se calmen... *Yo no les daría ni eso... Todos mis dedos son míos... Míos y de nadie más... ¿Qué se habrán creído...?* También imagina a la policía de El Khadafi, allá en Libia, haciendo cumplir *ad pedem litteris* las leyes del Corán contra la mano entera, derecha o zurda, de un traductor acusado de robo...

—Y luego vino su hijo, el hijo de Carlos Martel, uno al que le decían Pipino el Breve. Este muchacho, bastante pendenciero por cierto, puso a buen recaudo al pazguato monarca merovingio para coronarse él, Pipino, rey de los francos. Y eso que era el Breve, porque si llega a ser el Largo nadie sabe lo que hubiera pasado... ¡Y a que no adivinas quién vino después! El más famoso de todos, el insuperable Carlomagno, hijo de Pipino y de...

—¿Y en segunda?

Lorenzo no pretende aguar el frenesí historicista de Manolito ni mucho menos mostrarse grosero. Pero se siente obligado a pararle la jaca, pues teme que, de seguir por ese camino, quizás no se detengan hasta arribar, sudorosos y muertos de cansancio, al 18 Brumario de Luis Bonaparte. O tal vez más allá, a la efervescente primavera del 68, sean realistas: pidan lo imposible, queremos el mundo y lo queremos ahora, con dos guerras mundiales de por medio. Nuestro héroe, modesto y más breve que Pipino, sólo está interesando en el belicoso comportamiento de los personajes de la película y a lo mejor, un poquito, en la risa del que se reía ante el belicoso comportamiento de los personajes de la película.

—Y en segunda —qué amable Manolito, ni siquiera se ha tomado el trabajo de ponerse bravo— porque esta gente... No los franceses en general, no. Los franceses en general son como las personas en general. Yo quiero decir los tipejos del peliculín. Esos carecían, o carecen, por completo de sentido del humor. Poniendo a un lado las habituales discrepancias políticas o de religión... sí, porque la gente suele coger tremenda lucha con esas cosas, aunque por suerte no es el caso... la cuprosa Colombina no aceptaba, o no acepta, de ninguna manera, que le dijeran, o le digan, en su cara que ella tenía, o tiene, tremenda peste en el chocho (sic.) ni tampoco...

—¿Le dijeron eso?

Manolito permanece en silencio durante un par de segundos, probablemente para respirar y también para decidir de una buena vez si la sinopsis de una película, lo mismo que la de una novela o una obra de teatro, debe contarse en pasado o en presente. Lo abruma la atemporalidad de los personajes ficticios que hacen de las suyas, agonizan, mueren y, *quia absurdum est,* como diría Tertuliano, resucitan con el mayor descaro cada vez que uno retorna a ellos en la segunda tanda o *mise en scène,* en la siguiente lectura. La princesa de Cléves, Jean Valjean, Fabricio del Dongo, ¿vivos o muertos? ¿Pasado o presente? La gramática, todas las gramáticas, debieran incluir, según Manolito, un tiempo verbal llamado «atemporal del indicativo» y, de ser posible, otro llamado «atemporal del subjuntivo», amén de algunos participios, infinitivos y gerundios atemporales, pura tautología, para que las personas sensatas y razonables, como él, pudieran referirse con toda comodidad a las criaturas de la imaginación. Pero, en vista del carácter defectuoso de los idiomas por él conocidos, para resolver el terrorífico dilema no le queda al traductor más remedio que apelar al socorrido expediente del tin marín de dos pingüé, pasado o presente, cúcara mácara títere fue, antes de proseguir con su narración:

–Sí. Le *dijeron* eso. Pierrot, el gafioscuro, que de paso era su amante. Quiero decir, que se la templaba pasando por encima de su propia náusea, de sus propias y horrorosas ganas de vomitar cada vez que se le acercaba. Y la terrible peste a chocho, a bacalao podrido, a chocho podrido de muchos meses sin lavarse, pues la cuprosa Colombina no jugaba agua ni después de templar, ni siquiera, y esto es lo peor, cuando tenía la regla, en fin, que la terrible peste a chocho inundaba el cuarto, las sábanas, la almohada y se le quedaba impregnada en el cuerpo a Pierrot y entonces él tenía que bañarse, actividad que detestaba el muy cerdo, y volver a bañarse y recontrabañarse que casi se arrancaba la piel y echarse perfume por todas partes para que su mujer no lo descubriera, pero lo descubrió porque la peste era mucha y entonces...

–¿Pero era verdad que tenía peste?

–¿Cómo saberlo? Yo te estoy contando lo que él decía...

Después del fracaso de Mike Todd y Liz Taylor, ni a Manolito ni a mí, cinéfilos empedernidos, nos han llegado rumores de nadie que haya incursionado con mayor éxito en la costosísima y guanajísima aventura del cine oloroso.

–¿Pero tú le crees?

Pasmado por la insistencia de Gabriela en un detalle tan superfluo, Manolito se encoge de hombros. *¿Qué carajo importa eso...? ¿No dicen por ahí que el olfato es el más olvidado de los sentidos...? ¡Ah...!* La muchacha que tiene delante luce normal. O sea, lo que cualquier individuo normal en circunstancias normales consideraría normal en materia de muchachas. Incluso le parece conocerla de algún lado. *¿De dónde, por tu vida, de dónde...? Es igualita a la prima de Sancti Spíritus... ¿Será familia mía...?* Pasablemente bonita y vestida sin originalidades ni estridencias, sin exhibicionismo de ninguna índole, plumas o tatuajes o aros en la nariz, los pelos electrizados y teñidos de verde u otros colores ultrajantes para la temperatura del trópico y su propio gusto (el de él), luce ella, sí, la más normal entre todas las muchachas normales de la ciudad. Casi anormal de tan normal. Y hela aquí preguntando idioteces con una ansiedad desmesurada, angustia casi pánico por decir lo menos, como si Pierrot con lo de la peste a chocho se hubiera referido a ella y no a la cuprosa Colombina. Como si de la credulidad de un Manolito cualquiera dependiese su destino, la salvación de su alma, su salud o su prosperidad económica... *¿Será loca o qué...? Hay que tener cuidado con los locos, mucho cuidado... Esta ciudad está llena de locos... Más que ciudad, parece un manicomio... A algunos les encanta disfrazarse de cuerdos y, cuando menos te lo esperas, ¡zas!, te saltan a la yugular...*

Después de conocer a Emilio, al brillante y flamboyante Emilio U, Manolito ha dejado de ser iluso con respecto a sí mismo. Se sabe un Manolito cualquiera, lo cual es mucho saber, pues la mayoría de los Manolitos que por ahí pululan suelen ignorar tan ínfimo detalle. Y su condición de Manolito cualquiera no le impide sentirse feliz. Al contrario, lo relaja. Lo complace. Le depara el enorme alivio de advertir que el mundo no espera grandes hazañas de él. Sin comprender a la muchacha que parece normal y quizás no lo sea, por intuición, asume ahora un tono más benévolo:

–Mira, pequeña, aquí no se trata de lo que yo crea o deje de creer. Eso no debiera interesarte demasiado. Cuando alguien ofende a alguien, y hay que reconocer que Pierrot era muy lengüino y boquisucio y que, en última instancia, nadie lo obligaba a temp... a hacer el amor con la cuprosa, cuando alguien ofende a alguien, te decía, no es relevante si dice la verdad o no. La verdad no cuenta. ¿A quién le importa la verdad? Mira a tu alrededor para que veas que a nadie le importa... –señala vagamente a los cavernícolas vocingleros y, en efecto, no parece que a ellos les importe ni la verdad ni ninguna otra cosa–. Lo que cuenta son las palabras, ¿entiendes? Porque a ciertas palabras no se las lleva el viento, que *verba non semper volat* y en ocasiones, cuando *volat*, lo hacen para llegar muy lejos, lejísimos, y armar tremendo chanchullo...

–¿*Verba*... qué cosa? ¿Qué cosa es *verba*?

–Olvídate de *verba* –Manolito hace un gesto de impaciencia tan, pero tan complicado, que renuncio a describirlo–: pedanterías mías.

–Pero...

–Lo que sí te digo, pequeña, es que si la cuprosa Colombina hubiese tenido algún sentido del humor, no se hubiera dado por aludida al escuchar el gran elogio de su amante. Lo hubiera tirado a mierda. Porque, después de todo, suponiendo incluso que fuera verdad, cuando dos personas se gustan en serio, tú entiendes, *en serio*, da lo mismo si tienen peste o si no la tienen. ¿Estamos?

Ante una argumentación para ella tan singular, nunca antes en contacto con sus perturbadas orejitas, la pequeña abre los ojos como sombreros de charro... *Sentido del humor... Hum... Cuando dos personas se gustan en serio... Hum... ¿Qué diría Hojo si a mí me diera por hacer igual que Colombina...? Hojo se la pasa alardeando de su sentido del humor, de su risa como la risa de Amadeus... ¿Le gustaré en serio...? A lo mejor no dice nada... Pero Hojo no cuenta, es un pervertido de marca mayor...*

–¿Y entonces?

–Entonces... ¿Por qué me miras así? –el traductor se rasca la cabeza, qué muchacha–. Atiende. La cuestión es que Pierrot quería separarse de ella, de Colombina. Y se lo aseguró... lo de la peste, ya sabes, varias veces en un francés de lo más castizo, sin comerse palabras ni nada. A la cara, que es como se deben asegurar esas cosas, clarito y despacito, muy suave. Suavecito para que se entiendan bien, para que nadie se pueda hacer el sueco y el que no es con él...

Lorenzo... *qué clase de tipo... cómo se ve que le sabe al asunto... le da en la mismísima costura...* vislumbra a Manolito inmerso en la faena de injuriar con mucha delicadeza y la precisión de un cirujano a la infeliz persona que lleva colgada del brazo, la pobrecita que ni siquiera sabe abrocharse una sandalia como es debido... *qué brutica, la pobrecita*... que ahora se consagra pertinaz a la contemplación de algún punto indefinido del espacio... *Ella seguro no estudió en la Alianza, ni conoció al tal Emilio U, ni entiende la jerigonza de la errré con errré y por eso él la apachurra como le da la gana...* Como iluminado por un relámpago, nuestro héroe conjetura... *ese debe ser el problema de los tipos que tienen mujeres: o las apachurran o son apachurrados por ellas... porque las mujeres se parecen a los musulmanes, uno les da un dedo y ellas...* cuánto no tendrá que padecer la pobrecita, que ni se atreve a abrir la boquita, pintada en forma de corazoncito. Cuánto no sufrirá por culpa de este déspota desalmado, inicuo, miserable, cara cuadrada...

—Y ella, ¿qué decía?

—¿La cuprosa? Nada. ¿Qué tú querías que dijera? Ella no abría la boquita, pintada en forma de corazoncito, ni se ponía nerviosa, ni lloraba... Tú la viste. Ella, cara de póker. Lo único que hacía era escuchar, con profunda atención, eso sí, el gran elogio de su amante para después pasarle la cuenta como... Mira, ¿sabes cómo? Como un gato que se afila las uñas... así... riqui-raca riqui-raca riqui-raca... —el traductor hace como si se afilara las uñas contra la solapa de su chaqueta florida por delante, negra por detrás, ante los ojos curiosos de algunos cavernícolas, quienes piensan, a su vez, que hay que tener cuidado con los locos, mucho cuidado, que esta ciudad está llena de locos...— y, mientras, deja que el ratón se crea libre. ¡Qué bobo el ratón! Deja que vaya haciendo su última voluntad. Sin saber que es la última, claro. Ya se lo zampará, el gato, cuando le toque el turno... Hay gente así. Se agazapan. Esperan y aguardan, aguardan y esperan, hasta que les llega el momento y...

Metafórico, rebosante de inspiración, Manolito urde y urde. Se entusiasma tanto que parece a punto de dar una voltereta. Gesticula. Guiña un ojo y después el otro. Saca la lengua. Teje su telaraña hasta superarse a sí mismo mientras Lorenzo visualiza a Tom y Jerry atrapados en una madeja más sádica, si cabe, que las de Walter Lanz.

—¿Y entonces cómo fue que se pelearon?

—¿Cómo? Muy fácil. Ella estaba punto en boca y el problema es que así no se vale. ¿Qué gracia tiene? Así no da gusto humillar a nadie. ¿Tú entiendes? La cuprosa le escamoteaba la mejor parte. Porque Pierrot, igual que el ratón, no podía saber lo que ella estaba pensando o sintiendo. ¿No dicen que la materia es opaca? Él no sabía si sus flechas daban en el blanco o si iban a perderse por ese dédalo de calles enredadas y cielo plomizo que es París... A propósito, ¿te fijaste en el cielo plomizo? Qué buena fotografía. No hay nada como el cine en blanco y negro, ¿verdad?

–Y rojo –admite Lorenzo.

–Y rojo –admite Manolito–. Bueno, como podrás imaginar, Pierrot empezó a sentirse muy ridículo. Definitivamente payaso. ¿Sería posible que a la cuprosa Colombina le importara un comino lo que él pensara de ella y de su chocho? ¿Sería posible que a ella plin? ¿Tan descarada, tan cínica la bruja pestífera se estaría burlando secretamente de él? Ah no. Eso sí que no. Ni pinga. Ahí mismo fue donde se alteró de los nervios y se le subió el bestia y...

–Y le pegó y ella hizo así y le sacó un ojo.

–Efectivamente.

Una frase como una flecha.

No lo desea demasiado. En realidad, no lo desea. Pero una cosa lleva a la otra y luego a la otra y así. Es inevitable. De nuevo las fichas de dominó colocadas en hilera sobre la mesa, trac trac trac... Otra vez el reencuentro con las marcas, con las historias primitivas que nos han señalado para siempre. Nuestro héroe, ya lo hemos visto, no es capaz de rechazar los asaltos de su propia memoria. En cierto sentido, él es su memoria. A los diecinueve casi veinte, es un hombre todo pretérito.

En contubernio con su gran amigo y enemigo, Johnny Walker Black Label, la divina Aimée tratará de... *No pasó nada, todo es mentira, así que deja eso... El pasado es una mentiraza grandísima, tremenda turca... Deja, deja el pasado en paz... Déjalo, déjalo por ahí, en el fondo de la botella... Así no se puede, mi amor, así no se puede vivir... ¿Tú no quieres vivir...? Mira al violador, al monstruo, mira cómo acabó el monstruo... ¿Tú te imaginas su pasado...? Eso es para que tú veas... Y no me digas que no es un monstruo, porque sí lo es... Un hijoeputa... Olvida* *eso... Vamos a ser felices, tú y yo...* Pero en vano. Será Lorenzo quien convoque y obligue a regresar, casi ahogados por Johnny Walker, atarugados de píldoras y cocaína, entontecidos pero vivos, a los demonios de la muchacha negra...

Ahora Gabriela recuerda una frase entre tantas de los años en la beca, entre los catorce y los dieciséis. Una frase como una flecha con la punta mojada en curare. Aunque muy repetida y algo tremendista, la imagen de Manolito aún resulta bastante exacta: las *verba* en tanto objetos que se clavan. Objetos que envenenan. Eso, sin contar la electrizante alusión al blanco, a la diana con sus círculos concéntricos, líneas y cruces, ojuelos de avispa en lontananza... En el portal del cine, Gabriela recuerda la infamia aquella de *stink pussy*.

En la beca estudiaban inglés y ruso. Dos lenguas extranjeras a un tiempo, con técnicas audiovisuales en un sofisticado laboratorio en lugar de una sola y va que chifla, como en las escuelas de barrio donde Saba-no-sé-cuántos, la gentil profesora de inglés, todavía enseña, encantada de la vida, que *terrific* significa «terrible». Se trataba de un preuniversitario muy elitista, con once turnos diarios, mucho énfasis en la ciencia, la tecnología y nada de trabajo en el huerto para horror de Voltaire y para estudiantes superdotados que más tarde proseguirían sus diversas y superferolíticas ingenierías en la Unión Soviética o en Alemania Oriental. Porque entre ellos se encontraban, seguro como era seguro todo en aquellos tiempos, je je, los futuros encargados de descubrir la vacuna contra el SIDA y de echar a andar la central atómica de Juraguá[1].

En relación con el ruso y otras marañas y marañitas cirílicas, sin embargo, los superdotados experimentaban unos prejui-

---

[1] No se me escapan los graves problemas cronológicos que le suministran a este relato una sobredosis de inverosimilitud. Veamos. Si en el último año del milenio nuestro héroe aún no ha cumplido los veinte, es imposible que entre los catorce y los dieciséis, o sea, entre 1995 y 1997, lo hallemos tranquilamente cursando estudios en una escuela como la descrita. He pensado mucho en este asunto, pero lo cierto es que hasta el día de hoy no he podido encontrar ninguna solución aceptable. De manera que vamos a tener que acudir, por enésima vez, a nuestro amigo el diablo. (N. del A.)

cios insalvables, ignoro por qué. ¿Alguien lo sabe? El *pripadavatiel* Vasili Stepanov, más conocido como «el Pripa», con su cara de Yuri Gagarin con escafandra y todo, era un *tavarish* muy bondadoso, romanticón, alcoholitero y lacrimógeno, que declamaba con gran arrebato poemas de Pushkin y tenía a sus alumnos por un hatajo de insensibles bloques de hormigón armado a los que ni siquiera valía la pena suspender. Ellos, muy ufanos y saludables, se limitaban a jugar con el inglés. A manosearlo, estirarlo como un chicle y machucarlo como un diente de ajo. A «hacerse los del inglés». Así, durante meses y más meses fue la infamia, la calumnia, la infame calumnia para arriba, para abajo y a toda hora... *No se dice she is a stink pussy... Se dice she has a stink pussy... Si bien en el caso de ella, cochina, asquerosa, puerca, marrana, viene siendo lo mismo: stink pussy...*

Por aquel entonces ya la reina del basurero había tirado los aparatos. Sus piernas y sus dientes eran tan bellos como las piernas y los dientes que se fabrican en Hollywood. Eran, por cierto, lo único *bello* en su anatomía trivial. Las pantorrillas evocaban a la Venus de Velázquez, la del espejo, y un canino ligeramente montado sobre el incisivo adyacente confería a su rostro baladí alguna pizca de «personalidad». El coronel, la excelente señora, el ortopédico y el ortodoncista rebosaban de la satisfacción que suele proporcionar el Deber Cumplido, puesto que nadie en su sano juicio la hubiera calificado de bicho feo triplefeo. Sólo había un pequeño problemita, algo con lo que nadie había contado: de tanta repetición nuestra muchacha *se sentía* esqueleto rumbero, tatagua, doña basura, majúa, escolopendra, pichón de aura matada a escobazos y otros lamentables epítetos que se habían ido agregando por el camino. *Se sentía* el bicho más horripilante del universo, el más pútrido y alcantarilloso, la última de las cucarachas que habitan en la letrina o en las profundidades del cementerio. Su amor propio se arrastraba por el piso cual gusano, bien hundido dentro del fango, bien cubierto de detritus y hojarasca a la manera de los cangrejos oxirrincos, lo cual derivó, como era de esperarse, en un compulsivo afán por ser aceptada, por parecerse a los otros aún más de lo que ellos se parecían a sí mismos. Y fueron las insistentes concesiones...

yo pienso igual... claro que sí, yo pienso lo mismo, lo mismitico... tienes razón, tienes toda la razón, ¿cómo no se me había ocurrido antes...? ojalá yo fuera tan inteligente como tú, ojalá... es más, yo te admiro... en compañía de una sonrisa bobalicona. Fue la imposibilidad de que todos (*todos* equivale a los otros, los demás, las fieras, el infierno, los insensibles bloques de hormigón armado; *nadie* equivale a nuestro héroe y también a Ulises empeñado en embaucar al cíclope) no se percataran enseguida del escaso valor que la muchacha, en apariencia normal, se concedía a sí misma y no pusieran manos a la tarea de convertirle la vida en un buñuelo.

Un buñuelo patitieso, con acíbar en lugar de almíbar, que es muy poco lo que se necesita para ser víctima de las malvadas niñas, ahora malvadas jovencitas del albergue que te esconden las cosas, te desaparecen el abrigo del uniforme, que costaba setenta pesos cuando setenta pesos eran todavía algo y el coronel Mayo, cicatero y frenético, pone el grito en el cielo, donde nadie le hace el menor caso, ni los arcángeles de la corte celestial, ni los querubines con sus caritas de compotas Gerber, no faltaba más, que bastante insistía en denigrarlos y hasta en regatearles la existencia, el coronel, en sus cotidianos ataques de marxismo-leninismo. Las malvadas te riegan la cama y te la llenan de porquerías y luego los de la inspección concluyen que no tienes remedio, que eres un desastre total en cuanto a los asuntos domésticos y la penitencia consiste en limpiar el albergue *completo,* incluidas las telarañas del techo, trapeador en mano y escobillón en ristre día tras día durante una semana y la historia se repite semana tras semana hasta el agotamiento que te borra la sonrisa bobalicona y te va dibujando una sonrisa distinta, inescrutable. Las malvadas te mojan los libros y las páginas se pegan unas con otras y al de Matemática se le diluyen los gráficos y los teoremas, los l.q.q.d., y los pones a secar porque el coronel te ahorca y te tira por el balcón si le insinúas que también tiene que pagar los libros, propiedad social. Hay que cuidar la propiedad social, farfullaba el coronel, para no hacerle el juego al imperialismo. Las malvadas te recortan el pelo mientras duermes tu sueño sobresaltado, tu pesadilla con agujas y tigres, silenciosos, meditabundos entre las tinieblas y las sombras mutiladas de un páramo con la luna al revés y una bolita en la garganta. Luego te apareces en la casa con un pelado que ni Klaus Kinsky y el coronel se indigna con lo que él llama «tus excentricidades» y «tu incorregible diversionismo ideológico», pero piensas que no es tan grave, que el pelo vuelve a crecer. Las malvadas te acusan de ladrona (falso, fueron ellas quienes se robaron el abrigo), de lesbiana (todavía falso, si las mujeres eran *aquello,* ¿a quién podía ocurrírsele amar a las mujeres?) o de «individualista y autosuficiente» (qué risa). Las autoridades del colegio sólo intervienen, y eso por temor al escándalo y a las relaciones del coronel con sus peligrosos pespuntes azules y estrellas doradas en la charretera, cuando tú, pequeña, estás inconsciente en la enfermería, bañada en una sangre que no debe llegar al río. ¿Por qué contaminar el río? ¿Por qué reconocer que el río está ya contaminado? No, señor. No hay que darle armas al enemigo. El enemigo se aprovecha de cualquier cosa y esta es una escuela modelo. Mientras tanto, la sangre fluye entre los detritus y la hojarasca. Todo porque a las malvadas, tan ufanas y saludables como las que pinta Enid Blyton en esas encantadoras instituciones inglesas que, gobernadas por las propias alumnas, pasan por ser las más democráticas del mundo, un buen día se les antojó, ya que tú no pronunciabas ni media palabra, ya que sólo escuchabas, eso sí, con profunda atención, como si no te importara, como si a ti plin, que a lo mejor iba y resultaba divertido que todas te golpearan a la vez. Y lo hicieron. No digo yo si lo hicieron. Era como un cerco que se estrechaba a tu alrededor, un ruedo de siluetas rampantes que no te deja escape. Te empujan de un lado a otro como solía hacer la pandilla de los aseres cuando atrapaban algún animalito, un perro o un gato en la calle para jugar al fútbol o a los bolos y el animalito era la pelota y entendía lo mismo que entiendes tú, con la diferencia de que a él nadie le había dicho que vivimos en un mundo civilizado y progresista donde la gente hablando se entiende y la cubanidad es amor. Quizás las malvadas no eran tan malvadas, dudas ahora de tu propio juicio en lo que te parece un rapto de lucidez que se abre desde el vértigo y el espanto de una situación límite. Hojo diría que no existen las situaciones límite, que las llamamos así por nuestra muy humana propensión a la grandilocuencia, y en cuanto a los raptos de lucidez... ¡ay! Pero sí, qué sabe Hojo, ese bufón que de todo se ríe porque la vida es el único límite, porque la vida es un carnaval. Pero sí, quizás había *algo* que se apoderaba de ellas, un luzbel, un arimán, un leviatán o ángel caído que las ponía fuera de sí y dentro del grupo las obligaba a actuar como no hubiera actuado cada una por su cuenta, cuando se quedaban frente a frente en riguroso diálogo con la responsabilidad individual. Es tan fácil argüir que «todos lo hacen»... Que si «todos lo hacen» entonces está muy bien... Y te empujaban de un lado a otro las malvadas con las uñas largas, también las uñas en tanto objetos que se clavan y arañan y desgarran. Te caíste por fin y tu cabeza sonó crac como las finanzas del 29, un cataclismo donde todo se voltea y de repente parece nuevo, todo subvertido, insólito, dolorosamente horrible y tu cabeza muy próxima a lo oscuro, tan oscuro como muy oscuro y fluorescencias verdes. Tu cabeza iba a estallar y ellas seguían dándote patadas y patadas y patadas. El estómago, los riñones, el pecho, la cara que tus manos apenas alcanzan a proteger y gritas. No digo yo si gritas. Pero tus gritos se hunden y se desvanecen entre los gritos de ellas. ¿Por qué gritan ellas si nada les duele? ¿O acaso sí? ¿Por qué nadie de afuera se alarma con los gritos de adentro? ¿No se tratará de otra pesadilla? Pugnas por despertar y por un instante alcanzas a percibir tu cuerpo como algo ajeno a ti, algo que puede romperse como un cacharro de cristal, así de simple. Flotas, asciendes hasta el rincón de las telarañas aéreas. Te ves desde arriba y desde arriba las ves a ellas, en silencio y en cámara lenta, dándole patadas y patadas y patadas a algo que no eres tú y luego ya no ves...

Sí, es poco, muy poco lo que se necesita para que ocurra todo eso. Basta, como quien dice, con «ponerse a tiro». Con revelar posturas y hábitos de víctima. Los reflejos embotados, suspendido el instinto de conservación como sucedió con la novia del vampiro de Düseldorf. O con De Launay cuando se negó a rendir su fortaleza. O con María Estuardo cuando desafió a John Knox. O con el muchacho negro que lanzó un piropo a la muchacha blanca en las mismísimas narizotas del Klan. O con la instructora y el hombre del armero. Es tan fácil... Nunca, sin embargo, se lo has contado a nadie. No te animas a contarlo en ninguna parte porque sabes muy bien que nadie lo creería. Porque los altares embarrados de sangre y chamusquina se ocultan en lo intrincado, en lo más profundo del bosque y los sacerdotes escapan una vez consumado el sacrificio. Porque tus oyentes dirían ¡bah! antes de mirarte como se mira a las personas que exageran o que precisan con urgencia de un tratamiento psiquiátrico. Pero no te animas a contarlo, sobre todo, porque sientes que de alguna forma tuya es la culpa, la endemoniada culpa. Qué asco de ti misma. Qué vergüenza. Qué rabia. Porque sólo a ti, piensas, te ocurren semejantes infortunios...

Lo de *stink pussy* vino después, cuando las autoridades del colegio les prohibieron a las malvadas, so pena de expulsión, volver a tocarte, a ti o a tus cosas, hasta con el pétalo de una flor. Al coronel le contarían con pelos y señales (ni Proust lo hubiera hecho mejor) todos los detalles de un supuesto accidente, un resbalón en la ducha porque el champú se había derramado y la sangre se había mezclado con el champú como las aguas verdes y azules en un delta, las aguas verdes y azules y rojas, el calidoscopio, las burbujas y tú con la boca *chiusa*. El coronel se tragaría la paparrucha enorme por culpa de tu boca *chiusa* y también por su muchísima ocupación en sus muy otras y muy importantes misiones. Durante la convalecencia, pese a todo, te dedicaste con ahínco a suponer que tu vida mejoraría. Que si no te aceptaban, por lo menos te dejarían en paz. Qué bobo el ratón. Un respiro no te hubiera venido nada mal y entonces... *stink pussy*. Una frase como una flecha. Significante e insignificante como lo son los insultos en una lengua extranjera. Cobardía frente a los sonidos casi corpóreos de la propia, frente a la posibilidad de llamar al pan, pan, y al vino, vino. Hojo sonreiría... *Pero qué dices... Que yo sepa, ni el pan ni el vino tienen otros nombres...* Qué payaso. Claro que los tienen. Era la pretendida lejanía, la pretendida indiferencia ante lo dicho. La abominable coartada del eufemismo, del circunloquio y el sujeto genérico de los rumores. (*Cobardía, pretendida* y *abominable* son, en el contexto de la memoria turbulenta, palabras muy propias de Gabriela, educada desde niña en los usos del léxico moralizante y batallador que hace la retórica de la patria dura.) *Por ahí se comenta... No soy yo quien lo dice... Las chiquitas de tu albergue dicen... Ellas lo dicen y cuando el río suena...* ¿Cómo responder a eso? Porque las chiquitas de tu albergue no perdieron la oportunidad de irles con el cuento a los varones y todos se rieron de lo lindo. Durante meses y más meses, para arriba, para abajo y a toda hora. No era verdad, pero ¿a quién le importa la verdad? Fue como si te expusieran desnuda en lo alto de una explanada, así como le hicieron a aquella mujer en la última película de Munk... Una cinta inconclusa, mal que bien articulada por discípulos y amigos. Una avalancha de fragmentos en blanco y negro, donde algunos se repetían con diferentes cortes para que Hojo, el hombre sin intríngulis, apreciara entusiasmado el valor estético de lo fragmentario casual... *A lo mejor al propio Andrej no le hubiera quedado tan bien... ¿Tú no crees...?* Tú no creías nada. La escena te hizo salir del cine y vomitar la ensalada de marpacíficos y cebolletas y Hojo detrás de ti... *¿Por qué somatizas...? ¿Tan infame te parece la película...? A mí me parece muy buena...* No podías explicarle porque las arqueadas regresaban de sólo invocar la imagen de aquella mujer desnuda en lo alto de una explanada, junto al camino por donde desfilaban, como cada mañana, todos los soldados y todos los prisioneros del campo nazi. Aquella imagen estaba destinada a añadir nuevas pesadillas a tu sueño... *Hojo ve las películas como si no tuvieran nada que ver con él... Como si sólo fueran eso, películas... Hojo no tiene sentimientos... Es un brujo sin sentimientos, un intelectual... En cambio, yo... Yo no debería ir al cine... Hay cosas que yo no debería ver...* Te veías completamente desnuda frente a una multitud que se burlaba de los defectos de tu cuerpo. Tu cuerpo no tenía defectos, no los tiene, pero ya se habían encargado de hacértelo creer en la edad de la inocencia, cuando te disponías a dar por buena cualquier certeza que brotara del mundo más allá de tu piel. Pensaste que después de aquello, *stink pussy,* no valía la pena vivir. Qué bobo el ratón. No se te ocurrió que hasta las peores experiencias pueden resultar útiles por susceptibles de ser transmutadas en algo distinto. Que siempre queda el recurso de escribir otra novela flamboyante... *¿Flamboyante...? Entonces que la escriba el tal Emilio U, que para eso es el escritor... Lo mío son los números y la sospecha de los números... Qué tontería es esa de escribir novelas...* Y te tomaste, como volverás a hacer en compañía de Aimée, más de once pastillas, más de veinte, no sé cuántas. Pero hasta para eso te pusiste fatal, pequeña, porque todas las pastillas blancas se parecen entre sí y nadie se mata con aspirinas...

Contra su voluntad, Gabriela recuerda. Aprieta los puños hasta que los nudillos pierden el color. Da un zapatazo en el suelo y Manolito... *no, decididamente no es normal...* se revuelve inquieto para comunicar la vibración a su acompañante... *¿Quién es esta persona...? Es extraña... No me gusta nada su forma de mirar... Mejor nos vamos...* Y se aleja con la pobrecita colgada del brazo sin darle tiempo a Lorenzo a formular su última pregunta. ¿De qué se reía el que se reía dentro del cine, cuál era la parte graciosa de la historia cruel?

Más tarde, esta misma noche, la mirada sorprendida del hombre sin intríngulis le recordará a nuestro héroe el despropósito que implica investigar de qué ríe el que se ríe frente a una película en el anonimato de la sala oscura. Los espectadores son impredecibles. ¿Acaso no se reían de los personajes de *Vidas secas* porque, los muy infelices, vivían secos y pasaban un hambre de tres pares y de pronto no lograban controlarse y devoraban al gallo viejo, seco y tieso que andaba con ellos por el desierto de la desgracia y las vicisitudes tercermundistas? ¿Y no se reían de la actriz inválida cuando Baby Jane le servía, en el corazón de la ensalada, primero su canario, el de la inválida, su canario frito sobre una hoja de lechuga y después una suculenta rata, quizás a la parrilla? ¿No se reían del banquete de Navidad –la cámara realizaba un paneo lento sobre el lujoso mantel que servía de fondo a los lujosos manjares, copas y candelabros– en *Fanny y Alexander*? Uno podría suponer que, durante los años más difíciles de la crisis postmuro de Berlín, una crisis de nuevo cuño con el fin de las ideologías y el fin del petróleo y el fin de muchas otras cosas, buenas y malas y regulares y dudosas, entre ellas el milenio, los cinéfilos habaneros se reían de todo lo relacionado con el verbo *comer* mientras iban buscando algún modo de alcanzar el nirvana de la inapetencia con el secreto propósito de no volverse locos.

Pero el hecho es que ya estaban sumamente locos. Si no, ¿por qué se reían de aquella escena donde los fascistas le vendaban las manos en alto a un prisionero, se las empapaban en alcohol y le prendían fuego? ¿Por qué se reían cuando a Toshiro Mifune, en *Kumonosu-Djo,* se le aparecía el espectro del Banquo japonés, sí, japonés, pero tan respetable y sobrecogedor como cualquier otro espectro de Banquo? ¿Y por qué se reían en aquella otra, de Visconti, cuando el maníaco violaba a una niñita debajo de la mesa y después a otra niñita y más tarde, por variar, se acostaba con su propia madre? Sin duda conformaban un público bastante risueño y necesitado, a lo mejor, de más de un exorcismo. A veces se reía un solista, como en la de Arlequín y Pierrot y la cuprosa Colombina. A veces se reía un dúo o un trío o un septeto. A veces, la sala entera. Y si se hallaba presente algún extranjero... ¡Ah! Entre bengalas y voladores sobrevenía entonces el espectáculo del Gran Asombro. El extranjero pegaba un brinco en la butaca, abría tamaños ojos, tamaña boca y trataba de escudriñar en la penumbra las fisonomías de los joviales. Justo ahí era cuando los que todavía no se habían reído no podían contener la carcajada... Se reían, según Hojo y una botella de ron surcada por los dieciséis bizarros navegantes del tesoro, los encargados de ahuyentar la skepsis para construir teorías en torno al Ser Nacional, porque no contaban con nada aparte de su risa. *Porque ellos, es decir, nosotros, sólo somos nuestra risa y además el gravamen de persistir en la fiesta innombrable...*

Nuestro héroe sale del portal. Se detiene por unos instantes en los escalones de mármol jaspeado hasta comprobar que, al parecer, nadie lo sigue. Luego camina hasta la calle 12 y baja por ella en dirección al mar. Le duele la cabeza de una manera atroz, con nebulosas y chirridos y sienes palpitantes. Le duele como si, en lugar de una cabeza aturdida y falta de oxígeno, cargara sobre los hombros la Pirámide de Keops. Se le han acabado los cigarros y, para colmo, tiene un hambre... que ni los personajes de *Vidas secas*. Los abusadores que se comieron al gallo vetusto de imprudente kikirikí. Un gallo con posturas y hábitos de víctima, los reflejos embotados, suspendido el instinto de conservación. Gabriela, en la recámara central de la Pirámide, entre los residuos de sus divagaciones anteriores... *Sentido del humor, ¿no...? Ese es el problema: ausencia de sentido del humor... ¿De dónde sacarlo...? ¿Dónde lo reparten...? No hay arreglo, soy un plomo... Una tonelada de plomo... Bueno, una tonelada es siempre una tonelada, no importa de qué... Soy una tonelada de cualquier cosa... Por ejemplo, de mierda... Soy una tonelada de mierda...*

La sombra del caminante.

Cada vez más la sombra de su cuerpo contra las luces mortecinas del alumbrado público. Una figura que se alarga y se quiebra en la frontera del suelo con las superficies verticales es la que avanza encorvada, con un ligero balanceo de brazos como espigas, los brazos de la sombra del caminante nocturno, o aspas de molino que concluyen en garfios donde antes estuvo el dedo de Dios. Cansada, muy cansada la figura, va arrastrando sola su fatiga por una perpendicular a la calle 12, bien cerca del mar y los olores del mar. Los álamos, los plegamientos de la acera rota por el empuje de las enormes raíces que amenazan con reventar la ciudad y su cráneo, el cráneo de la figura. Un sitio para tropiezos y caídas y encuentros desafortunados, un crujir de hojas muertas, boliches untuosos, los boliches de los álamos que de niño recogía para guardar en una cajita y que ahora la figura va aplastando. Ladridos, la pendiente y la puerta del garaje. A través de las hendijas una diminuta lámpara, bajo cuya luz mi principal temor consistía, como siempre desde la noche inmóvil de La Rampa, en no volver a verlo.

5

Nada más y nada menos que fotografiar la muerte.

Así de sencillo: no volver a verlo frente a mí, vivo y con grandes ilusiones de seguir viviendo. Aunque lo más exacto no sería *verlo*, sino *tocarlo*. Mi principal temor consistía, pues, en no volver a tocarlo, aun cuando el destino –llamémosle así– me deparase la posesión oblicua de otras imágenes suyas. Como sucede con la persona (una parábola) que va al baño en el segundo piso de un bar en Broadway. Un bar tapizado de espejos y de turistas europeos que se reflejan en los espejos. Los mismos a quienes explican en las agencias, allí donde les sacan del fondo del bolsillo sueco, austríaco o neerlandés, hasta el último quilo prieto partido por la mitad, que NY es un sitio peligroso, aterrador, espeluznante... Ellos encantados: *I love NY*, dicen las camisetas y las gorras más caras del mundo. También les aseguran que no deben acercarse a nadie. La consigna es mantenerse al margen. Aunque les hablen en cualquier idioma. Aunque les hagan señas o les chiflen o les saquen la lengua. Y mucho cuidado sobre todo con los baños, que allí se ocultan para perpetrar sus bellaquerías toda clase de pervertidos, maníacos, drogadictos y asesinos.

El bar. Un lugar abstracto cual escenario de cartón, parecido a los que describe en sus novelas y relatos el mequetrefe de Emilio U. Yo lo ubicaba en Broadway porque resulta muy difícil, virtualmente imposible, soñar un lugar abstracto y también porque estuve allí en la primavera del 97, aunque no como turista, ni mucho menos europeo, ni tampoco de la misma manera en que estuve en Alepo, donde un infiel insultaba a la república serenísima y cogía por el pescuezo a un veneciano y... Pero Alepo no importa. Ni Broadway. Ni tiendas de souvenirs ni bares ni teatros ni un tipo disfrazado del pingüino siniestro de Ciudad Gótica para asustar a los que pasaban. Ni los terrores del cuate Malandra entre las noches de neón y Clan Campbell con la zozobra de tanta luz inoportuna. Pudo ser en otra parte, pues no creo que ningún ambiente resulte en sí mismo más adecuado que otro a la hora de introducir en él una historia de violencia. Dejemos a los románticos toda esa babosada de personalizar los paisajes. Dejemos a los realistas todo ese agobio de retratarlos hasta el último detalle.

Lo cierto es que a mí me embelesaban las historias de violencia, los vídeos alquilados, las películas americanas de los sábados por la noche en la tele, como aquella del *paparazzo* que fotografiaba a los mafiosos en medio de la refriega en otro bar o quizás en este mismo, un lugar abstracto, absoluto y continente de todos los lugares a la vez. No recuerdo los motivos de la reyerta. Algún ajuste de cuentas, alguna disputa por cuestiones territoriales o puro ímpetu de gastar municiones, el diablo sabrá. Sólo veo al *paparazzo* escondido, atrincherado tras una mesa volcada para, como diría el lobo de Caperucita, fotografiarlos mejor. Para atrapar los últimos espasmos y contorsiones de los mafiosos en el instante mismo de la muerte. Nada más y nada menos que fotografiar la muerte. La primavera del 97 rebosa de fantasmas trucidados.

Allá va Fulanini, el quebrantahuesos del *happy hammer*, maestro carpintero o especialista en astilladas agonías de romper las articulaciones, codos, rodillas, de machucar los irreparables huesitos de manos y pies, las uñas, de partir el espinazo... Allá va Menganoni, el sacaojos de la púa que preguntaba muy amable a sus prisioneros cuál preferían perder, si el derecho o el izquierdo, cuál preferían perder *primero,* porque de todas maneras les pincharía los dos... Allá, en fin, va Zutanaglia, famoso en el barrio por obligar al irlandés a comerse su propia oreja, la crujiente, sucia y cartilaginosa oreja del temible irlandés... Y el *paparazzo* presiona el obturador, una, otra vez y muy contento... *¡Qué noticia, Dios mío...! ¡Qué noticia...!* Veo volar la cabeza sin cuerpo de Fulanini. Veo los intestinos desparramados de Menganoni. Veo un brazo arrancado de cuajo, el izquierdo de Zutanaglia, por los aires el brazo aún aferrado a su ametralladora. ¡Ah! ¡Cómo veo cosas! Zutanaglia era zurdo, como Lorenzo. Siempre me ha parecido muy erótico eso de que un muchacho sea zurdo.

Pero la puerta del baño se cierra tras ella, tras la persona (una parábola) que habíamos dejado en el segundo piso de un bar repleto de turistas europeos, en Broadway, y luego no consigue abrirla por pura incomprensión de la tecnología del pestillo. La persona se pone toda nerviosa y claustrofóbica al tocar y volver a tocar con los dos puños y gritar y patalear y pedir auxilio y ver que nadie acude. Sabe que la escuchan y no logra entenderlos... *Yo no soy pervertido... Ni maníaco... Ni drogadicto... Ni asesino... ¿A qué le temen estos imbéciles...? A lo mejor sí lo soy... A lo mejor soy todo eso y lo que pasa es que no me he dado cuenta...* Así transcurren lo mismo tres minutos que tres horas o más. La persona siente que se asfixia, que se muere del hermetismo y de la rabia como un insecto que frenético agitara patas y alas en el interior de una redoma. Por fin la puerta se abre... Y entonces irrumpe alguien cuya cara la persona jamás alcanzará a distinguir. Alguien que se aprovecha de su enervante situación para forzarla a oler cloroformo y abur, amor mío.

Su amante y su mejor amigo, que podría ser yo, sólo vuelve a encontrarla, oh sorpresa, como protagonista de un *snuff,* patibulario vástago de los noticieros de primer impacto. Uno de los más alucinantes, uno de aquellos que tanto excitaban y asustaban a la persona misma, quien los miraba de medio lado, con un solo ojo como miran los pájaros y la respiración contenida, entre sudor frío y chorros de adrenalina... *¡Mira...! ¡Mira lo que le hace...!* Me clavaba los dedos en las costillas, me rompía la manga de la camisa... *¡Ay! Mejor ni* *mires... Esto es para enloquecer... ¡Ay! Fíjate que le está haciendo una de esas cosas que sólo se pueden hacer una vez... ¡Ay! Como el policía turco que con una tijera le cortó un pezón a la muchacha dentro del carro... ¡Mira, chico, mira eso...! ¡No te lo pierdas...! ¡Ay ay ay...!*

Apenas la reconoce. (Jacques de Molay, el Gran Maestre del Temple, no lucía peor que ella a la mañana siguiente de su arresto, después de pasar una agradable noche en compañía de los esbirros que lo querían confeso. Nunca fue lindo Jacques de Molay, pero los sicarios acabaron de estropearlo.) Su amante, su mejor amigo apenas la reconoce en la pantalla, amarrada a un poste, desnuda y bañada en sangre en el centro de una habitación blanca, aséptica, impersonal como un calabozo en los sótanos de la Gestapo... *No... Nada de sótanos... Yo vivo en un sótano como la señorita Frank y el conejo de Alicia... Mejor un quirófano... Sin anestesia, claro...*

Bastante borracho y delirante y solo, su amante y su mejor amigo la va reconociendo cada vez menos a medida que el torturador encapuchado se acerca y se aleja del poste. Hasta sus gritos, los de ella, suenan extraños, metálicos, extragalácticos, qué se yo, si nunca antes la había oído gritar de ese modo. Aúlla... *por favor... por favor... no... eso no... por favor... eso no... no...* y luego sólo aúlla. Se desgañita a la manera de un puerco sobre al ara del sacrificio lento, pausado, moroso, lánguido como la escritura punitiva de la máquina en la colonia penitenciaria o el tormento que consiste en dividir al reo, una vez desollado, vivo y con grandes ilusiones de seguir viviendo, en cien pedazos que se tiran a la basura. Un holocausto donde lo que importa es vaciar las venas (jamás las arterias) gota a gota, dejar que la muerte fluya hacia el exterior con toda la parsimonia de un molusco estupefacto...

Y la persona se enreda en sus propios estertores. Se atraganta con las sílabas... *No no no au xilio xilio no por fa vor no no...* Su lengua se retuerce y se transforma en un trozo de madera, en una increíble balalaika de cuerdas reventadas cuando el encapuchado, que a lo mejor es el mismo del cloroformo y que no usa el que-sirve-para-no-escuchar, tal vez porque le fascinan los aullidos... *¡no no noooooo....!* como el artista que se regodea en su propia creación, su gran sinfonía Opus número tal —se le nota la experiencia en estas labores y un profundo conocimiento de la anatomía humana—, o para que no vayan a tomarlo por un tipo débil, cariñoso, tierno, sentimental, se inclina sobre ella con su cuchillo, a la altura del vientre, y le hace algo cuyo sentido así de pronto no logro captar. Porque ella está de frente y él de espaldas. La fijeza de la cámara, pues el torturador carece de aprendices que la muevan alrededor de su trabajo, nos reduce a la monotonía de un solo plano, a la visión única de cada movimiento ya concluido de la Opus. Y el significado se me escurre, aunque a juzgar por los alaridos debe tratarse de algo particularmente atroz.

De súbito...

¡No! No, eso no. ¡No puede ser eso! Es demasiado monstruoso...

Hay algo que aúlla dentro de mí... *¡no no noooooo...!* *Demasiado monstruoso... demasiado monstruoso...* me repito y reniego de mi comprensión, de las piezas que se encadenan unas a otras como en un mecano para ofrecerme en bandeja de plata una certidumbre tenebrosa. Abjuro del capricho, de la *grotesquerie* que se aproxima reptando. Me arrepiento. ¿Cómo puede uno arrepentirse de lo que nunca estuvo en sus manos evitar? No lo sé, pero me arrepiento. En busca de un escape, un desahogo, una salida del laberinto con paredes espinosas, todavía procuro impugnar la realidad de lo que veo, de lo que tal vez ya nunca logre dejar de ver, y la emprendo a mentiras contra mí mismo. Todavía me digo que no, que no puede ser, que es demasiado monstruoso y no puede ser... Pero sí. Es. Definitivamente es y se trata de *eso*. Lo veo muy claro cuando el encapuchado se aleja.

Se me revuelve el estómago. La ensalada de marpacíficos se me para en dos patas. Intento imaginar los estómagos de los consumidores habituales de *snuff*, los contemporáneos Calígulas humanos demasiado humanos y las no sé cuántas jornadas de Sodoma y los informes a la ONU sobre el «trabajo sucio» bajo las dictaduras militares, testimonios de primera mano, algunas fotos, un sujeto entre alemán y paraguayo aplica la picana eléctrica mientras se come un bocadito de jamón y queso, mostaza y pepinillos, pues con estos líos de la subversión no le dio tiempo a almorzar en su casa... *Malditos terroristas que no lo dejan alimentarse a uno...* Intento imaginar el suplicio del lacayo Damiens y el de Sharon Tate y el toro de Falaris y la doncella de hierro y las imágenes en Internet sobre las caricias que se dedicaban unos a otros albaneses y serbios antes, durante y después de la guerra en Yugoslavia, empalamientos y todo y la doble historia del doctor Valmy y los martirios al detalle que hacen de las hagiografías una literatura erótica de muy altos quilates y...

Vertiginosa, obnubilante vorágine.

El encapuchado remata la Opus con un disparo y enseguida procede a desmembrar el cadáver. Pero no destruyo la cinta, ni pensarlo. ¿Cómo destruirla, si ahí está ella, la persona de quien fui el amante y el mejor amigo, amarrada a un poste, desnuda y bañada en sangre, casi irreconocible pero sólo casi, atemporal, eternizada en su agonía como San Sebastián o Santa Cecilia? Bajo la diminuta lámpara, en una noche cualquiera por los finales de octubre y frente a una botella de ron surcada por los dieciséis bizarros navegantes del tesoro, así era mi temor de perder a Lorenzo, de no volver a tocarlo mi principal temor, de sólo verlo en la pantalla por más que él no saliera nunca de La Habana inmaculada donde apenas se conoce (aunque sospecho) la moda del vídeo *snuff.*

El felino y el arquero.

En los archivos de La Rampa se habían extraviado ocho de las nueve latas donde se guardaba la copia de *Andrei Rubliov,* correspondiente al programa del martes. Misterio supremo. Nadie conseguía explicárselo, pues no se trataba precisamente de una colección de latas susceptible de provocar el apetito de los ladrones, no al menos el de los ladrones cuerdos. ¿Quién en su sano juicio −pensaban todos, todos menos uno− se habría dejado engolosinar por semejantes chirimbolos cuando, con idéntico riesgo, hubiera podido apropiarse de otros chirimbolitos mucho más deliciosos? Quizás un caso de cleptomanía galopante, la cual, como sabemos, es omnívora y arrasa.

Pero el relajo no se detuvo ahí, qué va. A continuación, o sea, el miércoles, se había achicharrado, sin subterfugios y a la vista de todos, un enorme fragmento de la copia de *Solaris*. Justo cuando creían los espectadores que iba a ocurrir algo, lo que fuese pero algo, en el orbe del luminoso cuadrilátero −los espectadores eran inocentes, vivían signados por una especie de pensamiento mágico que los arrastraba a confundir sus deseos con actuales y futuras realidades−, aparecieron ampollas en el celuloide. Casi enseguida las ampollas se transformaron en burbujas purulentas, en erupciones como rocío de napalm o lewisita o la quemadura de un soplete oxhídrico sobre la piel humana, hasta concluir en el memorable hueco que en principio los espectadores, inocentes al fin, supusieron un chiste, una maniobra artística, una cuchufleta experimental del cine «de vanguardia».

Pero las desgracias, como las cucarachas, nunca llegan solas. Más tarde, esto es, el jueves, el proyeccionista, siempre comiendo de lo que pica el pollo... *¡coño, cojo, estás acabando aquí con uno...! ¡suelta la botella, compadre...!* se había equivocado en el orden de los rollos de *Nostalgia*. Suprema hecatombe. Tanto demoró el cojo en percatarse de su error que terminó por exhibir otra película de su propia y exclusiva invención. Un *remake* descoyuntado, desmesurado, desajustado, desequilibrado y aún más incomprensible que la versión original. Los inocentes se consolaron esa vez pensando que, después de todo, la diferencia era mínima.

Por último, es decir, el viernes, las desventuras de los cinéfilos ramperos habían alcanzado su punto de ebullición al ser deglutida cualquier posibilidad de explorar en los hechos concernientes a *La infancia de Iván*. Cinco minutos después de los créditos finales de un viejo documental de Santiago Álvarez sobre ciclones, inundaciones, helicópteros y matas de plátanos, cuando ya la cámara se movía de un modo confuso, como si al camarógrafo le dolieran las muelas o hubiese resbalado con una cáscara de aguardiente o tuviera los testículos llenos de guizazos, había sido deglutida y digerida cualquier posibilidad de casi cualquier cosa por las brumas de un implacable apagón que parecía anunciar el fin de los tiempos.

Nada, que el ciclo de Tarkovski se iba desenvolviendo de una manera un tanto irregular. Al menos en eso coincidían los dos individuos que, sin mucha prisa por escapar del malhadado antro, permanecían acurrucados en la oscuridad del saloncito de los afiches... *del carajo y la vela... parece cosa de brujería... sí, de brujería palera, de la mala... a lo mejor va y son los designios del Altísimo... ay, cuando el Altísimo la coge con algo... la yagua que está p'a ti no hay vaca que se la coma... sí, y al que nace para i del cielo le cae el punto... ¿tú has venido todas las noches...? ajá... yo igual... ya lo sé, ya lo sé, ya te había visto... somos unos fracasados, deberíamos morirnos... oye, pero qué idea tan genial, ¿no se te ocurre otra...? bueno, pues sí...* a un lado de la famosa rampa con alfombra rojoanémica que presta su otro nombre a la Cinemateca.

Mientras uno de los individuos se desabrochaba la bragueta quién sabe con que intenciones por nosotros ignoradas, el otro llegó al extremo de comparar el accidentado ciclo con la *hard day's night* del ciudadano intachable que en la mañana llega tarde al trabajo y lo despiden; llega temprano a la casa y encuentra a su mujer en la cama con otro; decide largarse pacífico, sin hacer ruido con tal de no perturbar a los amantes y cuando va a despedirse del niño alcanza a distinguir por la ventana la sombra fugitiva del canalla que se lo lleva metido dentro de un saco; el canalla le resulta escurridizo y no logra agarrarlo; se dirige a la unidad de policía más próxima para denunciar el secuestro y por el camino lo asaltan unos bandidos, le quitan el dinero, el reloj, las llaves y los documentos; con el pretexto de que la alianza se resiste a salir por las buenas, en lugar de enjabonarle el anular, pues ¿quién ha visto que los bandidos, en cualquier parte del mundo, se pertrechen con pastillas de jabón para cometer sus fechorías?, deciden cortar por lo sano con una navaja oxidada y al final lo golpean alegremente con un bate de aluminio hasta dejarlo medio muerto, despatarrado en la acera, pensando que la vida es una barca, como diría Calderón de la Mierda, y preguntándose qué hacer para morirse del todo.

—Oye, niñito, pero qué historia más horripilante, jo jo... —el de la bragueta misteriosa acarició la mejilla del niñito sin que éste hiciera el menor ademán de rechazarlo—. Ni Kafka, jo jo... Espero que no sea autobiográfica... Porque así no hay quien pueda... Eso es lo que se llama tener detrás un... ¡un batallón de chinos! Y todos igualitos a Mao Tse-tung. ¡Jo jo! Aunque mira... —el de la bragueta misteriosa enfrascado en turbios manejos—, lo del trabajo está un poco arbitrario, ¿no te parece? A no ser que su jefe llevara mucho tiempo cazándolo, que lo tuviera más atravesado que un miércoles, en la mirilla, en el punto rojo del colimador y aun así... bueno, en el mundo se sobran los sindicatos, ¿no? Y lo de la mujer... ¡bah! —proseguían los turbios manejos—. Si el tipo decidió no estorbar, así, con tanta tranquilidad, con tanta filosofía, es porque aquella mujer le importaba un pepino, en lo cual tenía toda la razón... Figúrate tú... Con tantas criaturas bellas como hay en el mundo para que uno se las encuentre en cierto cine que por lo demás es un auténtico desastre... —el niñito se arrodilló frente al de la bragueta misteriosa de modo que su boca quedara a la misma altura de la susodicha—, ¿a quién se le ocurre perder el tiempo con una mujer? A lo mejor estaba loco por salir de ella y nada más estaba esperando un chancecito para darle la patada... Es más, ¿no sería *gay* el tipo? Porque nunca se sabe, fíjate... Ay sí, sí se sabe, así, así... Si nos apuramos un poco a lo mejor va y... Sí, también estaba loco por salir del chama... Ay sí... El chama era tremenda jodienda en su vida, en su lamentable barca de maricón de clóset, en su... No, no, espérate... Espérate, espérate, es en serio... Creo que por ahí viene alguien...

El otro, presto y habituado a las alarmas, se incorporó a medias al tiempo que trataba de organizarse un poco la ropa.

—¿Quién? ¿Quién viene?

—Qué sé yo. El lobo. La vieja con la linterna... —el de la bragueta misteriosa se apresuró a ocultar el cuerpo del delito—. Mira, ¿por qué mejor no esperamos a que se larguen...?

El tropel de espectadores frustrados, en efecto, se dirigía presuroso en marcha del pueblo combatiente rumbo a la taquilla para exigir el retorno a sus bolsillos de varios pares de moneduchas inválidas por la inflación. De paso, declaraban a voz en cuello que estaba bueno ya, que hasta cuándo y hasta dónde con la sinvergüenzura y el invento y la falta de respeto, que habían perdido la paciencia, que aquel cine, aquel país (así decían) era una calamidad, una ruina, una devastación, un paisaje después de la batalla. Y, puesto que las brumas disimulaban sus rostros y el alboroto colectivo sumergía sus voces, se atrevieron incluso a reclamar no sé qué democracia, un verdadero parlamento y hasta la anexión a no sé cuál potencia imperialista mientras se cagaban en el recontracoño de la madre de no recuerdo quién.

—Pero entonces nos quedamos encerrados...

—¡Chist! Habla bajo. Aunque con la pachanga que tienen formada toda esta gente no creo que... ¿Te importaría mucho?

—¿Quedarnos aquí? No, para nada... —el niñito se encogió de hombros interiormente—. Nos quedamos. Sigue el cuento.

Él hablaba... Él nunca se involucró en ninguna multitud vociferante... Nunca lo oí gritar por ninguna causa... Él hablaba y de pronto yo descubrí que me agradaba escucharlo... Él era jovial, simpático, ingenioso... Sabía una pila de cosas... Viraba las historias al revés para hacer que lo terrible sonara divertido... Y me di cuenta de que también le agradaba escucharme... Eso no me había pasado nunca... Ellos aparecían y desaparecían sin más complicación, sin más compromiso, sin más nada... Entonces yo creí que él era especial... Me llevaba más de diez años, parecía fuerte... Fue muy duro para mí reconocer que en realidad no nos entendíamos... Cómo me gusta esa palabra: jovial...

—¿El cuento? ¿Qué cuento?

—El del tipo, tú sabes.

—¿Qué tipo? ¡Ah, el tipo! ¿Pero estás loco? Eso lo inventaste tú...

—Que sigas con lo que estabas diciendo, chico.

—¿Yo? ¿Yo estaba diciendo algo? Bueno... Por lo que veo —el que parecía fuerte examinó la oscuridad con tremenda convicción, como si también fuera nictálope—, parece que la vieja no viene todavía. Pero vendrá, no lo dudes. Yo me imagino que tiene que revisarlo todo antes de... La pobre, lidiar con esta gente debe ser lo último que... −el niñito extrajo del bolsillo una fosforera algo extraña y la encendió−. Vaya, qué ojos. No me había fijado... Y ese aparatico... ¿Por qué la llama también es verde?

−No sé. Porque sí. El cuento...

−Sí, el cuento. ¿Por dónde íbamos? Me encantan las cosas verdes.

−Creo que íbamos por la parte donde él en realidad no quería a su hijo...

−Ya. Claro que no lo quería. Era un desalmado terrible, un sátrapa. Si le cayó atrás al canalla del saco... ¡el canalla del saco, jo jo...! fue por quedar bien, ¿tú entiendes? Por cumplir con la sociedad. Porque después de todo, el tipo era *sans peur et sans reproche*, ¿no? Ahora, lo del asalto sí que está fuerte... Esa es la mejor parte, ahí sí que te la comiste. ¡Jo jo! Y lo del anillo... Oye, no era para tanto... Ni que fuera el anillo del nibelungo... ¿Pero qué es lo que tú tienes en la cabeza, niñito? −entre los resplandores como de azufre, lo acarició de nuevo y el muchacho se preguntó si alguna vez lo besaría en la boca−. Con esos ojos, ¿cómo se te ocurren cosas tan malvadas? ¡Pobre tipo, jo jo! ¡Mira que cortarle un dedo! ¡Jo jo! ¡Y con una navaja oxidada! ¡Capaz que coja el tétanos! ¡Jo jo! ¿Cómo se llamaba, eh? ¿Cómo se llamaba el tipo? Por una de esas casualidades de la vida, ¿no se llamaría Tarkovski?

Sulfurosos, los resplandores de la llama verde componían un teatro de sombras chinescas (un batallón de ellas) sobre las paredes del saloncito. Grifos, dragones, hidras, quimeras, unicornios y dos siluetas humanas, una de las cuales era alta, muy alta y delgada y se daba tremendo aire a Averrell, el mayor y más guanajo de los cuatro Dalton, los enemigos de Lucky Luke, tú sabes, los de la balada. Esta silueta se divertía de lo lindo con la estruendosa pachanga que de buenas a primeras habían orquestado los inocentes, ramparriba y rampabajo... *¡Jo jo! Estos cavernícolas vocingleros no se pierden una... De verdad que son anarcosindicalistas y dados a formar tumultos...* Pero se divertía mucho más con la tenebrosa anécdota que acababan de contarle en un rapto de amargura, muy en serio y muy a lo bestia...

¡Jo jo! Estos niñitos de hoy en día tienen cada ocurrencia... ¿Qué es eso de pegarle a alguien alegremente...? Y nada menos que con un bate de aluminio...

Quizás la llama verde cambiaba los contornos con sus tretas de cocuyo, de fulgora imaginada. Quizás los volvía faunescos en su diminuta pasión diabólica, porque lo cierto es que la segunda silueta, más pequeña, era idéntica al Perseo de Benvenuto Cellini. Con un short, un pulóver y una mochila donde tal vez guardaba la cabeza de Medusa o algún otro instrumento petrificador, pues nunca se sabe lo que almacenan en sus mochilas estos aterradores niñitos de hoy en día, el Perseo. El primer bronce loable desde todos los ángulos, medida áurea que se deja envolver en una sola ojeada abarcadora, que se deja dar la vuelta y la vuelta ¡oh! como si su admirador fuera la Luna y él la Tierra encima de un florido pedestal. El mismo que estuvo a punto de no existir por la torpeza de los operarios y la maldad de los malos empeñados en acusar al pobrecito Benvenuto de corruptor de menores... *¡Qué calumnia...!* *¡Jo jo! ¿A quién se le ocurre pensar eso de un señor tan correcto como el pobrecito Benvenuto...?* A pesar de su breve estatura, o quizás gracias a ella, esta otra silueta era la de un adolescente perfecto, magnífico entre todos los que deambulan como duendes, silfos, criaturas aladas, animalejos nocturnos huidizos, carne de horca para regar la mandrágora con su último fluido, por las utopías sensuales del individuo alto y de media humanidad.

A ellos, dos completos desconocidos, nada más los unía la fatalidad habanera de un realizador que ni siquiera les interesaba mucho —«su torcida alma eslava», diría más tarde el individuo alto con un mohín de desprecio; adoraría a Bergman y el pequeño a Polanski, otra torcida alma eslava, pero en fin, por más que el alto se esforzara en convertir al pequeño, ambos serían muy ortodoxos en la práctica de sus respectivos cultos—, hilo bien tenue si se viene a ver. Sin embargo, en virtud de un curioso mecanismo que me intriga hasta rebasar mi comprensión, quizás el mismo que reúne en un solo fuego las llamaradas del héroe trágico y las del héroe cómico, Leo y Sagitario, el felino y el arquero, dos seres dominantes, dos empecinados, uno de frente y otro de perfil, el segundo la caricatura del primero, la burla que triunfa donde la seriedad perece, en una relación precaria, difícil, raramente viable, concluyeron lo siguiente: ya que el ciclo encargado de juntarlos en el saloncito de los afiches se iba desenvolviendo de una manera un tanto irregular, no les quedaba más remedio que vencer, dentro de lo posible, el vacío, la desolación de aquella noche harapienta. O sea, vivirla como si fuera la última del mundo. Serían sus cuerpos entrelazados sobre la alfombra. Uno encima del otro, sus cuerpos anónimos.

La llama verde se extinguió después de quemar algunos pelos... *apaga, apaga eso, niñito... pégate a la pared...* a lo largo y ancho de algunas fugas ante la vieja de la linterna... *apaga eso, anda, que ahí viene Godzilla... échate p'acá...* de la linterna mágica y encaprichada por hábito en ahuyentar a los aventureros... *ahí te va a ver... muévete niñito... mira que viene con un bate de aluminio...* ya fueran parejas... *sí, sí, cómo no, qué gracioso...* tríos, cuartetos, solitarios masturbadores entusiastas... *yo no quiero que me corten un dedo, agáchate... todos mis dedos son míos y necesito inmensamente los diez...* exhibicionistas y mirahuecos trastornados en sus funciones habituales por las brumas del implacable apagón... *tú dirás los veinte, porque los dedos de los pies también se cuentan... oh, sí, esos son los más importantes... échate un poco p'allá, dame un lado...* u otros excéntricos encaprichados por hábito en realizarse e incluso pernoctar allí. *Pero miren al Perseo... ¿Dónde tienes la navaja...?* Los gruñidos y pasos del tropel lejano, parlamentario y anexionista... *la navaja oxidada... la navaja de Ockham...* se fueron apagando... *me parece... me parece que ya no quedan moros en la costa... ¿tú oyes algo...? creo que se acabó el maratón...* poco a poco, entre sobresaltos... *quiero decir la batalla de Maratón... ven acá, niñito...* y ellos no pudieron o no quisieron salir, a hurtadillas, hasta la mañana del día siguiente. Nunca más volverían a coincidir en nada. El destino (llamémosle así) ya los había condenado a perderse entre las grietas del malentendido. ¡Jo jo!

Intrépido descendiente de Johnny Fedora.

Su rostro no tenía casi nada en común con el rostro del Perseo. A pesar de los iris del color de una tierra llamada Rickey, verde luz o materia solar a través de una hoja en el verano, el Sublime Diseñador de Facciones se las había arreglado para alcanzar con aquellas el paradigma de lo corriente. De lo que se pierde entre la muchedumbre como una gota en la cascada, una concha en la playa, una abeja en el panal. De lo que olvidamos en el instante mismo que sigue al descubrimiento y sólo nos deja, como la fugaz desconocida que se cruzara en la noche con Baudelaire, una vaga inquietud, cierta inexplicable y nunca satisfecha necesidad de recordar. Tanto era así que ya no puedo describirlo como hubiera deseado ni tampoco saber si era bello o no mi amante y mi mejor amigo.

Algo o alguien, más bien alguien, le había hecho daño. La cicatriz en la boca, apenas perceptible pero cicatriz, era resultado, según él, de una caída del columpio volador contra el suelo pedregoso de un parque de diversiones... *Siempre me gustaron los juegos de illinx... Subir y bajar muy rápido, rapidísimo, dar vueltas... Las centrífugas, los ascensores y las escaleras rodantes, los juegos de mareo... ¿Has leído a Caillois...? Me imagino que sí... Cómo me gusta esa palabra: illinx...* Para la otra cicatriz, en cambio, no había explicación. Una quemadura en la espalda, mínima y sin embargo profunda, imposible de ignorar... *No sé... De verdad que no sé... No me acuerdo... Debió ser cuando yo era muy chiquito... Después de todo, ¿qué más da...? No es tan horrible, ¿o sí...?* Tal circunstancia, extraña por demás, no sé por qué me hacía dudar de la historia del parque. Lo inquietante quizás fuera la *forma* de la quemadura, demasiado parecida a la huella de un cigarro apasionado y muy poco accidental. ¿Pero cómo descubrir la verdad? Lorenzo era más desconfiado que un zunzún, ese pajarito que vuela vertical y no permite que nadie lo agarre. Cualquier alusión al respecto lo tornaba muy agresivo, histérico, estridente. La voz se le volvía tiple:

—¿Pero tú vas a seguir con eso? ¿Hasta cuándo? ¿Por toda la eternidad? Por fin, Hojo Pinta —me miraba torvo, feroz, delicioso—, ¿qué tú eres? ¿Policía, psicoanalista o padre confesor?

—A tus próximos amantes –le aconsejaba yo, que temía no volver a tocarlo y procuraba aprender a no sufrir con la idea de sus próximos amantes– puedes hablarles de un tatuaje que decidiste borrarte... Un zunzún o algo así. Algo bien terrorífico, bien comprometedor. Porque tú me disculparás, niñito, pero eso de la amnesia está demasiado crudo. No hay dios que se lo trague.

Un tatuaje destruido. ¿Por qué no? Desdibujada a propósito la señal de la infamia, una flor de lis. O del genocidio, la marca de las SS. Y todo tan verosímil como la fábula del columpio, que a veces las personas se arrepienten de sus tatuajes y terminan por arruinarse la piel mediante ciertos procedimientos no muy venturosos.

—No es tu problema, Hojo Pinta. Definitivamente no es tu problema. ¿Por qué no me dejas tranquilo? Tatuaje ni tatuaje...

Pero ambas cicatrices no eran nada en comparación con las otras, las invisibles.

Yo nunca había tropezado con una inteligencia tan brillante y a la vez tan amarrada, contenida, cautiva. Como la de un falso filósofo que, en vez de perseguir la verdad verdadera, la aletheia, invirtiera su talento y el tiempo de su vida en especulaciones escolásticas con tal de argumentar una supuesta verdad revelada... *Hubo tipos así, ¿sabes?, que se desperdiciaron... ¿Quiénes? ¿Quiénes se desperdiciaron...? Unos cuantos, Isaac Luria, por ejemplo, y Tomás de Aquino... Pues mira, no estoy seguro, pero yo creo que he oído hablar muy bien de esos... Es posible, hay gente para todo, pero dime tú, mi amiguito, ¿cuál es tu verdad revelada...? ¿La mía? No sé, ninguna, pero qué tú sabes si a lo mejor se trata precisamente de eso, de desperdiciarse, ¿no estarás siendo un poco demasiado intolerante...?*

Nada. Ninguna. Yo el intolerante porque todo vale, porque todo el mundo tiene derecho a sus propios disparates. Así estaba de sujeta a una tabla aquella perspicacia de náufrago, del que teme hundirse mientras chapotea en una superficie de ondas o es arrastrado por la corriente veleidosa de un lado a otro. Ulises, Simbad, Robinson, Gulliver, el capitán Grant luchando por sobrevivir, por alcanzar una isla, aunque fuera una Isla endiablada entre los embates de las olas y los monstruos marinos, el kraken y el narval. En algún momento, durante la noche peligrosa o quizás más tarde, en la resaca de la mañana posterior a la noche peligrosa, Lorenzo habría de encerrar en una botella un manuscrito con las respuestas de su pasado íntegro –antes de cumplir los veinte ya cargaba con uno bastante complicado; era, como Lao-tsé, viejo y niño a la vez, era cincuentón, honorable y rígido en el estilo de Marco Junio Bruto– para lanzarla después al mar, la botella ante las fauces de los monstruos. Pero entonces no sería yo, ¿cómo ignorarlo?, el destinatario del mensaje, el elegido para recibir e interpretar sus claves, para acceder a sus secretos.

Descifrar de un plumazo el principio de inducción completa, que parece fácil, pero no, no te confíes, porque hay toda una mística de la inducción completa, o los teoremas de Bolzano o las geometrías no euclidianas para superficies curvas o láminas de goma o, como dirían Kasner y Newman, el comportamiento atrevido de aleph-0 y las aventuras del número π, me parecía una abrumadora e irrebatible prueba de ingenio, de sabiduría, de cacumen. De la existencia de Dios o algo equivalente, el Summum Sum de las construcciones monoteístas, el neoplatónico Uno o el Primer Motor aristotélico. Porque al final (?) de tan laberínticos exámenes abisales o aéreos, en todo caso muy distantes del *cuore della terra*, túnel de luz y sombra donde la sombra dobla y dobla el fragmento de la luz, lo único vislumbrable era el Nombre. Una posible primera letra del Nombre... Lorenzo, además, adoraba a K & N por aquella cita de Whitehead acerca de la tragedia de nuestra vida. Una tragedia con un montón de pervertidos, maníacos, drogadictos y asesinos, un sepulturero sofista y un cortesano a prueba de sarcasmos, donde la Matemática no representa el papel de Hamlet... *no, no es para tanto... no hay que ser tan fanáticos...* pero sí el de Ofelia, abandonada pálida pelilarga con su diadema de flores, el lenguaje de las flores y su reflejo en el arroyo, el aria de la locura.

Extraordinario, espléndido intelecto el del Perseo. Quizás porque para mí, que no tengo alma de cabalista, que para los números y su nigromancia soy un burro integral, un pollino de los peores, un socoñame, toda aquella vegetación tan semejante a sus ojos en lo de verde luz, equisetos y licopodios, helechos colosales –plantas remotas, de la época de los titanes y su guerra con los dioses, plantas que sólo el botánico imagina–, era, como diría Michel Ardan a los dos científicos en el proyectil del Columbiad, un rompecabezas chino. Un puzzle egipcio. Un crucigrama sánscrito. Un acertijo swahili. Una maña de Maraña.

No tardé, sin embargo, en advertir que su cortante lógica y su inspiración de espacios siderales se reducían, precisamente, a los espacios siderales. No le interesaban para nada las aplicaciones prácticas. Solía limitarse con soberano empeño a los jardines colgantes de Babilonia y a las esferas inmóviles del hiperuranios, a la luna de Valencia y a otras lunas de menor cuantía. Aún me pregunto cómo pensaba el selenita, el nacido terrícola y naturalizado selenita después de un largo exilio, cómo pensaba ejercer alguna profesión compatible con sus estudios. Dado su carácter impaciente, neurótico y el más trágico de los trágicos, siempre listo para arrebatarse por cualquier minucia... ¿minucia...? *¿minucia que no me dejes ni respirar por culpa de Tomás y de Isaac...? no, no existen las minucias, todo cuenta...* presumo que hubiera sido un pésimo profesor. Tan cargante, incordiante y machacante como el anti-socrático Nabokov, paladín del *magister dixit*. Aún me pregunto cómo pensaba subsistir el selenita con lo muy instalado que estaba en el zepelín de la bobería, en las nubecillas donde guardan sus ilusiones los personajes de los comics hasta que interviene otro personaje, algún envidioso resentido pelafustán bergante *arrastrero* (vocablo inventado por él para referirse a mí y a la calabaza), y se las sopla, por pura perversidad les sopla las nubecillas el bergante cual céfiro, Eolo mofletudo de las cartografías antiguas.

Se le daban como si nada las temibles ecuaciones exponenciales y logarítmicas y, al mismo tiempo, afirmaba con notable obsesión que las mujeres eran unos venenosos y deletéreos bicharracos. ¡Ay, las mujeres! Lorenzo me tenía hastiado con el asunto de las mujeres. Lo sacaba a relucir a la menor oportunidad y luego insistía, una y otra vez, hasta el cansancio. El cansancio *mío,* porque él nunca se aburría de lo mismo y lo mismo, siempre lo mismo, los temas de Wagner y el tam-tam africano. Miss Liberty, la de la antorcha espuria en Bedloe Island, había sido concebida como figura femenina, según él, para que tuviera la cabeza hueca. Porque una mujer alcanzaría a poseer la despampanante cantidad de dos neuronas sólo cuando estuviera embarazada de una niña. Después de todo, la diferencia fundamental entre la foca y la mujer consistía en que una era rechoncha, grasienta y con olor a pescado, mientras que la otra habitaba en el mar. Como jo jo, bien, jo jo. Banalidades aparte, nadie me acusará jamás de ser un tipo sin sentido del humor. Pero el caso es que Lorenzo lo decía en serio, *demasiado* en serio, con la cara seria y una amargura digna de Hipólito. Ni Juvenal se lo hubiera tomado tan a pecho. Y lo peor, pretendía convencerme de que yo pensaba lo mismo y no. Qué tontería. No es que las mujeres sean búcaro de mi coqueta ni nada de eso, pero tampoco las odio. ¿Odiarlas? ¡Por favor! En verdad la mayoría de ellas me resultan indiferentes. Me importan un comino tal vez porque sé de muy buena tinta, tinta de calamar, que el mayor entre los bienes y el mayor entre los males, lo óptimo y lo pésimo, lo máximo y lo mínimo, provienen, *para mí*, del abigarrado y a sus horas violento mundo masculino. Llegados a esta cenagosa región, él aseguraba con el entrecejo fruncido que el mundo femenino (porque existía un mundo femenino, ¡de lo que uno se entera!) también podía ser abigarrado y a sus horas violento... *¿Y tú qué sabes, niñito...? ¿Acaso te has infiltrado como travesti en alguna asamblea feminista...? Claro que no, Hojo, Dios me libre... Pero yo sé lo que digo... Sí, sí, cómo no, ya lo creo...* Lorenzo no acertaba a comprender la insignificancia del tópico, mucho más simple, si bien se mira, que el principio de inducción completa. Cualquiera con una pizquita de seso, hasta una mujer, hubiera pensado que él necesitaba justificar... ¿Justificar qué?

Sin ayuda de la calculadora científica, la que resuelve funciones y otras lindezas, y con mucha desenvoltura, porque al fin y al cabo la escuela de Matemática era la más elegante Facultad de nuestra gloriosa Colina, él convertía las fórmulas y jerigonzas más escalofriantes en lemniscatas (una lemniscata es algo parecido a esto: ∞), en rosáceas como de escarcha. En carolinas y clemátides, orquídeas, rododendros. En flores surrealistas con cualquier cantidad de pétalos y sépalos y estambres y pistilos para la diadema de Ofelia o similares a los marpacíficos que comíamos con cebolletas o aliño de yogur hasta dejar peladas todas las matas en varios kilómetros a la redonda... *Sí, ya sé que eres un gran recolector y que en el barrio te dicen el Terror de los Marpacíficos... Peores cosas se han oído... Si hasta parece el apodo de un pirata filibustero... En mi casa tampoco les gusta la idea, creen que lo hago a propósito para mortificarlos... Cómo me gusta esa palabra: filibustero...* Transformaba en un dos por tres aquellos engendros de números y signos en hiperboloides parabólicos y paraboloides hiperbólicos como el mago que extrae de su sombrero un conejo azul y luego otro anaranjado y luego un hipopótamo y un rinoceronte y hasta una jarra de vodka para convidar al público y al final de la función vuelve a ponerse el sombrero, intrépido descendiente de Johnny Fedora que lo hará más invisible que al poeta de la piña.

—Para los griegos —explicaba el mago señalando ora los hermosos dibujos, ora los engendros de números y signos—, la geometría era un placer y el álgebra un mal necesario.

Cuando le lanzaba, en cambio, alguna pregunta acerca de su propia vida... *¿qué te pasa con las multitudes...? ¿por qué te preocupan tanto...? ¿y con las mujeres...? ¿cuál es tu lío con las mujeres...?* se ponía todo furioso, hecho un basilisco y me acusaba de soplador de nubecillas, arrastrero, poca cosa, nulidad y absolutamente nadie... *Pero ven acá, chico, ¿tú no te cansas...? Si tanto deseas conocer a los seres, ¿por qué mejor no te dedicas a coleccionar mariposas...? Ellas son mucho más interesantes que yo...* Admito que eso de *lanzar* suena un poco beligerante y recuerdo que Lorenzo Freud en más de una ocasión me diagnosticó un insidioso, inaguantable, déspota complejo de fiscal. Yo no quería en modo alguno lastimarlo, sólo saber de él y supongo ahora que quizás se refería a mi tono de voz, el tono ambiguo, solapado bisturí de alguien que se la pasa tendiendo trampas al prójimo. O tal vez a mi forma de mirar, siempre inquisitiva, escudriñadora y Argos... *Yo siento que me vigilas todo el tiempo... Que me espías y me observas como un gran ojo sin hache y me estudias y me investigas... ¿Qué* *es lo que buscas...? Yo no lo resisto, de verdad que no lo resisto...* Otras veces pretendía intimidarme, qué gracioso, y a todo contestaba con aleph-0, el número π, la base del logaritmo neperiano o la raíz cuadrada de -1.

Así, nuestra relación duró un par de años o algo más. Cuando lo pesqué en La Rampa —además de recolector, soy un gran pescador—, él todavía estaba becado en San Antonio de los Baños, en un preuniversitario especial para muchachos muy inteligentes... *Por allá también hay una pila de muchachas... ¿Tú entiendes eso, Hojo...? ¡Es absurdo...!* Se le ocurrían unos cuentos aterradores sobre un infeliz al que le amputaban un dedo con una navaja oxidada y era, como Holden Caulfield, un puñetero menor de edad que se fingía centenario presidente del consejo de ancianos con tal de que le vendieran bebidas espirituosas... *Si tanto te fastidia, niñito, creo que más te hubiera valido estudiar en el colegio de los curas... Yo tengo un amiguito que está con los Hermanos de La Salle y...* Durante todo ese tiempo, el Perseo no tuvo dirección ni biografía ni familia. Todavía no sé cómo pude arrancarle su número de teléfono... *¿Tú estás loco...? Mi padre odia a los curas... No puede ni ver a uno sin que le de un ataque de rabia, dice que son malos para su salud... Figúrate que cuando vino el polaco por poco se muere, hubo que ingresarlo y todo...* Sólo ensueños, pesadillas, transiciones súbitas... *Bueno, bueno, yo creo que en eso tu padre tiene cierta razón... No deberías llevar tan recio al pobre viejo... La verdad es que el polaco ese...*

No podía soportar que me burlara de las cosas. Lo inquietaba la ironía y aún más el sarcasmo. ¿De qué me burlaba? ¿Por qué me burlaba? ¿Quién era yo para burlarme? Un miserable Hojo Pinta. Pronunciaba *ojo*, a la española, en lugar de *jouyou*, a la inglesa, y lo de «Pinta» lo sacó de los letreros que suelen colocarse en los bancos recién pintados de los lugares públicos: OJO, ¡PINTA!, no vaya a ser que algún imbecilito estupidiñán se siente allí y se pinte el culo. ¿Quién era yo sino un sujeto cuyo signo lo inclinaba a lanzar preguntas capciosas a toda hora? Por ahí se dice que las estrellas inclinan pero no obligan, de manera que yo era un malvado resbaloso que me dejaba caer, de arquero hasta lo último, por la ladera barlovento de mi inclinación con aquellas interrogantes al principio ingenuas y enseguida capciosas, con aquellas sentencias, epigramas y comentarios que tanto lo irritaban. ¿Pero qué hacer? Así somos los arqueros, ya se sabe, nacidos para la indiscreción y la imprudencia, para crear muchísimas dificultades.

El amor, según él, era el antónimo de la risa. Porque la risa, no me explico de qué modo, era la tortura, la mutilación y la muerte. ¡Ay Enzo, deslumbrante cabeza de chorlito! Por eso nunca le dije que me divertía. Que gracias a él y a sus extravagantes apelativos yo, con el beneplácito y hasta el regocijo del jefe de redacción, el aborrecido cuate Malandra, había abandonado mi viejo seudónimo de Angelica Sedara para firmar los articulejos bejucales como Absolutamente Nadie.

Cuando nuestro héroe sale del garaje aún es de día. Aún las sombras son cortas, aunque ya ha pasado, eso sí, la hora funesta en que las sombras desaparecen bajo la ferocidad de los rayos verticales, el intervalo atroz donde el asfalto se derrite para emborronar las cebras y demás señales en el pavimento. Las farolas del Vedado están apagadas. Algunas demasiado, como apagadas para siempre. Ha transcurrido alrededor de una semana desde su último regreso. Desde su fantasmal aparición, medio crisálida medio mariposa con las alas manchadas de ceniza. Exhausto, famélico, sin cigarros. *Destruido* como si el hombre aquél del anónimo griego hubiese dejado de llorar no por optimismo, sino por fatiga... *Desde luego, ese era demasiado lúcido para ser, además, optimista...* Como si hubiera enjugado sus antiguas lágrimas en un pañuelo sucio.

Aquella noche, nuestro héroe llegó al sótano murmurando algo sobre alguien que se reía allí donde él no encontraba nada de qué reírse... *Estoy harto de la gente risueña... Más que harto, coño, ¡harto...!* Musitaba frases sueltas, inconexas, sobre una carcajada en la oscuridad, muchas carcajadas a propósito de ciertos tipejos, Arlequín, Pierrot y Colombina y luego un gigantón que se esmeraba cual highlander en ese increíble deporte que consiste en el lanzamiento de un cambolo y a ver quién tira el más pesado y quién más lejos, personajillos todos de comedia que en realidad carecían de sentido del humor. Bastante borracho, delirante y solo, bajo la luz de la diminuta lámpara Hojo había estado imaginando un *snuff*... Sobresaltado, consideró un contrasentido aquello de llamarse Arlequín y al mismo tiempo carecer de sentido del humor... *¿Arlequín...? ¿Tú sabes qué es un arlequín...? Mira, no me vengas con cuentos... Eso es como decir que era de noche y llovía y el sol rajaba las piedras... O que un mudo le dijo a un sordo que un ciego lo miró...*

Imparable, sin oír nada, Lorenzo cuchicheaba algo sobre una pelea en francés y en un café al aire libre... *¿qué es eso de café al aire libre...? se dice bulevar... bueno, tú me entiendes... ¿tú crees...? ¿de verdad tú crees que yo te entiendo...?* donde los personajillos de comedia se ripiaban unos a otros y hasta hubo alguien que le sacó un ojo a alguien... *Ajá, muy bien... Hace como dos años era un dedo y ahora, un ojo... Dios mío, ¿qué historia es ésta...?* Y el Perseo proseguía sus murmullos con una silueta bandolera tránsfuga que buscaba a un tal Emilio U, que corría por los laterales mientras lo llamaba a grito pelado... *¿Tú sabes, Hojo, que el nombre me suena...? ¿Tú me has hablado de él o es una idea que yo me hago...?* Un escritor flamboyante según un tal Manolito cara cuadrada con una pobrecita que no sabía ni abrocharse la sandalia como es debido y antes, a media tarde en el campo mugriento, una cosa horrible que... *Mejor no hablamos de eso... ¿Por qué...? No te cohíbas, niñito, que a estas alturas otra cosa horrible ya da lo mismo... Es más, ya ni sé qué podría ser una cosa horrible...*

Nunca antes había permanecido Lorenzo tanto rato frente al noticiero de la televisión. Durante alrededor de una semana, día tras día, nuestro héroe allí, empeñado en dispararse íntegras las tres emisiones y algún que otro boletín fuera de hora. Siempre a la expectativa, fumando sin parar, comiendo sólo marpacíficos... *si se lo cuento no me lo cree... o a lo mejor sí... no sé qué sería peor, que lo crea o que no lo crea... igual se pondría a hacer chistes y esto es serio, ¡muy serio...!* y balbuciendo incoherencias donde se mezclaban los personajillos de comedia con la cosa horrible que de un momento a otro debía aparecer en el noticiero junto al evangelio sobre la marcha triunfal de la zafra, la siembra del ñame, la visita del canciller de Nueva Zelandia, el II Gran Simposio Latinoamericano del Envase y el Embalaje y otros chuchurrumacos. Nervioso, enrollado en los temblores de una angustia casi pánico, el Perseo empleaba el resto del tiempo en revisar los periódicos y más periódicos que Hojo, entre gruñidos y preguntas capciosas, le compraba cada mañana. Pues también allí, en los periódicos, posiblemente en la primera plana, debía aparecer la cosa horrible. Jamás apareció.

Lo del tal Emilio no era una idea que Lorenzo se hubiese hecho. Si bien su desbordante imaginación solía jugarle malas pasadas –inventaba conexiones insólitas, conjuras, confabulaciones, tramas subterráneas y complots en su contra–, en este caso era cierto que Hojo conocía al individuo, por lo menos de nombre... *Sí, cómo no, con la U y todo... ¿Quién más podría ser...? En este mundo no hay muchos Emilios adornados con tan bella letra... Por suerte, porque con ese solo es suficiente y hasta sobra... Es el único... El incomparable... El mequetrefe...* El joven novelista que desde París también enviaba sus colaboraciones a *El Hideputa*, unos ensayitos bien canallescos y algo truculentos, firmados a veces por Fabián B. o simplemente por Fabián. He ahí un lindo nombre –pensaba Hojo–, seguro se lo enganchó en honor al portero del equipo francés de fútbol que se entretuvo en birlar aquella Copa que yo veía tan brasileña verdeamarilla en el Mundial del 98... *Goal goal goal...! Allez allez allez....!* No se puede negar que este plumífero de la U de cuando en cuando tiene buen gusto. Es una verdadera lástima que lo único admirable en esos garabatos suyos sea la firma... Pero de nada le valía al plumífero de la U ocultarse detrás de un seudónimo: Angelica Sedara siempre le identificaba el estilo... *el estilo del Blackwood, ¡jo jo!, para los artículos intensos...* y sonreía maligno y desde su columna trataba de enredar al otro, al chico listo, al flamboyante, en una polémica de esas de piedras van y piedras vienen hasta concluir con el lanzamiento del cambolo y una fractura de cráneo... *Nunca me ha contestado, el muy pendejo... Es escurridizo, es despreciable y vil... Es una rata, un guajacón, una lombriz... No te lo recomiendo...*

Todo eso le contó Hojo a nuestro héroe, quien desde luego no escuchó nada. La reserva, la neutralidad, el desapego y la sordera meticulosa no eran actitudes nuevas en él. Tampoco la alusión a ciertas indefinidas cosas horribles que vagamente se ubicaban en distintas regiones del pasado para aflorar y volver a hundirse muy rápido, como la muerte por fulguración. Jamás, en cambio, le habían interesado al Perseo los periódicos ni el noticiero con la siembra del ñame, de modo que su amante y su mejor amigo alcanzó a presentir la circunstancia extraordinaria, el comienzo del fin. La inminente realización de su principal temor...

Lorenzo, en efecto, ya no demora en escapar. Sin reproches, sin explicaciones, sin el menor comentario, como si Hojo no existiera, nuestro héroe parte ahora en busca de otras voces y otros ámbitos. En busca de un enigmático Daniel Fonseca, el más depravado de los hombres, cuyo rostro ha empezado a circular gracias al retrato hablado, el retrato borroso pero definitivo en medio de una oleada de pánico, Radio Bemba en acción y la total histeria colectiva... *No era para menos... Las ocho niñitas habían muerto... Las mutilaciones eran horrorosas... No se trataba de ninfas o adolescentes, no... Cuando digo niñitas quiero decir exactamente eso, niñitas, como las de la película de Visconti, la del maníaco de abajo de la mesa...* criaturas de seis o siete años que desaparecían durante el prometedor desarrollo de un juego, que se esfumaban sin aprehender jamás el sentido de las manipulaciones del Ogro bueno, el Ogro que les guardaba el secreto y regalaba chocolates y contaba cuentos y metía la mano debajo de las sayitas y...

El selenita sale apurado quizás porque intuye que a Daniel le va quedando poco tiempo. Eso, por no aludir a su propio y abatido cronómetro. Con cierta tristeza ya desde ahora (ya desde antes) resignada, Hojo lo sigue hasta la esquina, hasta el portal de la bodega junto al estanquillo donde ha hecho cola, entre vejestorios chismosos y gritones, cada madrugada durante alrededor de una semana para conseguirle los malditos periódicos con el retrato hablado. No va más allá. No dice nada. Sombrío se detiene con la vista fija en la imagen del pequeño, en la imagen cada vez más pequeña del Perseo con la mochila al hombro. Se detiene con la misma certidumbre... *the game is over... no hay arreglo porque no hay nada que arreglar, no hay nada roto... como se dice, fue bueno mientras duró... sí, a pesar de todo fue muy bueno...* que más tarde le vedará acechar al zunzún desde el Patio de los Laureles... Tú y yo sabemos que, después del incidente en el campo mugriento, el Perseo ya no puede regresar a nuestra gloriosa Colina. Sabemos que no tiene a dónde ir. No debemos culpar, sin embargo, a Absolutamente Nadie por suponer lo contrario del mismo modo que supone el aire quien respira. Si Lorenzo ha llegado o no a confesarle su escaramuza calibre veintidós, es algo que ignoro. De cualquier forma, ¿era acaso creíble semejante peripecia? ¿Un asesinato? ¿Una masacre? ¿Con la misma mano que deslizaba tenue por las mejillas sin rasurar de su amante y su mejor amigo? Ah no. Claro que no. ¡Solía ser tan tremendista, tan descomunal en sus expresiones el selenita!

A lo largo de varias semanas tampoco aparecerá el vídeo *snuff... Por supuesto... A quién se le ocurre... Qué aberración... En Internet hay incluso quien opina que el snuff no pasa de ser una leyenda urbana... Etílicas ensoñaciones, soledad macabra...* Cuando no es posible tocar ni ver quizás procede el intento de oír. Así pues, llegará la hora del timbrazo tímido. Transcurrirán aún otros meses, los primeros del tercer milenio. Pero los múltiples timbrazos tímidos sólo le concederán al crítico maligno, con maligna perseverancia, una palabra:

−¡Ordene!

Sin nada que ordenar a una excelente señora ni mucho requetemenos a un irremediable coronel de la fuerza aérea con pespuntes azules y estrellas doradas en la charretera, Hojo, azorado, colgará el teléfono.

6

C'est réconfortant!

FLAUBERT

La mueca de la extrañeza en la faz de un hombre sin intríngulis, dilatada, larga perplejidad como de alguien que recién emerge de un blackout, en fin, el espectáculo del Gran Asombro, fue lo que encontró Gabriela al otro lado de la puerta del garaje en la noche que siguió a la tarde del desastre.

Él había estado, casualmente, pensando en ella.

Bueno, casualmente no. La verdad, hay que confesarlo, es que Hojo se la pasaba pensando en ella y nada más que en ella. Se distraía y sólo empleaba unas pocas neuronas en la redacción, por fortuna fácil, de los articulejos bejucales... *Pero ella no tenía por qué saberlo... No, de ninguna manera debía saberlo... Yo me sentía vulnerable y hacía todo lo posible porque ella no lo supiera... Yo me hacía el interesante, el superior, el ocupado y muy bejucal... Yo era un imbécil...* Después de todo lo ocurrido, incluso hoy la recuerda. La piensa. Vuelve a recordarla y vuelve a pensarla. Sueña con ella. Repasa antiguos diálogos. Bosqueja un perfil, una figurita. Retorna al museo o a su álbum de reproducciones, allí donde la gitana tropical, donde María Wilson. Escribe algunas notas... *¡Jo jo! Qué desaforado soy...*

Ni Petrarca me hace nada, ni Catulo... Confundido, las destroza y las quema. Luego escribe otras. Tiene millones de mujeres y todas, de un modo u otro, se parecen a Gabriela. Pero ninguna acaba de gustarle. El grandulón hogareño se ha convertido en un Don Juan lírico, siempre insatisfecho... *Esto es un desorden total, un relajo perpetuo, el aria de la locura... Quién me lo iba a decir... A fin de cuentas, ¿era ella tan especial...?*

En aquella memorable oportunidad, el grandulón hogareño evocaba la imagen de la muchacha pálida pelilarga con su diadema de flores a propósito de una película española, si mal no recuerdo la *opera prima* de un joven realizador, sobre el desenfreno de la violencia en los medios y en particular ese género económico, puro y duro, que se conoce como *snuff*. Era algo así:

a) Desaparece una dama. Como si los antenudos hijos de puta verdosos la hubieran desintegrado. Como si, tras un resbalón en la ducha, hubiese caído en un hueco negro, abismo insondable, tragalotodo y hasta más ver.

b) La dama de los átomos dispersos reaparece en otro sitio. En uno muy difícil de identificar por la atmósfera tan anónima, impersonal, lavada y cuadrado blanco sobre fondo blanco. Le han quitado la ropa y está amarrada, tal vez con un alambre de púas, aunque sin mordaza.

c) Un encapuchado la tortura durante varias horas y ella, por supuesto, grita. La historia de su agonía, mil muertes, resulta siempre diferente, pues el encapuchado es un tipo muy imaginativo que detesta repetirse.

d) Entre otras cosas, puede ocurrir que en cierto momento reaparezca también la diadema. Pero los pétalos se habrán cambiado en los dedos de una de sus manos, la amputada zurda de una *madonna dal' collo lungo* que con arrobo artístico el torturador le coloca encima de la cabeza... *Mira que eres linda, qué preciosa eres... Si pudieras verte en un espejo...*

e) Un desmayo.

f) Una bofetada. Otra... *Vamos, vamos, mi amor... Estas no son horas de dormir la siesta...* Otra más y la diadema cae.

g) Por fin le pega un tiro, justo en la sien y equivalente al rechazo posterior al orgasmo... *Bueno, ya está bien... Ya te usé... Ya no me sirves para nada...*

h) La desata y desmembra el cadáver con una sierra eléctrica.

i) Todo lo anterior, excepto el secuestro, se ha filmado. En el proceso de edición se eliminan las palabras del torturador (secreto regocijo) y cualquier otro indicio que pueda dar alguna idea de su identidad, cualquier detalle que lo señale como distinto al resto de los hombres.

j) El producto final se vende, a muy buen precio lo más seguro, según las fluctuaciones de un mercado subterráneo, internacional y tan floreciente como el de los narcóticos.

La película española, como el buen amor del Hita o los regaños del Talavera, mostraba el desenfreno o más bien lo sugería, dejando a la mente del espectador la perversa tarea de completar las escenas, todo el tiempo bajo el principio de que era reprobable. Pero lo mostraba tanto −en la justa dosis y ahí el genio, en opinión de Hojo, del joven realizador−, que el desenfreno se volvía aún más atractivo, aún más fascinante con sus diablillos de cola torcida, mariposas y cosquilleos. Así, el hombre sin intríngulis se había sumergido en ciertas elucubraciones quizás peligrosas para otro que no fuera él. Se había entregado a los delirios de la soledad macabra, fantasías para divulgar en voz baja donde situaba a Gabriela en el lugar de la víctima. El papel del torturador, desde luego, no era suyo. Eso jamás. Como buen crítico maligno, él era más bondadoso que un pan (un pan *de verdad*, nada que ver con las indigestas creaciones de Paracelso Martínez, alias «El Alquimístico»), incapaz de matar a una mosca y menos todavía de arrancarle patas y alas, con toda la parsimonia de un molusco estupefacto, a una mosca aún viva. Él sólo concebía, no sin placer, la destrucción *in crescendo* de un cuerpo más qué deseado, irrepetible, único. Muy en segundo plano, imaginaba también al torturador, un individuo vestido de negro con la ropa ajustada y aquel aire posesivo y medio salvaje de los motoristas imitadores de Marlon Brando. Más tarde, al despojarlo de la máscara, Hojo descubriría un rostro bellísimo y algo ingenuo: la cara de ángel de Daniel Fonseca.

En compañía de una botella de ron surcada por los dieciséis bizarros navegantes del tesoro, Hojo había hecho suyas un par de certezas. Primera: Gabriela se le escurría como el agua de una clepsidra entre los dedos tal vez porque en el fondo no alcanzaba a poseerla. Segunda: por razones que él intuía sin llegar a comprender, ella no había tenido ni tendría nunca otro papel sobre la Tierra que no fuera el de la víctima. Y el grandulón hogareño se sintió muy sabio al pensar que en nuestra época, tan incrédula y a la vez supersticiosa, tan hereje de la fe y de la razón, ya era bastante haber arribado, sin reservas, por lo menos a un par de certezas.

Agotada, frágil, decadente, con la mirada hueca en dirección a la botella como si el hombre sin intríngulis fuera también incorpóreo, apareció entonces la muchacha de las bellas piernas y los bellos dientes. Sin pronunciar media palabra, pues, como diría Lewis Carroll, ¿a quién se le ocurre pronunciar media palabra?, Hojo le sostuvo la mochila y se hizo a un lado para dejarla entrar. Dando tumbos, ella se dirigió al fregadero lleno de trastos, donde se lavó las manos y la cara con la imposible astilla grasienta que no hacía espuma ni en las grandes ocasiones. Por supuesto, ni una gota de agua corriente. La cañería bramaba de tan seca. Sólo un cubo tiznado bajo el fregadero y una lata oxidada a modo de jarro. Sin mucho entusiasmo, se secó luego con una toalla que era la emperatriz de las hilachas... *Esto es muy romántico, sublime, conmovedor... Madrastra osa no aguantaría aquí ni cinco minutos... Pero yo no tengo la culpa...*

Aún desconcertado, Hojo cerró la puerta y se volvió para avistar a la dama que, tras la encerrona en el bar y el retorno posterior en el vídeo *snuff*, le parecía un alma fugitiva del infierno. Un cadáver absurdamente vivo, zombi, espectro, fantasmal aparición medio crisálida medio mariposa con las alas manchadas de ceniza. Alguien que en realidad no existía y que, a pesar de ello, se empeñaba en fingirse una sobreviviente más o menos temporal y de vuelta, como las diablesas de Ueda Akinari, para saldar viejas cuentas con el canalla bribón arrastrero desleal que había jurado (perjurado) ser para siempre su amante y su mejor amigo.

«Estoy borracho», pensó Howard Jones y, en efecto, lo estaba.

Entretanto el alma fugitiva ya se había quitado los zapatos, las medias y el pantalón para tirarlos, como de costumbre, por cualquier parte. En el sótano se vivía en tal nivel de desorden, desparpajo y anarquía, de libertad según Hojo, que un par de tarecos más o menos no implicaban la menor diferencia... *Igual que las manchas de un dálmata o las de Jackson Pollock, las púas de un erizo, los rollos de Nostalgia... ¡Jo jo!* Sobre la mesa del crítico maligno, por ejemplo, se podía encontrar toda clase de objetos. Una computadora portátil con su regulador de voltaje, la impresora y un par de bocinas. Una agenda del año anterior. Una vasija con agua azucarada, ambarina, donde se hundían los tallos de un ramo de marpacíficos procedente de la cosecha mañanera. Un lápiz con punta y dos o tres sin ella. Un CD de cantos gregorianos y otro de los tres tenores. Una estilográfica más seca que la misma cañería. Un hueso de pollo. Un abanico de plumas. Un diccionario Latín-Español y Español-Latín, edición de bolsillo. Una caja de fósforos con algunos fósforos dentro, la mayoría acéfalos. Un cepillo de dientes todo desflecado. Un reloj de arena de 3 min. Un *Petit Larousse*. Un marco de plata mexicana alrededor de una foto de Lorenzo en suéter con rombos arlequinos y la mirada verdeausente, logarítmica y exponencial tras el cristal rajado. Tres vasitos plásticos. Una cajetilla de cigarros H. Upmann abierta y otra cerrada. Un perchero. Una pelota de ping pong. Una taza con restos de café, polvo y una araña que pugnaba por escurrirse trepando a la manera de Sísifo. Un yoyo. Unas tijeras para cortar marpacíficos. Un pedazo de pan contemporáneo de la agenda o quizás anterior. Un ejemplar de *Vigilar y castigar,* de un tal Michel Foucault, siglo veintiuno editores s.a., flanqueado por uno de *La sombra del caminante*, de un tal Emilio U, sello editorial borroso, y una edición bilingüe del *Inferno,* todos ellos abiertos con el descaro de una rubia modelo porno para exhibir las páginas tapizadas de escolios y señales de marcador fosforescente. Un soldadito de plomo. Una cucaracha cruelmente asesinada, trofeo de caza y advertencia para otras eventuales intrusas. Un rollo de esparadrapo. Una toronja podrida y recubierta por una pelusita verdinegra de lo más estética. Un abrecartas con forma de sable samurai. Un blúmer sucio de Gabriela, chiquitico, rosadito y con encajitos, monísimo. Un búho disecado. Un cenicero de cobre con una desvaída estampa de Túnez, bajo la estampa un letrero que decía «Túnez» y más allá otro cenicero, de plástico, ambos repletos de colillas y escamas de ceniza y el de plástico hecho leña. Una Miss Liberty liliputiense. Algunas escamas y colillas emancipadas de los ceniceros para salpimentar el ambiente. Papel amarillento 8½ x 11. La botella de ron surcada por los dieciséis bizarros navegantes del tesoro. Papel blanco 8½ x 13. Picadura suelta. Una jicotea minúscula nadando con alegría en una palangana ligeramente apestosa: la infanta Gabi, a quien Hojo auguraba un futuro de galápago del mismo modo en que algunos críticos, no tan malignos como adeptos al pensamiento positivo, al optimismo a ultranza, pronosticaban al plumífero de la U soberbios triunfos y hasta la entrada en el canon occidental. Un metrónomo. Una hoja de yagruma. El último número de *El Bejuco Hirsuto*. Dos caramelos de menta. Un sobre Manila con muchos sellos y la dirección del sótano garabateada en tinta, de calamar según Hojo, para el señor Jones de parte del señor Malandra. Un sobrecito de aspirinas. $10.00 USD. Veinte pesos cubanos y algún menudo arriba, moneduchas. Una espumadera. Una tableta solitaria que parecía una aspirina pero que tal vez no lo era, la única manera de averiguarlo hubiera consistido en tragársela: si te aliviaba el dolor, aspirina, si te mataba, cianuro. Un disquete gris y otro negro. Un paquete de condones. Una bola de estambre viridian. Algunas plumas desprendidas del abanico. Un ventilador enano pero muy potente que hacía volar en todas direcciones las colillas, la ceniza, los papeles, la picadura, las plumas y otro variopinto montón de bártulos en el remolino de una cambiante naturaleza casi muerta.

Mientras se sacaba el ajustador por la manga del pulóver, calzados los menuditos pies con las chancletas inmensas de Hojo, el alma fugitiva se deslizó hasta la mesa para rescatar la botella del caos... *te cogí... ahora eres mía...* apescuezarla como si se tratara de un hipotético rehén, echarle un vistazo a la etiqueta, mascullar hum y dispararse un buche a pico... *¿Por qué será que tengo frío...? Frío por dentro, como si me hubiera tragado un témpano... Pero no es mi culpa...*

—¿No hay un vaso decente por ahí? —bajo la luz de la diminuta lámpara con la pantalla del mismo color de la pelusita de la toronja, Gabriela King Charles husmeaba entre el bazar, el fregadero y las montañas de libros por todos lados... *Y bien que lo parece... Un King Charles... Una bestiecilla preciosa y feroz, de esas que te miran bellamente y acto seguido, ¡jo jo!, te muerden...*

—¿Un qué, perrita?

—Un vaso de cristal, viejo. De cristal. De los que hacen chin chin, ¿tú sabes?, que eso de estar tomando ron en vasitos plásticos es una aberración y de las peores... Y —se volteó para mirarlo mientras le apuntaba con el dedo de Dios— no me digas perrita.

Hojo, aún de pie junto a la puerta como un *garde de corps*, hizo un gesto ambiguo y se rascó una oreja al tiempo que la dama de las manos temblorosas encendía un cigarro con la fosforera de la primera noche, la noche con Godzilla y el cuento de Alepo y las sombras chinescas, sin dejar por un instante de empatar palabras y más palabras unas con otras y con otras y otras... *Nada de perrita ni cosita ni animalita... Aunque tú no lo creas, grandulón, yo soy una personita...* Como una tejedora infernal, dedos largos y ahusados, que urdiera una malla para atrapar todo cuanto cabe en la boca de Gargantúa, naciones enteras, o un plomero de ensueño que empalmara tuberías y tuberías en interminable acueducto, así era su discurso compulsivo, desbordado, trepidante, con el volumen de un brontosaurio y la ligereza de un velocirraptor:

—¿Qué? ¿No hay? Pues entonces a pico... —el buche, la sacudida, las manos temblorosas—. Es preferible tomar directo de la... —una mirada a la botella—. Por cierto, no me dejaste casi nada. Qué tacaño. Estás hecho un alcoholitero... —una mirada en derredor—.¡Pero qué desastre! ¡Qué espantoso desastre! ¿Cómo tú puedes vivir así, Hojo Pinta? ¿No te da pena? ¿No sientes una horrible lástima por ti mismo? El día de tu cumpleaños te voy a regalar un vaso... –el buche–. Sí, te lo voy a regalar envuelto en papel de regalo, con estrellitas y todo, de parte de la señorita Mayo para el señor Pinta, el muy ilustre señor Pinta y con un moñito plateado porque... ¿Sabes qué? Un hombre sin un vaso es una criatura muy disminuida... Muy disminuida... –el muy ilustre señor Pinta creyó percibir la curva descendente de la depresión posterior al arrebato maníaco–. Sí, disminuida.

–¿Disminuida? Si tú lo dices...–el susurro.

Un trago más y Gabriela, sin escuchar el susurro, erizada por dentro y por fuera como el gato que acariciamos a contrapelo de mala gente que somos, puso la botella en el piso para destejer la trenza antes de quitarse el pulóver. Las ondas castañas resbalaron casi hasta la cintura y, muy lady Godiva, nuestra muchacha se metió en la cama, donde a punta de bandazos había logrado despejar un claro entre las huestes invasoras de libros, papeles y algo con flecos... *Torpe, desmañada, no tiene ninguna gracia... Lo hace todo como si fuera un muchacho... ¿Será posible que no se dé cuenta...?*

–Quizás algún día te decidas a quitar toda esta parafernalia del colchón... ¡Ay! ¿Qué coño es esto? ¡Mira para eso! Me acabo de sentar arriba de un tratado de medicina forense... ¡Ay Hojo! ¡Estás más loco que una cabra! Medicina forense... Qué asco –de nuevo la curva descendente, una mano en el cuello de la botella–. ¡Ah! ¿Por qué tantos libros, viejo? El otro día escacharré el macuto de los cuentos de Maupassant... En realidad, más bien fueron ellos los que me escacharraron a mí...

–Maupassant tenía sífilis –murmuró Hojo con voz ronca desde el fregadero, donde también él se echaba agua en la cara con tal de despejarse un poco–. Se la pasaba de prostíbulo en prostíbulo con Bola de Sebo y compaña... ¿Sabes lo que hizo? Ni te lo imaginas. En una tertulia de catorce tipos... Uno de ellos era Huysmans, él se lo contó al abate Mugnier y el abate me lo contó a mí, así que ponle el cuño... –con la mímica de poner un cuño se produjo la caída libre y estruendosa de algunos cacharros–. Verdad que esto es un desastre... Pero bueno, la cosa fue que en una tertulia de catorce tipos Maupassant se puso a alardear, de lo más aspavientoso él, de que podía agotar a una mujer templando. ¡Figúrate tú! Los tertulianos, supongo que bastante incrédulos, fueron a parar todos a un prostíbulo y una vez allí, nuestro amiguito, puesto a prueba, se quitó la ropa delante de everybody y se vino cinco veces con una de las putas... Cinco. Una, dos, tres, cuatro y cinco. Tremendo espectáculo. Todos aplaudían. Flaubert, en éxtasis, gritaba «¡Qué reconfortante!» y, aunque habría que ver quién agotó a quién en la vida real, la verdad es que sí, es reconfortante... –el *chroniqueur* suspiró enredado con la toalla–. Pero cogió sífilis. No digo yo. Si no fue esa vez, fue otra, y en aquellos tiempos lo de la sífilis no era como es ahora, que te inyectan penicilina y penicilina y aquí no ha pasado nada. No, señorita Mayo, la sífilis en aquellos tiempos era un gran problema. Y Maupassant tenía sífilis. Así que ya usted sabe, ni se le ocurra sentarse arriba de él...

–¿De verdad que no hay vaso? –Gabriela, muy dentro de sí, no había escuchado una sola palabra de la historia jovial de Maupassant–. Vale. Está bien. No importa. No te sientas culpable... Oye, ¿no hay nada de comer por ahí? ¿Por qué no preparas una ensaladita, eh? Anda, Hojito... Hojito lindo... Esos de ahí de la vasija se ven apetitosos... ¿La vas a preparar, verdad? –se mordió el labio inferior y Hojito lindo asintió con la cara cubierta de hilachas que se adherían a los cañones de la barba más Averrell que nunca.– Te adoro. Te quiero, te adoro y te compro un loro y te meto de cabeza en la taza del... Te cuento que tengo tremenda hambre. Es en serio. Tremenda hambre. Estoy partida, cruzada, desbaratada. Soy mi propia sombra. Hoy al mediodía me comí una pizza que sabía a poliéster, el horror, sabía más a poliéster que el poliéster... ¿Tú has comido poliéster, Hojito? A lo mejor todo fue por culpa de la pizza...

–¿Todo qué? –Hojito arrancaba pétalos y con mucha delicadeza los iba acomodando en el único plato supuestamente limpio que quedaba en el garaje–. ¿Qué fue lo que pasó ahora?

–Todo. Pasó todo.

Se lo conté durante el apagón, con tal de hacerla reír, acurrucados los dos en una esquina del saloncito de los afiches. Quizás lo hice por vanidad (inconcebible vanidad) o por copiar los modelos que sólo copian los niños y los tontos. ¿A quién se le ocurre imitar a Roger Rabbit? A mí. En mala hora recordé que Jessica Rabbit, la diosa de los dibujos animados, *femme fatal* porque así la pintan, amaba al conejo porque la hacía reír. A fin de cuentas, la disparidad entre Gabi y yo no era tan grave, tan difícil de conciliar, o al menos eso me pareció entonces, pues la inteligencia a menudo no se nota por fuera y nadie como ella para ocultar la suya, espléndida, entre los pliegues de una extravagante conducta. En la estela sin ecos de la vieja de la linterna, la Florence Nightingale, y los cavernícolas vocingleros ya disueltos en la ciudad, yo deseaba que aquella muchacha me sintiera próximo, ligero, confortable, no fuera a ser que le diera por cortarse las venas o por darse cabezazos contra la pared. Porque después de haberse mostrado tan audaz, tan aventurera, la pobre sólo se obstinaba en pulverizar el silencio, el vasto y enclaustrado silencio del cine vacío, con un llanto a ratos explosivo y... *la culpa es mía... la culpa es mía... la culpa es mía...*

–¿La culpa de qué? –preguntaba yo entre perplejo y complacido, más tarde entre perplejo y ansioso, más tarde sólo perplejo ante el drama que había comenzado cuando una muchacha que parecía normal, tal vez demasiado normal, se me acercó en la penumbra con llama verde y sombras chinescas para comparar el desastre del ciclo de Tarkovski con la azarosa jornada ¡jo jo! del sujeto más fatal de la Vía Láctea.

–...y lo golpearon alegremente con un bate de aluminio.

–¿Con un bate de...? ¡Pero qué espanto! ¿De dónde tú sacaste eso, mi chiquitica?

Mi chiquitica se encogió de hombros.

–No sé. Lo leí en alguna parte. Se me ocurrió. No sé... Pero podría pasar, ¿no? ¿Tú no crees que podría pasar? –me miró con la inquietud de quien convierte una pregunta retórica en pregunta verdadera, de quien espera muy en serio una respuesta–. La cosa está mala. ¿No te parece?

–Pues... sí. La cosa está mala.

Casi de inmediato, como si el dios de los ejércitos hubiese pretendido demostrarnos que la cosa, por muy mala que estuviera, siempre podía ponerse peor (tal es la naturaleza de la cosa, no deberíamos olvidarlo nunca), mi chiquitica se quemó el índice con la rueda metálica de la fosforera. ¡Ay! Se extinguió la llama verde y sobrevino la oscuridad casi total. Las sombras huyeron, se extraviaron entre las sombras y desde el espacio ennegrecido que le marcaba los contornos como en *El grito* de Edvard Munch, contornos y vibraciones, la oí susurrar que no era importante, que daba lo mismo, bah, ya no le quedaban huellas dactilares por causa de un kamikaze desmesurado heroico espíritu científico a lo Madame Curie o los mártires del cloro. En la más pura tradición del empirismo, su afán de conocimiento se había materializado en no sé cuántos corrientazos y algunas goticas de ácido sulfúrico, diluido pero aún sulfúrico.

De aguafiestas, soplador de nubecillas, entrometido y sapo, Sagitario al fin, le aseguré que no. Que imposible. Que de ninguna manera. Por más que nos ofenda y nos humille, todos tenemos huellas dactilares. Ellas persisten. Ellas ahí, quemadas o no, desde el principio hasta el fin y cada una diferente... *Nunca se borran, mi chiquitica, las huellas dactilares nunca se borran... No hay arreglo con eso...* Pero no creo que haya captado la esencia del asunto. Malcriada, caprichosa y egocéntrica, Leo al fin, mi hermosa explicación le entró por un oído y le salió por el otro... *Esas serán las tuyas... ¿Qué te has creído...? Las mías sí se borran...* Parecía tan feliz con la idea de no tener huellas dactilares que no insistí.

Era la oscuridad casi total, cósmica, espesa, el corazón de las tinieblas con un círculo de luz hacia lo lejos. Bóveda, atmósfera de *planetarium* sin estrellas donde el círculo vacilaba, se constreñía hasta volverse óvalo, elipse descoyuntada allá por la intersección entre las paredes y el techo. Luego descendía, se deslizaba por la alfombra rojoanémica muy cerca de nuestros pies y volvía a alejarse... *Mira, la linterna... Mejor nos vamos antes que nos boten...* Extendí la mano en busca de la suya para coger la fosforera, encenderla yo y ver, aunque fuera paso a paso, los tres o cuatro escalones, el pasamanos y luego el camino por la rampa hacia la calle. Extendí mi derecha y, por instinto, busqué su derecha. Sí, porque para mí *la* mano siempre había sido la derecha, la izquierda era sólo *la otra* mano. Pero me atrapó al vuelo, ella a mí, inesperada y zurda, colocando su mano ¡zas! encima de la mía.

Quieto, grandulón... No hagas ruido... la oí susurrar y de algún modo mi mano, todo el tiempo debajo de la suya, se halló entre ella y su ropa. Así, de repente, su piel erizada, cálida. Oh. Recuerdo que me pareció increíble, de película, algo que sólo podía ocurrirle a otro, a uno como Philip Marlowe... *Aquí, aquí, no hagas ruido...* Algo sonó clic... *Tengo miedo, taquicardia, oye...* Mi mano en el lugar del miedo y la taquicardia, sobre algo como los latidos de una bestiecilla cuando hay ciclón o la tierra tiembla. A lo lejos, donde la linterna, un tumulto despotricaba contra la Cinemateca, el proyeccionista, el administrador, la vieja, Tarkovski, el gobierno, la Isla endiablada. Alguien profería una blasfemia horrorosa, otros le hacían coro, gritaban abajo esto y arriba aquello otro y mi mano acariciaba las teticas... *aquí, aquí, sí...* puntiagudas, un contacto electrizante, para comérselas... *¿te gustan...? dime que te gustan...* pellizcaba los pezones muy duros con las dos manos... *claro que me gustan, ¿a dónde vamos...?* y la respiración (la mía, la de ella) se volvía entrecortada, confusa. En algún momento hice por abrazarla, apenas un ademán... *podemos ir a mi casa, no es tan lejos, yo vivo solo...* y me aparté para hacer que mi mano, todo el tiempo debajo de la suya, descendiera por una barriguita plana... *mejor no, mejor aquí...* Me pareció extraño, entonces yo ignoraba que otros hombres la habían maltratado. El círculo de luz giraba hasta el mareo, como un artefacto pendiente del techo de una disco... *¿aquí...?* y los anarcosindicalistas mugían estruendosos quizás porque no tenía sentido levantar una pancarta en medio de aquella oscuridad de los sesenta mil satanases... *¿Y por qué no...?* Me besó en la boca, el mentón, el cuello y me dijo pinchas, eres un cacto... *Porque viene Godzilla con un bate de aluminio y nos van a clavar una multaza por escándalo público...* Pero qué monstruosa injusticia, qué arbitrariedad criminal si nos clavan la multaza a nosotros y no a los amotinados de allá abajo, pensé mientras apretaba algo suave, delicioso... *Pues aquí mismo, qué coño, estás riquísima...* Sentía el chochito húmedo, resbaladizo, caliente, mientras su mano rondaba la bragueta... *Ay, cómo estás, cómo la tienes...* La hebilla del cinto, el botón, el zipper y de pronto me cogió la pinga como para... *Oye, aguanta, sin preservativo no...* ¡Oh el gran aguafiestas! Pero de todas formas sin preservativo no, ni hablar, que cualquier chiquitica puede ser la muerte, la esfinge con una calavera dibujada en el pecho. Aunque eso último no se lo dije, claro, y todo quedó como un pretexto para... *te lo dije, mejor vamos a mi casa...* Por dentro me lamentaba por no llevar ninguno encima, ay de mí, qué clase de estúpido mostrenco... Pero es que nadie espera que le ocurra esto, nadie que no se parezca a Philip Marlowe espera que una muchacha lo asalte así porque sí en medio de un apagón... Ella, sin embargo, suspiró aliviada... *no te preocupes, tú no eres el único que tiene miedo...* y el desgraciado condón apareció como por arte de magia. ¡Jo jo! Siempre me ha parecido muy erótico eso de que una muchacha sea zurda.

Luego vino el sonsonete de la culpa.

Comenzó cuando me aparté. Hizo por retenerme, apenas un ademán, pero me aparté. Me preguntó qué pasa y le dije no pasa nada. En realidad no pasaba nada. ¿Qué iba a pasar? Sólo que los rebeldes habían desistido de su rebelión y la vieja había aprovechado para cerrar el cine de una maldita vez con nosotros adentro. Éramos Hänsel y Gretel, los chamas del bosque prisioneros de una bruja caníbal, ¡jo jo! Mi chiquitica tragó en seco. La voz se le iba haciendo pedacitos como un pergamino muy antiguo la primera vez que murmuró que la culpa era suya. No entendí ni hostia y supuse que jugaba, que se hacía la temerosa por lo de la bruja caníbal. Pero no. De súbito reapareció la llama verde y vi su rostro angustiado, cubierto de nubes como un cielo a punto de llover.

–Tú estás arrepentido, ¿verdad?

Algún tiempo después me acusó de ser, como todos los machos, un venenoso y deletéreo bicharraco, imbécil, animal, cretino, egoísta, bruto, infame, canalla, miserable, hijo de la gran puta, que nada más saben usar a las mujeres y a los... —«en mi caso, sólo a las mujeres», aclaré dulcemente y me tiró por la cabeza el cenicero de cobre con la desvaída estampa de Túnez, colillas y cenizas y el copón divino, lo cual, de aberrado que soy y aunque no llegó a tocarme, sí me excité sobremanera...–, todo porque en aquel momento, cautivos en el cine como en una trama de Buñuel, la creí irónica y le dije oh, sí, arrepentidísimo.

Los ojos del rostro angustiado se llenaron de lágrimas y la voz en pedacitos, cada vez más chicos, infinitesimales, vidrio molido, murmuró que ya se lo imaginaba, que siempre le ocurría lo mismo, que su vida completa de dieciséis años era una pesadilla, un fracaso, un asco, un infierno sin remedio.

–¿Pero qué es esto, mi chiquitica? ¿*Aida*, *La Traviata* o el gesto que consiste en apoyar el índice contra la sien y moverlo como quien atornilla y destornilla? Mira —me le acerqué de nuevo–, yo no estoy arrepentido de nada. ¿De qué voy a estar arrepentido si en realidad no ha pasado nada?

¡Ay imprudente arquero lengüino! ¿Por qué serás así? ¿Cómo te las arreglas para proferir siempre las mayores inconveniencias? La tormenta arreció. Aquella muchacha lloraba como nunca yo había visto llorar a nadie. Con todo el cuerpo, las manos en la cara, convulsiva, como si se odiara a sí misma... *la culpa es mía... la culpa es mía... la culpa es mía...* Yo estaba dispuesto a compartir la culpa, incluso a asumirla completa, pues todos los columnistas de *El Hideputa* nos bandeamos de maravilla con eso de las culpas —todos menos el chico listo, de quien se dice que una lo atormenta, aunque nadie sabe cuál–, si todos los años se suicida algún escritor por causa de nuestras reseñas, ¡jo jo! Pero a ella no la entendía. ¿Qué le hice?, me preguntaba entonces y aún hoy me lo pregunto. Las mujeres son más misteriosas... ¿O sería yo el peor y más frustrante palo del universo? Hice por abrazarla y no me rechazó. Por el contrario, se aferró a mí. Yo palpaba su temor, su desconfianza... Y se lo conté.

Una vez en Alepo.

En rigor no fue Hojo quien estuvo allí. Fue Petra la Jabá, la pájara más cominera, voluntariosa, enredadora y afocante (de foco, *spot light,* alma de vedette, gran diva y desmedidos, insaciables afanes protagónicos) de todo el pre. De aquella escuelucha de mala muerte en Alquízar, una más entre tantas regadas por la campiña de la Isla endiablada. Una del montón sin énfasis en la ciencia y la tecnología, en general sin énfasis, donde los muchachos, en modo alguno superdotados, no padecían once turnos diarios ni estudiaban dos lenguas extranjeras a un tiempo con técnicas audiovisuales en un sofisticado laboratorio, y sí trabajaban en el campo, bajo el ardiente sol de todas las tardes en una infinita, detestable, policroma sobre lo cálido, rojo amarillo naranja, preciosa plantación de margaritas japonesas... —en este punto Hojo encendía la fosforera para ver a la muchacha en algo más que sus contornos, le ponía cara de Tennessee Williams antes de soltar el pregón: *¡Floooores para los mueeeertos...! ¡Floooores para los mueeeertos...!* y enseguida, como buen lector de traducciones y notas al pie, se apresuraba a añadir *en español en el original, entre paréntesis, ene del te.*

En verdad Petra la Jabá era el único con verdadera vocación histriónica en la pequeña compañía. Le encantaba la onda del disfraz, embadurnarse la cara, aunque fuera de azul, pues ninguna actuación era buena si no había embarrotiño de por medio, a la manera de Stanislavski, las viejas chifladas que se resisten a ser viejas, los payasos, las prostitutas más baratas y los indios cuando van a la guerra. Nada tan fabuloso para él como engancharse lentejuelas, cascabeles, pendientes, pelucas, pulsos, collares, adornos de plumas, tacones lejanos y hacer papelazos de todos colores. Años después, ya diplomada y profesional, la pájara accedería a la pantalla grande no sin éxito, a pesar de que su exiguo casi nulo talento, detalle sin importancia, le vedaba la interpretación de personajes demasiado distintos de él mismo. Para su gran fortuna, con el fin del milenio se han puesto de moda en ciertos ámbitos personajes muy parecidos a él y empleo no le falta. Después del incidente, el magno incidente inscrito de manera indeleble y con letras doradas en los anales de Alquízar, la Petra fue conocida como Otela. Yegua berberisca. La morueca. La Mora de Venecia. La de la roca en Trípoli, ¡oh, mar! ¡oh, mar! ¡devuélveme mi perla!, o la celosa empedernida extremeña que en otro de sus avatares se dedicaba con ahínco a fastidiarle la vida al negro Pascasio... —aquí Hojo volvía a encender la fosforera para ver de nuevo a la muchacha. Como intentando adivinar si descifraba o no las alusiones, le ponía cara de Barbarito Diez con la orquesta de Antonio María Romeu y cantaba: *Allá en la Siria / hay una mora / que tiene los ojos más lindos / que un lucero encantadoooor...*

El resto de la *troupe* se distribuyó los demás papeles en una forma bastante peculiar. Como si la profesora de Literatura, una vieja loquísima y fañosa, con mucho refinamiento según ella y las antiparras en la punta de la nariz, se hubiera propuesto enfangotiñar *per sæcula sæculorum* la memoria del dramaturgo o mostrar a sus alumnos cuán grotesca y divertida podía ser una tragedia en dependencia de la *mise en scène*, el papel de Desdemond, la doncella que no desmerecía la descripción más favorable, la joven que superaba lo escrito por las plumas más aduladoras y que, por los encantos principales de su naturaleza, fatigaba la imaginación del artista, correspondió nada más y nada menos que a la flaca Yunaisis. Una cosita de nada, yerba mustia, escuálida hormiga de cuerpo y de mente, apenas un suspirito la voz y tan medrosa como si acabara de salir de un campo de concentración, como si no estuviera segura de haber salido.

—Yunaisita... —Hojo titubeó sin arriesgarse a cuchufletear el nombre, un nombre que, a su juicio, era en sí mismo una cuchufleta, pues aún no sabía que la muchacha entre sus brazos, ya más calmada, se llamaba Gabriela... *Zona pantanosa esta de los nombres... Una ciénaga, una tembladera donde todo puede ocurrir, hasta lo Impronunciable... ¡Que esta generación se manda una clase de onomástica...! ¡Jo jo!* fue lo que pensó, firmemente decidido a no reincidir en sus meteduras de pata—. Por los desencantos principales de su naturaleza, Yunaisita fatigaba la imaginación de cualquiera. Era socita mía, no creas. ¡Más buena gente...! Pero como el agua: incolora, inodora e insípida. A propósito, ¿cómo tú te llamas...? ¡Ah! ¡Menos mal...! Algo humano, quise decir. Y es muy lindo, lindo como tú. Fíjate que las poetisas se lo ponen de seudónimo y enseguidita se ganan el Premio Nobel... ¿Tú ves? ¿Tú ves que no en todo te ha ido mal? Yo soy Howard, con doble uve... Por el egiptólogo... Howard Carter, un egiptólogo... Pues sí, mami y papi eran aficionados a las momias y ya que tenía un apellido anglo... Jones, como decir Pérez... Howard Jones y me dicen Hojo, Ho-jo... Pero sigo con lo del casting...

El papel del honrado Yago, estupendo simulador devoto del dios Jano con su divisa «No soy lo que parezco», uno de los villanos más sutiles y astutos de todos los tiempos, uno de los cerebros más perversamente preclaros en la historia universal de la infamia, capaz de manipular a neuronazo limpio a la mismísima madre de los tomates... –conque *neuronazo*, ¿no?, pensó Gabriela, resuelta a repetir el vocablo en la primera oportunidad–, correspondió a un muchacho que cada vez que tenía un rato libre, incluido, como es lógico, el horario de los ensayos, se consagraba tenaz a la práctica de la halterofilia y el fisiculturismo... *Un bestia de gimnasio... Fíjate tú, que se medía los bíceps, ¡jo jo!, con una cinta métrica, se vacilaba tremendo rato en el espejo, en cuanta superficie pulida estuviera a su alcance y su héroe era Arnold Schws... Schstg... Stchx... bueno, Arnold, tú sabes, el que fue Míster Universo y Conan el Bárbaro y eso...* En definitiva, un ente cromañónico y neandertalesco, prognato, estrecho de frente y más hirsuto que el bejuco, cuyo nombre no recordaban ni Howard con doble uve ni nadie, pues todos en el pre lo conocían por un delicado apodo que sintetizaba la esencia de su personalidad: la Fuerza Bruta.

–Jamás consiguió aprenderse el papel –murmuró el narrador con cierta malvada satisfacción–. ¡No digo yo! Él sí era exactamente lo que parecía: un gorila. Después de la guarapachanga, cuando todo el mundo la cogió con nosotros y nos gritaban cosas por los pasillos y nos lanzaban toda clase de proyectiles en el albergue y hasta los profesores se reían, nuestro Yago dejó la escuela, porque al fin y al cabo eso de estudiar no tenía mucho que ver con él, y se metió a estibador.

–¿Qué guarapachanga? –fue la voz de la ansiedad por el tópico del alboroto, la tiradera de objetos y la risa, que nunca podía faltar.

–Ya verás. El malhadado día...

Más tarde Gabriela supo que Hojo había ambicionado el papel de Yago, pues le complacían no poco su malignidad y su carácter bifronte, semidiablo. En secreto lo admiraba y hasta hubo un tiempo en que le inquietaron las torturas anunciadas al final de la obra... *¡Si lo que se merecía Yago era un premio, el Marfuz de Oro...!* Este fanatismo habría de compartirlo años después con el cuate Malandra, jefe de redacción de *El Hideputa* y creador del benemérito Marfuz de Oro para la crítica más destructiva, y también con los demás colaboradores, excepto Emilio U, quien se creía bueno sin que nadie acertara a comprender en qué basaba tan peregrina creencia. Pero Hojo no había contado en sus proyectos con la malignidad y el carácter bifronte (a veces trifronte o tetrafronte, ideal para un perfecto desenvolvimiento en el mundo de la farándula) de la Petra, quien, perdidamente enamorada de la Fuerza Bruta, se valió de múltiples traquimañas y de sus influencias con la profesora de Literatura para favorecer al orangután.

–Pero lo patético, lo más bochornoso de la terrible injusticia –Hojo parecía no haberse repuesto aún o quizás dramatizaba en broma, siendo esto último lo más probable–, es que al simio le daba lo mismo un personaje que otro. ¡Semejante bestia qué iba a saber de personajes ni de nada...! Lo único que quería el troglodita era tiempo para hacer sus ridículos ejercicios, para medirse los bíceps y, desde luego, ¡jo jo!, nunca llegó siquiera a percatarse del gran amor que había suscitado en el corazón de la diva.

Una sola característica tenían en común Yunaisis, la Fuerza Bruta y el preterido Hojo: todos ellos aborrecían las margaritas japonesas. Las detestaban al punto de que hubieran hecho cualquier cosa con tal de evitarlas y los ensayos, qué casualidad, se realizaban por las tardes, a la sombra del escenario en flor. ¿Pero quién dice que una *troupe*, si aspira a hacerse notar, no puede nacer del odio a las faenas agrícolas? ¿Acaso conocemos a ciencia cierta los móviles primigenios de cada uno de los actores de El Globo, teatro popular de la Compañía del Lord Chambelán, donde se estrenó la obra que siglos después desguazarían los descarados de Alquízar? ¿Y qué sabemos de las fobias campestres de la gente del Blackfriars, donde también era representada? A fin de cuentas, la caterva de la Jabá se hizo notar. ¡Y de qué modo!

Al preterido Hojo no le quedó más remedio que aceptar el papel de Cassio. El bello, el florentino, el soldado libresco Miguel Cassio, que nunca había hecho maniobrar un escuadrón sobre el terreno ni sabía más que una hilandera sobre la disposición de una batalla. Si exceptuamos lo de florentino y sobre todo lo de bello, pues en su etapa de artista adolescente el preterido, flaco y desgarbado Hojo ya medía un metro ochenta y no paraba de crecer, en cierta forma se acercaba al personaje: su desconocimiento de las cuestiones bélicas era y sigue siendo, como diría Ricardo Piglia que diría Tardewski, un desconocimiento erudito. Pero resulta que en alguna escena al comienzo alguien describe a Cassio como «arrojado y muy repentino en su cólera», lo cual se evidencia luego en sucesivos desórdenes, escaramuzas, riñas, borracheras escandalosas y ahí sí que no. A pesar de su signo de fuego, por las venas del preterido Hojo circulaba lo que se conoce como «sangre de horchata», champola de guanábana o jugo de mango. Como ya había advertido Gabriela, acurrucados los dos en una esquina del saloncito de los afiches, nadie más sereno, apacible, conciliador, flemático, Lord Chambelán y dado a contemporizar que Hojo *nonchalance*, temperamento de sequoia. Así pues, con todo el pesimismo y todo el optimismo implícitos en ese latinajo que reza *iacta alea est*, puso manos a la tarea de una difícil, ominosa caracterización.

Y llegó el malhadado día.

El teatro de la escuela, muy parecido al escenario isabelino por su carencia de telón de fondo, de candilejas y de proscenio, por su escasa utilería y mínima tramoya que no aspiraba a crear ilusiones de espacio ni de tiempo, Venecia y Chipre, siglo XVI, por presentar a los actores apenas sobre un tablado de donde nadie se atrevió jamás a mover el piano de cola más carcomido y más desafinado del hemisferio... *sin banqueta, sin pedales y muy sin cola, el tal piano sólo servía de estorbo y, de vez en cuando, ¡jo jo!, como instrumento de percusión...* estaba colmado, repleto, de bote en bote. Todos los alumnos habían sido reclutados a la fuerza por el director a petición de la profesora de Literatura, quizás refinada pero seguro ajena a la sabiduría de Pericles, ese estadista genial que durante los primeros años de la Guerra del Peloponeso *les pagaba* a sus atenienses con tal de que asistieran al theatron a ver a los clásicos sin chistar ni ponerse a cortar leva, bien tranquilitos y modositos aquellos hominicacos que para nada eran lo que uno a veces tiende a creer. En Alquízar, en cambio, no había dinero para sobornar a nadie y el reclutamiento forzoso se justificaba por la perentoria necesidad de que «los educandos tuvieran una idea más cabal» de «las condiciones epocales de representación», de «las cualidades escénicas» de la obra y de otras cantinfladas.

Hubo un instante de silencio, granítico silencio como de fieras al acecho y...

–¡Ay, mi chiquitica! Todo lo que te cuente es poco. No hay palabras. Yo creí que nos mataban, que nos estrangulaban, que de un momento a otro se iban a subir al escenario y nos iban a comer crudos y sin azúcar. Nunca se vio a unos actores tan incompetentes enfrentados a un público tan feroz. Fíjate que no llegamos a representar todas las escenas, ni remotamente. Llegamos, sí, a la parte donde la pájara cuenta lo que hizo en Alepo, cómo atropelló al perro circunciso, al infiel que insultaba a la república serenísima y cogía por el pescuezo a un veneciano, cómo ella misma le dio de puñaladas, así... así... así... –el soldado libresco Miguel Cassio intentó encender una vez más la fosforera para que la muchacha «tuviera una idea más cabal» de las pajarerías y afocancias de la Petra, pero hasta la llama verde se había asustado con aquella historia de *horrerio* y *mistror* y rotunda se negó a brotar–. Parece que se le acabó el gas... Coge, guárdala. Pero no te me traumatices ni te me pongas a llorar, que mañana, o sea, hoy, porque ya hoy es mañana, vamos a un lugar ahí donde yo sé que las rellenan... ¿De acuerdo? Ok. Bueno, el caso fue que llegamos al final a costa de muchos sacrificios. Metimos tijera por todos lados y así salvamos la vida, ya que no la honra. Aquello era un circo, mi chiquitica, un gallinero, una jaula con millones de cotorras chillando todas a la vez. Los profesores no podían controlarlos, aunque yo creo, la verdad, que ni siquiera se esforzaban. Eran los primeros en participar del jolgorio. Hasta el director. Él era un tipo muy recto y muy solemne, pero ¿quién coño se iba a tomar aquello en serio? Dime, ¿quién? Otelo, pájara. Desdemond, agua de chirle. Yago, retrasado mental. Y el bello Cassio, ¡jo jo!, aquí me tienes, bellísimo... –sin darse cuenta, Gabriela se había sumado a la pretérita mojiganga, se ahogaba de la risa, se lamentaba por no haber estado allí, en aquella escuela tan jovial, acariciaba las mejillas mal rasuradas de Hojo, que tantos arañazos le habían dejado en los senos y alrededor de la boca... *no, bello no, pero tampoco para reírse...* se reía... *así está bien...* se reía... *me gustas una pila...*– ¡Qué bueno! ¡Ya sabía yo que un día le iba a gustar a alguien! Pero esto no se ha acabado. Todavía no. Te cuento que la de Literatura no sabía qué hacer, pobrecita. No entendía que cada quien vacila a su manera las condiciones epocales de representación y las cualidades escénicas. Nuestra compañía tenía tremendas cualidades escénicas, pues en ningún momento aburrimos a un público que ni siquiera era público por su propia voluntad... ¡Menos mal que no llevaron huevos ni tomates ni mucho menos piedras o cambolos! ¡Menos mal! Al principio yo estaba con ella, con la profesora, en el cuartico que daba a un lado del escenario, donde nos cambiábamos de ropa y eso, viendo cómo se retorcía las manos y sudaba al escuchar los alaridos provenientes del gallinero, allí donde los salvajes educandos prodigaban a Otela el caluroso recibimiento que merecía. ¡Cómo le gritaban cosas, por tu vida! ¡Y qué cosas las que le gritaban! Pero la pájara ahí. Rozagante, soberbia, apoteósica, regia. Desplumándose a más y mejor. Pese a todo, triunfadora. A lo mejor va y te suena extraño, pero lo cierto es que la Petra en aquella ocasión demostró ser un tipo duro, duro de verdad. ¡Ya quisiera ver yo a Philip Marlowe encaramado en un escenario en un pre en Alquízar, recibiendo andanadas por todas partes, improperios, denuestos, ultrajes, escarnios a mansalva, sin que le temblara un solo músculo! Y hablando de músculos, a la Fuerza Bruta no le fue mejor. Cada vez que abría su estúpido hocico era para proferir un dislate peor que los anteriores, para hacer que se estremeciera el polvo de los huesos de alguien allá en Stratford-upon-Avon. ¡Qué clase de analfayuco! Otela tenía que soplarle casi todo el texto y aún así lo decía mal. Eso, como supondrás, subía el volumen de las carcajadas, los vituperios y los vilipendios. El simio se ofuscaba, se berreaba, se empingaba, fruncía el ceño, echaba humo por la nariz y los miraba con odio. Eso, imagínate, subía aún más el volumen... Bueno, no. En realidad no creo que pudiera seguir subiendo sin pegarse en el techo. Por un momento yo creí que el primate iba a responderles, como hacen los anormalitos esos, el cabeza de burro y los otros que representan *Píramo y Tisbe* frente a Teseo, Hipólita y no sé quién más en *Sueño de una noche de verano,* ya sabes, el teatro dentro del teatro, algo muy shakesperiano... ¿Te gusta el teatro? El de verdad, quiero decir... –en medio de la oscuridad casi total, Hojo pescó la meritoria zurda de Gabriela para besarla–. No sé si me estoy adelantando a los acontecimientos, pero si tú quieres podemos ir un día al teatro, a veces ponen cosas... –Gabriela se revolvió complacida, no porque le gustara el teatro, sino porque él la incluía en sus planes–. Pero tienes que prometerme que no vamos a atacar a los artistas... Cuando un artista se siente atacado por el público, ese artista, por más que lo disimule, la pasa bastante mal y... ¿Pero qué estoy diciendo? ¡Si me oyera Malandra! ¡Ah! Malandra es mi jefe y mi trabajo consiste, precisamente, en atacar a los artistas. De lo más divertido... Después te explico... ¿La Fuerza Bruta? ¿Te interesa? ¿Verdad que este cuento está más macabro que el de la navaja oxidada...? Pues no, no lo hizo. Gracias a Dios y a la Petra, no lo hizo. No le contestó nada a nadie y eso fue lo mejor. Sí, mi chiquitica, porque la Fuerza Bruta era un tipo de pocas palabras, arrojado y muy repentino en su cólera. Enseguida se hubiera bajado del escenario y les hubiera partido p'arriba a los vociferantes y a repartir piñazos y trompadas y yitis y eso, y aquello se hubiera acabado como la fiesta de los monos. ¡Tremendo guateque! ¡Jo jo! Quien fue a parar arriba del público fue... ¡A que no adivinas quién!... Yunaisita. Ese fue el momento culminante, el clímax. ¡Ni te imaginas lo que pasó! Por poco suspenden el espectáculo... Verás. De la pobre flaca no se burlaban los educandos (así y todo, ella quería morirse y yo la entiendo), porque ni la voz se le oía y con su pelito lacio, sin personalidad, sin estilo, sin brillo, medio derrumbado el peinado renacentista, parada allí que parecía un pollo mojado, lo que daba era lástima. Pero resulta que hay una escenita, creo que es en el acto IV o algo así, aunque aquello era todo corrido, no tenía ni actos ni escenas ni pies ni cabeza ni agua ni masa ni na'... Una escenita, como te iba diciendo, donde el Moro insulta a Desdemond y la golpea en presencia de Ludovico, que viene con su acompañamiento con un despacho del dux y los senadores de Venecia. Allí, en Alquízar, no había ningún Ludovico ni dux ni nada de eso, nadie que defendiera a la sin par doncella de los desmanes del morueco. Allí quien estaba era nuestra Otela, yegua berberisca, quien supuso que para lucir bien macho, bien Otelo, energúmeno por tarrúo, lo más adecuado era desintegrarla de una trompada. Y así lo hizo. Pobrecita. Le bajó una clase de avión que la levantó del suelo y la «ramera pública» salió volando rumbo a la primera fila, igual que Dempsey, el Ciclón de Salt Lake City, cuando Firpo, el Toro Salvaje de la Pampa, lo expulsó del ring sin ninguna piedad, de un solo janazo para que la Argentina en pleno se pusiera de pie y aullara al unísono, como un solo pibe, «¡Matalo, che, matalo!»... ¿No? Bueno, a mí tampoco, pero esa fue la pelea del siglo. Incluso hay una foto, muy famosa, creo que la tengo por la casa, donde está el árbitro, enanito al lado de Firpo, y del Ciclón lo único que se ve son las piernas, apoyadas contra el ring por la parte de afuera... Así mismitico cayó la flaca, patas p'arriba. Y el teatro se vino abajo. ¡Qué era aquello! ¡Jo jo! Con gran entusiasmo, los educandos descubrían las bellezas del drama isabelino. Nunca más sería necesario reclutarlos a la fuerza. ¡Jo jo! En cuanto a Dempsey, por si no lo sabes, sobrevivió. Los periodistas lo cargaron y lo zumbaron otra vez para el ring. ¿Qué era eso de estar afuera? ¡La cosa era adentro! Y aunque estaba medio turuta y viendo por todas partes estrellas viajeras y Saturnos que bailaban el hula-hula, consiguió retener el título de los supercompletos. El socio era fuerte. Yunaisita igual. La cargaron, la zumbaron y así, toda épica y desmoñada, llegó hasta donde le tocaba llegar. Claro, durante el resto de la función se mantuvo a prudente distancia de la pájara, por si acaso. Digamos tres o cuatro metros...

El vuelo de Desdemond fue, por supuesto, el detalle más exquisito, el más tierno, el más primoroso de tan insuperable representación. Pero Hojo también tuvo su Waterloo y también se lo contó a Gabriela, ya en la calle, mientras se dirigían hacia el lugar donde rellenaban fosforeras. Allí descubrieron que no hacía falta rellenar la suya, pues la llama verde sólo se había tomado unas vacaciones que ya terminaban, como el capítulo sexto, bajo el sol con dos amantes recién estrenados y mucho camino por recorrer hasta la tarde del desastre. Por primera vez sin culpa, la muchacha fraguaba alguna mentira, algún embeleco bien contundente contra su familia, pues estaba segura de que ni el coronel ni la excelente señora apreciarían en su justa medida los encantos y las emociones de aquella aventura de pernoctar en un cine con un desconocido parlanchín. Desde los catorce, la chiquitica había envuelto su exuberante, desaforada, multitudinaria promiscuidad con hombres de cualquier raza, edad, profesión o estado civil, hombres de una sola noche, de la sombra, del anonimato, hombres sin rostro, en un secreto más secreto que los documentos clasificados de Langley, tanto así que papá oso y madrastra osa la creían aún virgen. Nuestra heroína, como Adela, hija de Bernarda, moriría a los veinte (casi) y moriría virgen.

Quizás por eso, por andar de conspiradora y embustera, muy a solas consigo misma, no captó el doble fondo de la historia de Hojo, un doble fondo que consistía, por una de esas paradojas con las que tal vez Alguien juega a desorientarnos, en la más absoluta falta de fondo. Confundió lo transparente con lo denso, lo árido con lo fértil, lo dulce con lo amargo. Como quien observa a través de un catalejo o se asoma a un pozo en busca de la prenda extraviada, confundió lo distante con lo próximo. El cetro partido de la tragedia con el gorro de cascabeles de la comedia, tan revueltos en la vida, tan revueltos en los dramas de Shakespeare y en las novelas y relatos de Emilio U. Cual escolopendra que bulle con sus muchas patas en el hueco de una mano, así apareció el malentendido para instalarse entre ellos. Gabriela tardaría un par de días en advertir en Hojo al hombre sin memoria afectiva, sin rencores, sin intríngulis. Tardaría un par de años o algo más en separarse de él. Y sólo para separarse también de su propio cuerpo, para abandonarlo como una cáscara vacía sobre el cuerpo de la divina Aimée.

—Como comprenderás, yo no quería salir a escena —contaba aquella mañana el hombre sin intríngulis, al tiempo que la media de reojo y fantaseaba sobre todo lo que iba a hacerle cuando se encontraran en una circunstancia menos tempestuosa y en una cama, aunque fuera un colchón repleto de libros—. Yo oía desde el cuartico los bramidos y las injurias de aquel público implacable, triturador y le dije no salgo. Ella, la de Literatura, me miró medio espantada medio suplicante por encima de los espejuelos y me dijo tienes que salir, la obra sin Cassio no tiene sentido. Le dije que de todas maneras la obra, o más bien lo que estaban haciendo con ella entre la Petra, la Fuerza Bruta y la flaca Yunaisis, no tenía ni sentido ni ninguna otra cosa —bonitas piernas, muy bonitas... y esa cara... esa cara... esa cara yo la conozco de alguna parte...–, ¿no era obvio? Entonces me pidió, con tremenda cara de miope sufrida, que lo hiciera por ella. Le dije no, no y no. Lo siento, no. Hay que saber decir no. Pero ahí mismo fue donde alguien llamó desde el escenario al lugarteniente de Otelo, viré la cara por un momento, de estúpido que soy, ni que hubieran gritado Hojo, y ella se me tiró arriba con tanto ímpetu que los dos fuimos a caer en el mismísimo centro del show... ¡Qué vieja más obstinada! A ver si te lo imaginas... –quizás linda sea demasiado, no es linda, pero tampoco está mal, una chiquita de esas que pasan inadvertidas, como si no pasaran, pero que sorprenden cuando uno les quita la ropa...–, a ver. Yo allí, en el mismísimo, con un atuendo de alquiler... ¡que me quedaba más bien...! El jubón acuclillado y abullonado, las calzas de lycra con rayas verticales... Cuando te imagines lo de las calzas piensa también que yo estaba mucho más flaco que ahora y casi con la misma estatura, una esperpéntica vara de tumbar gatos... Y arriba una hopalanda, haicelín o como se llame, un tabardo y una especie de gorra escachada y con una pluma, todo aquel tripalaje en los colores de las margaritas japonesas. ¡Una verdadera preciosidad! Añade una cara de asombro y a la vez de pánico. Añade que caí sentado, con la vieja encima, y que me aguanté de una pata del piano. Añade que por poco tumbo el piano... –su sonrisa sí es linda, triste pero linda–. ¿Me ves ahora? Pues bien, *ellos* también me vieron. Y acabaron conmigo. *Fueron cientos de personas señalándome con el dedo. Una multitud compacta, impresionante, amenazadora, que se burlaba de mí, que me excluía, que me insultaba, que me hacía sentir el más solo, el más insignificante, el más ridículo. El peor de todos. No sé cuánto duró aquello. Gritaban tanto que dejé de oírlos. Sólo veía lenguas que colgaban en un mar de rostros deformes. Todo daba vueltas a mi alrededor. Olvidé las palabras de Cassio y también las mías. ¿Entiendes lo que significa olvidar las propias palabras? Quise morirme.*

7

Como todo el mundo sabe, el noticiero del ñame y las consignas no solía incluir reportajes ni notas informativas, ni siquiera alusiones, a los hechos de primer impacto, nacionales o extranjeros, que no fueran utilizables como propaganda política. El tema, pongamos por caso, de los disparos en las escuelas norteamericanas, servía para ilustrar los inconvenientes de un país donde cualquier pequeñajo podía adquirir un arma. El tema, por otro lado, del asalto a una tienda en Regla con la casi inmediata captura de los forajidos (también armados, desde luego) por parte de nuestra heroica policía uniformada, azul índigo y la mejor del mundo, pues ¿acaso había en la Isla endiablada algo que no fuera lo mejor del mundo, lo máximo?, servía para ilustrar las ventajas de un país donde... En fin, que la historia de un asesino sádico, violador de niñitas y muy hábil para jugarle cabeza a los de índigo, e incluso a los de paisano −carente de cómplices y vacunado, por tanto, contra cualquier posible delación, el asesino sádico les vino a salir más escurridizo que el canalla del saco−, la crónica de un criminal de quien no podía decirse con un mínimo de verosimilitud que había sido instigado por la CIA, la mafia vociferante de Miami, los congresistas, senadores y sucesivos presidentes, demócratas o republicanos pero rufianes,

rufianes todos, no alcanzaba, en aquellos tiempos ya tan lejanos, el rango de noticia. Así, bajo el rótulo de «sensacionalismo barato», las aventuras de Daniel Fonseca parecían destinadas a permanecer en la órbita folletinesca de Radio Bemba.

Primero consternación, luego rabia y finalmente odio fue lo que llegó a sentir el corresponsal emérito por aquel sinvergüenza cuya chispa lo superaba, por aquel ruin saboteador de la poesía popular, capaz de exhibir en sus actos una atrocidad tan atrozmente atroz que apenas dejaba margen a los floripondios, viñetas y añadidos ulteriores, a la magia del susurro. Porque Daniel, en sí mismo superlativo y monstruoso como las fieras de la jungla vegetal cuando se pierden y se desbocan por los andurriales de la jungla urbana, era su propia hipérbole. De cualquier modo, sus andanzas hubieran permanecido allí, en el rumor, tono bajo y sibilantes de corrillo, de oficinas y círculos de abuelos y la cola del pan, de no mediar una circunstancia extraordinaria. Sólo su originalidad, su formidable talento para escurrir el bulto, su explosiva combinación de cálculo y arrebato, cruento delirio pensador, hicieron imprescindible su acceso a los medios oficiales, o sea, a los medios. Aquel rostro de frente, de perfil y de tres cuartos a cada rato en la pantalla chica y un cartel en cada esquina a la manera de los *wanted*, vivos o preferentemente muertos, del Far West. La insistencia en la publicidad como último recurso para lanzar tras él a millones de personas y también el toque de alarma: «Estamos haciendo todo lo posible, todo cuanto está a nuestro alcance, un esfuerzo sobrehumano, pero el Mal aún anda suelto, su niñita corre peligro, así que ya usted sabe... ¡cuídela!».

Vayan, vayan para que vean todo lo que hice...

Lorenzo, como buen selenita de ojos verdes, nunca antes había prestado atención al noticiero del ñame y las consignas. Ignoraba sus peculiaridades y ni siquiera sabía que las ignoraba. Perturbado ante el ademán interrogante de Hojo... *¿qué bicho te picó ahora...? ¿qué te traes con la tele...?* la mueca de la extrañeza en la faz de un hombre sin intríngulis... *estás loquito-loquito... estás envuelto en llamas como la capa de Felipe II, te vas a achicharrar...* perturbado, sí, pero también persistente, irremediable, fatal, durante alrededor de una semana se buscó allí... *parece que las pizzas de la gloriosa te trastornan, ¡jo jo!, ¿cuándo dejarás de comer esa bazofia...?* pesquisó la epopeya del campo mugriento con sus dos cadáveres y sus seis o siete sobrevivientes... *si sigues así, te va a pasar como al tipo que tomaba cervezas XXX y después nada más hablaba con la equis, ¡jo jo!, y todos en el pueblo le cogían tremenda mala voluntad...* una cosa horrible entre la visita del canciller de Nueva Zelandia, el II Gran Simposio Latinoamericano del Envase y el Embalaje, los resultados de la emulación socialista entre la fábrica de medias para el pie derecho y la fábrica de medias para el pie izquierdo... *o como al tipo que tomaba té verde mientras leía la Biblia, ¡jo jo!, creo que las Epístolas de San Pablo, el blablablá ese de que el amor todo lo perdona... ¡qué mal me cae San Clavo...! y después lo perseguía, al tipo, lo perseguía el fantasma de un monito furioso con los ojos redondos y la cola muy larga...* el parte meteorológico (veraz en aquella ocasión, por variar), donde el Estado Mayor de la Defensa Civil, ante el desvergonzado, hiperlluvioso, hiperventoso y borrascoso coqueteo caribeño del huracán Ena, decretaba la fase informativa para las provincias occidentales... *uno tiene que tener mucho cuidado con lo que se mete en la boca, tanto lo que se traga como lo que no se traga...* y los chuchurrumacos de siempre... *Si sigues ahí, frente a la tele, vas a acabar en Mazorra, te lo garantizo... Después no vengas diciendo que no te lo advertí...*

Gabriela se buscaba a sí misma en el punto de vista de los otros. Si no un análisis, al menos una sinopsis de la historia donde era protagonista. Aunque fuese un sumario adulterado, falseado, tergiversado, pues no tenía por costumbre exigir demasiado a la vida. Aun sin profesar ninguna doctrina ética ni religiosa, sus expectativas eran siempre del mismo tamaño que su autoestima: brizna, partícula, millonésima. No le encontraba la gracia al cuento de Hojo sobre el microbio y la microbia en la platina, donde el microbio le decía a la microbia: Anda, chica, vístete, que ya el tipo ese, tan descarado, está mirando otra vez por el microscopio... Quizás se trate de un mal chiste, de una sandez –reflexionaba el crítico, autocrítico–, pero lo cierto es que esta microbia casi nunca le encuentra la gracia a nada... *¡Qué amargura, por San Clavo...!* Peor que la exigüidad de los ascetas, los avaros archipobres y protomiserias, o los obesos que aspiran a convertirse en sílfides, era la suya una auténtica indigencia sin gratificación adicional, tal como corresponde a los habitantes de la ciudad punitiva, a los que han transitado bajo el letrero que dice «Abandonad toda esperanza».

Pero en esta ocasión, intervalo con neblina, propicio para el vuelco, extraño y agorero, Lorenzo se atrevió a presumir (en sus dos acepciones de sospecha y alarde) que algo le debían los medios. Ni bueno ni malo. Ni dilecto ni repulsivo. Más allá de las dicotomías, algo simplemente razonable, casi tan obvio como la manzana que cae del árbol sobre la cabeza de Newton. Algo con que borrar la incertidumbre, el desasosiego, la inquietud próxima al terror que le había provocado la ausencia de policías y curiosos en el campo mugriento, la falta de señales de escándalo en el escenario del escándalo. Un talismán para conjurar las diabluras de nuestro *petit ami,* el Perverso, empeñado como de costumbre en blanquearnos el cabello antes de tiempo. *Esperaba algo que debía suceder.* Porque se lo debían. Sí, se lo debían. Aunque fuese un fantástico resumen de los seis disparos: la diana, la bala perdida, el rasguño en el hombro, el gordinflas, la instructora y el dulce remate para descubrir al fin que el acto de matar, *the simple art of murder,* no tenía ninguna relevancia en sí mismo, que la vida humana era una basura, que apretar el gatillo equivalía a beberse un vaso de agua... *Hay personas que se espantarían si yo les dijera esto... Las personas se espantan con tremenda facilidad... Se pasan la vida espantadas... Por eso no lo digo... ¿A quién se lo voy a decir...? ¿A quién le importa la verdad...? Yo no tengo la culpa...* Sí, le debían la buena nueva de su iniciación. O, en el más lamentable de los casos, suponiendo incluso que hubieran ocurrido innumerables y trascendentales eventos ese mismo día y a esa misma hora (de hecho, había ocurrido uno de lo más horripilante en la barriada de Luyanó: la séptima o tal vez la octava performance de Daniel con riachuelos de sangre por todos lados, coágulos y trozos de carne humana allí donde el asesino sádico terminaría por incurrir en su primer y último error...), aun imaginando la congestión informativa, un enredo de cables, un barullo en el satélite y los teletipos, los medios le adeudaban al menos un recuento de los tres últimos balazos: el gordinflas, la instructora y el (sin adjetivos) remate. Algo le debían y Gabriela allí, frente a la pantalla, aguardando...

¿Ya? Ni el sol. Las ocho y sereno. Ahora mismo se acabó la musiquita tin tin tirín tin tintín... Dejó de sonar en todos los televisores de la cuadra, se terminó la cuerda. Ahí vienen los titulares, falta muy poco para... ¿Ya? Silencio. Nada en los titulares. Las ocho y tres y sereno y silencio. Porque los chuchurrumacos, tan aburridos como un empíreo repleto de arpistas que fueran danzando y tirándose besitos de un lado a otro, muá muá, novedades del Edén, eran para ella silencio. Todo cuanto no le concernía, silencio. La superficie de una tumba. Situación astral, años-luz, planetas y planetas congelados... ¿No irían a decirlo ahora? En los titulares, como en los mapas, no tiene por qué aparecer todo. Si no, los titulares serían el noticiero y el mapa, el territorio. Alguien habló de los mapas que son territorios... ¿Ya? Pues no. Aún no. Una calma pesada, plúmbea, quizás artificial, con sentido de trampa, se había posesionado del éter. ¿Ahora? ¿Cuál de los locutores? ¿El bigotudo que, según Hojo, se cree Frank Sinatra? ¿La vieja esa, la de la cara estirada, quirúrgica, y el cuello hecho una piltrafa? ¿La bonita, la que dicen (de nuevo Hojo, qué chismosón) que es tuerca y que le entró a golpes a su pareja en el medio de la calle? ¡La gente dice cada cosa de la otra gente! ¡La gente está del carajo! Lo mejor es no atender a lo que dice la gente, hacerse el sordo. No preguntar... ¿Pero quién lo va a decir? Eso, ¿quién? Porque ya debe estar al caer, no hay opción. Todo lo que sube tiene que bajar. Aunque en realidad, pensándolo bien, da lo mismo cuál de los locutores. Me gustaría que fuera la bonita, claro, pero lo cierto es que da igual. Seguro no el comentarista deportivo... ¿Y por qué no? ¿No es acaso un deporte el tiro con pistola? Y la diana fue excelente, de eso no hay duda. Fue inteligible y económica. Fue lo máximo. Escuchar los comentarios del comentarista, por si de pronto... Pero no. Nada. El vacío. Lo que se dice un limbo en su aire metafísico. La paz de los sepulcros. Cómo me gusta esa palabra: metafísico... ¿Qué querrá decir? Una paz anómala y sobrecogedora, de las que no favorecen las... ¿Y ahora? Un zumbido en el silencio, mmmm... ¿Pero qué les pasa? ¿Se les habrá traspapelado el noticón? ¡Qué cuadrilla de ineptos! ¡Ineficaces! ¡Torpes! ¡Imbecilitos y estupidiñanes! No saben elegir, no tienen conciencia de las prioridades y he aquí un silencio también palpitante... que le traía a la memoria cierta línea desocupada en el teléfono, el oso y el panal y un corazón que late en el subsuelo... ¡A que ahora sí! ¡A que ahora... Pero no. Ni el sol. Ni un rayito, ni un reflejo en el empañado azogue noticioso. Las ocho y doce y sereno y taquicardia. Cara o cruz y los pelos de punta. Idea de conspiración: quieren volverme loco. Mala idea. ¿Ahora? ¡A que sí! Pero no. Ni hostia. Ni media hostia. Quieren volverme loca... Sí, eso quieren. Volverme loca para después poner caras de circunstancias, cruces de circunstancias y afirmar que me invento los problemas y que veo bichos donde no los hay, que veo cualquier cantidad de libélulas gigantescas y las alas descaradamente membranosas de unos escarabajos al detalle porque tengo una personalidad paranoide. Menudas palabritas las que se gastan ellos... Sí, *ellos*, el sujeto favorito de las personalidades paranoides, pues al que no quiere caldo se le dan tres... Eso es lo que quieren, caldo, caldo de cultivo para volverme loca y luego escribirlo en un papelucho que deje constancia: *Gabriela Mayo está chiflada*, ponerle un cuño, archivarlo en la segunda planta de la clínica en Miramar y yo, que me cansé de ser un fundador de imperios, un líder, un patriarca, un simonbolívar, ¡qué fatiga!, y alegremente me volví hipnotizador de pollos, traficante de cocos, gran fotógrafo de mi propio dedo, francispicabia y muchas cosas más... ¿Ahora? ¡Ay! ¿Por qué? ¿Por qué me hacen esto? Yo nunca me metí con ellos. Nunca les hice daño. Al menos, no a propósito... Pero no lo van a conseguir. Que ni lo sueñen. Porque yo soy como el hidalgo castellano: por encima de mí, Dios. Ni rey ni papa ni nadie. Sólo Dios. Por más que el

Hojo Pinta Nulidad se burle y diga que me la paso olvidando que soy un ateo convicto y confeso. O, como él dice, extinto y convexo. Qué cínico el grandulón. Más extinto y más convexo lo será él. Le encanta vacilar la equis y se mofa de todo porque no tiene ni intríngulis ni *intríngulix,* porque las cosas le resbalan, hasta en Alepo le resbalan y así cualquiera... ¿Ahora? No, todavía no. El parte meteorológico y el huracán... ¿Ena? ¿Y eso? ¿De dónde han sacado ese nombre los del observatorio? Ena. Qué cortico. Una sola ráfaga de vientos huracanados... ¡Bah! El caso es que el meteorólogo cara de pelícano con sus imágenes del satélite no sabe nada sobre mí. Qué va a saber. No tiene nada que decir de mí y su cháchara es silencio. ¿Vendrá alguien más? Las ocho y veinte y sereno con humedad en el aire, goterones del Atlántico... ¡Qué sugestionable soy! Me dicen que un huracán y ya empiezo a oler un huracán. Y ahora el resumen. En el resumen, como en los mapas, no tiene por qué aparecer todo. Si no, el resumen sería el noticiero y el mapa, el... ¿El resumen ya? ¿Y dónde coño está mi noticia? ¡Ah infames! ¡Pero no lo van a conseguir! ¡Eso nunca! Pétalos de marpacífico... Esa es la cosa, pétalos. Un pétalo significa «sí» y el siguiente «no». Uno sí y el otro no. Mejor: uno sí y el otro también sí, pero más tarde, en transmisión diferida. Cuando hayan trasladado concienzuda-mente cámaras y micrófonos al campo mugriento... Me parece que transmisión diferida no significa eso, pero qué importa. ¡Arriba! ¡A trasladar! ¿Qué esperan? ¿O es que les falta combustible? Vayan, vayan para que vean todo lo que hice... Para que se espanten y me aplaudan... Otra vez el zumbido, mmmm... ¿Es que nunca se termina el zumbido? Pero el marpacífico tiene cinco pétalos nada más, qué pobreza, uno, dos, tres, cuatro y cinco y eso es trampa, se adivina muy fácil. Debería probar con una rosa...

—Oye Hojo, ¿por casualidad no tendrás una rosa por ahí?

—¿Una qué? —ganas de joder, de regodearte con el espectáculo de la ansiedad ajena, porque sordo no eres.

—Una rosa. Una erre o ese a. ¿Sabes qué es?

—No exageres, mi amor, las rosas no se comen... —¡Qué bellaco! Esperas el porqué de la rosa, eh? ¡Pues no te vas a enterar!

–¡Ah! Déjate de hojopinteces...

–En serio, una vez probé, ¿no te lo había dicho? –el bellaco sumido en el análisis de una cajetilla de cigarros, fumar o no fumar, el bellaco profundo–. Pues probé y no, de eso nada. Son roñosas, nauseabundas, abyectas, saben a perfume como los cigarros de Indonesia.

Lorenzo estiró las piernas.

–A rose is a rose is a rose.

–Muy cierto. ¿Quién te lo enseñó? Es un magnífico ejemplo de lo que se conoce como el principio de identidad. Pero así y todo no se comen.

Arquero y arrastrero, no cambia. Lleno de argucias y de multiforme ingenio. ¿Para qué insistir? También hay rosas de papel, de tela, rosas plásticas, rosas náuticas, rosacruces. La rosa York vs. la rosa Lancaster. Una roja y la otra blanca, pero no recuerdo cuál fue la vencedora. Da igual. Primera lección del aprendiz solitario: rosæ, rosam, rosarum, rosis... ¡Cierra el pico! ¡Eres un cabrón papagayo! De los grandes, los de la selva sudamericana, que se saben hasta quinientas palabras y no paran hasta pronunciarlas todas al menos quinientas veces al día. Aprendiz ni aprendiz... ¡Papagayo es lo que eres! Mira que de nuevo está ahí el zumbido, mmmm... Y de nuevo nada. Siempre me tocan los parlanchines. Primero Hojo, luego Manolito y luego Hojo. Esta es una guerra de nervios. La gran guerra de la única rosa.

Parecía que la emisión estelar del noticiero del ñame y las consignas terminaba a su hora, a las ocho y treinta de la noche con el resumen del acontecer nacional e internacional. Parecía que los habaneros, los cubanos, la humanidad toda, se habían resuelto por fin a aceptar su condición de libros que nadie lee, de puro aburrimiento. Y entonces... En su sitio, en el vórtice de una retorcida excelencia que había creído sólo suya, Lorenzo encontró a Daniel. Estrella fugaz, meteoro, ojo del ciclón y protagonista casi absoluto de todas las historias en aquel momento. De cierta manera pero en sentido inverso, en varios sentidos inversos, fue como si ante los ojos del maestro Verrocchio revoloteara juguetón, para dejarlo ciego, el primer angelote de Leonardo. Como si por la oreja de Salieri se colaran por primera vez, para clavarse en su cerebro, las melodías de Mozart. Como si el viejo escritor, un hombre de éxito, importante (?) en la literatura de su país tan sólo porque en aquella época funesta la literatura de su país se parecía, asombrosamente o quizás no tanto, a un apagón, tropezara con el manuscrito de la primera novela de Emilio U. Insomnio por el signo adverso, por la revelación de pulgar hacia abajo, un claro presagio de la propia muerte... ¿Y ahora qué? Lo inevitable. *The King is dead! God save the King!* Pero esas son frivolidades, acotaciones al margen. La cuestión es que allí, en la pantalla, y también en los periódicos, que, como todo el mundo sabe, participaban de la misma elocuencia, la misma retórica, el mismo espíritu del noticiero de la TV, había Otro.

Al principio anónimo, cercano a lo innombrable. Al principio (y también después) enigmático, el más depravado de los hombres fue sólo un rostro borroso, ya por los treinta y pico. Lorenzo pensaba «ya» en lugar de «apenas» porque él mismo aún no llegaba a los veinte y aquel sujeto, como Hojo, si bien no tenía edad para ser su padre, el majestuoso Zeus Tonante progenitor del Perseo en virtud de la lluvia de oro que atraviesa el techo, se le antojaba un «hombre mayor», un adulto indiscutible. Trigueño, bruno o quizás la sombra, quizás la luz con una caída caprichosa a través de los corredores de una abadía románica o el fondo de una catacumba, las veladuras del horror como si el testigo ocasional se hubiese proyectado en el retrato...

—Bien raro hubiera sido lo contrario, niñito —diría más tarde Hojo—. Si descontamos la tiesura de una foto de pasaporte, debemos convenir en que no existen las descripciones objetivas.

Era la seda tenue del espanto con mucho de alegoría sobre las facciones finas, meridionales. Algo sobresaliente el labio inferior, tal vez hoyitos a ambos lados de una sonrisa oculta. La frente amplia, coronada por una maraña de rizos. La nariz corva, de puente estrecho, nazarena. Y, sobre todo, los ojos. Como inclinados hacia abajo por los pinceles de Rafael aquellos ojos negroacogedores y sin pupilas de tan nocturnos, madrugada en una landa con luna nueva, la orquídea remota de la pradera africana y el tulipán Van Baerle. Para estupor de nuestro héroe, el más depravado de los hombres era un ángel de mirada negra. No costaba nada sentarse a imaginar una expulsión y, acto seguido, un despliegue de alas negras. Un ángel de mirada honda para descender por ella sin acualón hasta la fauna ciega, fascinante ofídica de hipnosis. Aquella mirada era una invitación a la caída, al tobogán hasta el mundo silencioso de Neptuno, su corte de sirenas y tritones homicidas, acostumbrados a descuartizar y una melopea con flautas de obsidiana... *Ven aquí... Aquí abajo, ven... No tengas miedo, no hay nada de que asustarse... El paraíso no está arriba sino abajo, el paraíso es un lugar vertiginoso, un abismo, sólo déjate caer...*

—¿Cómo puede hacer... lo que hace? ¿Cómo, con esa cara? ¿En serio es él?

—No seas ingenua, mi chiquitica —Hojo asombrado del asombro de Gabriela—. Si no fuera él, ya se hubiera presentado para decir que no es él. Es él.

—Nadie lo diría...

—¡Hay tantas cosas que nadie diría! ¿Pero qué tú esperabas, eh? ¿Un bestia con cara de bestia? ¿O desarrapado y sucio, con la lengua bífida y los ojos colorados? —Hojo sacudía la caja de fósforos como si fuera una maraca—. Todavía quedan... ¿O viejo y prieto, con cuernos y tres filas de colmillos? ¿Apestoso hasta por televisión? ¡Por favor! ¡Si es típico!

—Bueno, en realidad yo no esperaba nada... Quiero decir, yo esperaba... El problema es que ayer por la tarde, en la práctica de tiro... ¡Ah! ¡Lo que yo esperaba no importa! —Lorenzo por el camino de la voz atiplada—. Yo ni sabía que había un... no sé ni como llamarlo, suelto por ahí... ¿Por qué no usas la fosforera?

—No me inspira confianza. ¿Decías algo de la práctica de tiro...?

—No. No decía nada de eso. Déjalo ahí. Tú sabes que no me gusta que me estén adivinando... —un control y el Perseo *pacem in terris* de vuelta al registro de la indiferencia—. Lo que te digo es que el tipo engaña. Vaya, que no parece un... Porque su cara es bella, ¿tú no crees? Está muy bien... ¿Será alto o bajito? A propósito, ¿tendrías la gentileza de explicarme en qué sentido es típico?

—Cómo no —entre los acéfalos, Hojo buscaba un fósforo correcto—. Mira, cuando estuve en Nueva York, ¿te acuerdas?, había uno bastante parecido a éste... ¡Manda mierda con los fósforos! ¡Ni que Robespierre se hubiera encargado de ellos...! Estaba de moda. Lo vi en Primer Impacto, en Univisión, el canal hispano, creo que ya te hablé de eso, ¿no? —alegría de Hojo: uno sin guillotinar—. Primer Impacto. ¡Jo jo! ¡Tronco de noticiero! ¡Cómo tenía noticias! Casi todas locales, pero de lo más interesantes. Parecía una película de terror... ¡Pero esto sí es grande...! —incomodidad de Hojo: el fósforo que le había parecido correcto resultaba ser, como Lorenzo, un litocéfalo negado de plano a la combustión—. Se ocupaba de todos los detalles, desde los más sublimes hasta los más perversos, punto por punto sin dejarle nada a la NY Bemba, o sea, a la NY Big Mouth, ni las migajas... Pero a lo que íbamos, resulta que al... ¡Cojones! —profundo disgusto de Hojo: el litocéfalo había desbaratado la lija y de prenderse, por supuesto, nada—. Estas cosas conspiran contra la salud mental, contra la lucidez y el equilibrio y...

—Coge, viejo, no muerde —Lorenzo le alcanzó la fosforera sin mirarlo—. Y acaba el puñetero cuento. Aquí el que conspira contra la salud mental eres tú.

—¿Yo? —Hojo, ¡por fin!, encendió el cigarro—. ¿Por qué yo? ¿Por qué los defiendes a ellos?

El Perseo lo miró, indignado.

—¿Defender? ¿Defender a quién? ¡No empieces! —le apuntó con el dedo de Dios—. Es más, si no quieres, no me cuentes nada.

—¡Ah, sí! Se me olvidaba... ¿Tú ves? ¿Tú ves que conspiran... Ya, ya, no te pongas así —humo—. Univisión. Primer Impacto —volutas, lindas volutas—. ¿Viste cómo hago anillos? —con un gesto del mentón, Hojo señaló la pantalla—. ¡A que él no sabe! ¡A que no! Te apuesto un...

—No le hará falta —Gabriela deshizo las volutas de un manotazo.

—Si tú lo dices... ¿Por qué me miras con torva faz? Ya, ya. Está bien. Te cuento. Resulta que al brother ese, el de Univisión, Terry Mac no sé qué, alguna tareca escocesa o algo así, no le gustaban las niñitas. No. ¿Qué mal gusto era ése? Su especialidad eran las viejitas. De ochenta para arriba. Y no las violaba, qué va. Eso hubiera sido una aberración, una falta de respeto, un atentado contra la dignidad del ser humano, la moral, la cívica y las buenas costumbres. Él se las comía. Respetuosamente se las comía. Ñam ñam. Y era precioso. Rubio, *baby face*, una pajarita pestañuda y lánguida. Y clase media, universitario, sin problemas de dinero ni de drogas ni de nada. Para que tú veas. Hasta Malandra se quedó impresionado...

—¿De dónde salió él?

—¿Malandra? ¡Jo jo! Es mexicano, un auténtico chichimeca descendiente de alemanes. «Malandra», como supondrás, es un seudónimo. Porque su verdadero apellido no hay quien lo pronuncie, ni él. Figúrate, que es algo así como Hohenzollern o Hohenstaufen. Y además, desde que inventó el Marfuz de Oro... ¿Tú sabes lo que es el Marfuz de Oro, no? Es un premio que consiste en un diablillo de cola torcida, sobredorado y de lo más simpático, que se concede al crítico que logre, a través de sus articulejos malvados, intrigantes y venenosos, que un escritor se suicide, que se muera de un patatús o, por lo menos, que deje de ser escritor. Creo que por ahí tengo un par de ellos. Después te los busco, si quieres... —Lorenzo, evidentemente, no quería.— Pues bien, desde que inventó eso, el cuate Malandrín siempre anda temiendo que le hagan un atentado. Que le rajen la cabeza con un hacha, como le hicieron a... ¡Jo jo! Él no es deéfico, ¿sabes? Es yucateco, igual que Adán y Eva según Diego Ribera... Pensándolo bien, ahora no sé si se puede ser chichimeca y yucateco al mismo tiempo... En fin, los mexicanos son raros, siempre metidos en el laberinto de la soledad. Como que, para ellos, amor es más laberinto... La cosa es que hace una pila de años que mi cuate vive en el DF con tremenda zozobra. ¡No digo yo! Porque el DF no es un lugar tranquilo ni nada y allí los plumíferos sí que la emprenden...

Con gran delicadeza, el Perseo colocó una mano sobre la boca de Hojo.

—¿Te callarás por fin, Hojito? ¿Le harás a la humanidad el recondenado favor de cerrar tu bocaza plumífera? ¿Sí? —divertido el diablo sabrá por qué, Hojito asintió con la cabeza y el Perseo retiró la mano.— Te pareces a mi madrastra cuando se despierta por la madrugada con sus rolos y su cara llena de caca y se pone a decir que yo la desperté porque yo estoy loco y tengo que ir al psiquiatra. No se puede conversar contigo. Ni siquiera entiendes lo que se te pregunta. Yo no me refería para nada al sinvergüenza de Malandra y eso del Avestruz de Oro me lo has contado como cuarenta millones de veces, ¿no te acuerdas? —Gabriela hablaba con desgano, en voz baja, sin quitar los ojos de la pantalla, donde el noticiero se extendía y se extendía más allá de su horario habitual y era como la cuarta o la quinta vez que aparecía el ángel de mirada negra—. Y tampoco te pregunté por un lugar específico, no seas chato. Ese tipo, el del retrato hablado, ¿de dónde salió?

—¡Ah, ése! —Hojo se encogió de hombros—. ¡Y yo qué sé! ¿Por qué me lo preguntas a mí? Te aseguro que no es amigo mío.

—Ven acá, Hojo Pinta, ¿tú no tienes imaginación? Ni intríngulis ni vaso, ¿tampoco imaginación?

—No —retorno a los espacios interiores, al maravilloso mundo de Oz donde el hombre de hojalata lleva en su alforja un cuaderno con los apuntes del viaje y las explicaciones inútiles—. Esto no tiene nada que ver con la imaginación, mi chiquitica. Ya te hablé de Terry, ¿no? Pues verás. La tragedia del malla dorada consistía, según su abogado, porque hay abogados para todo, oye esto, en que cuando era un chama su abuelita y las amigotas de su abuelita, un hatajo de crueles, desalmadas vegetarianas, lo obligaban a comer cosas que no le gustaban, asquerosidades como el brócoli y el jugo de apio. De los marpacíficos no se dijo nada, creo que por allá no son muy conocidos. Y en cuanto a las rosas... bueno, las rosas no se las come nadie, ni los yanquilandios vegetarianos más radicales. ¿Qué te parece? —una pausa donde casi se escuchó la no opinión de Lorenzo, un crujido abstencionista—. ¡Mira tú qué clase de tragedia! ¡Con tantos niños que se mueren de hambre en el Tercer Mundo! ¡Tanta gente que sueña con comer brócoli, con tomar jugo de apio y no puede! No recuerdo muy bien cómo acabó el rollo, pero creo que al canibalito lo mandaron a la cámara de gas. O le pusieron una inyección. O tal vez fue electrizado, no sé. A lo mejor tuvieron que aplicarle más de un fotutazo y hasta la cabeza le cogió candela. Algunos tipejos son duros de pelar y eso, ya tú sabes, da pie a esas anécdotas espeluznantes que divulgan los que se oponen a la pena de muerte. Ahora yo pregunto, ¿acaso no se lo merecía? –pausa larga, pues Gabriela nunca había tomado partido ni a favor ni en contra de la pena de muerte así en abstracto, en general desconfiaba de los partidarios demasiado vehementes de cualquier abstracción–. ¿Abstracción? Nada de eso. Ninguna abstracción. Se trataba de viejitas concretas. Tan concretas que eran comestibles. Y supongo que la tragedia de este señorito tan bonito del retrato hablado consiste en...

–No seas envidioso...

–Para nada. A éste ahorita lo agarran, tú verás. Y del paredón no lo salva ni el médico chino. Digo, si no lo linchan primero... Sí, porque si por mí fuera, lo encerraba en un cuarto, amarrado de pies y manos, con los padres de todas esas niñas...

Sobresaltada, la dama de las manos temblorosas le propinó un tortazo a Hojo, un tortazo que en realidad iba dirigido contra la noción de linchamiento. Pero el crítico maligno, más que acostumbrado a semejantes agresiones por parte de ella, esquivó como les hubiera convenido hacer en su momento a Dempsey y a la flaca Yunaisis: con gran elegancia, sin soltar el cigarro ya en las últimas y sin despeinarse. Así, el tortazo fue a parar a la frontera entre el colchón y el tratado de medicina forense mientras la muchacha... *déjate de salvajismo... todo el mundo se merece que lo escuchen... nadie sabe del sufrimiento ajeno... un juicio justo...*

–¿Un queeeé...? ¿De qué tú hablas, mi chiquitica? El que te guste no quita que este tipo sea lo peor de lo peor. Ya no estamos en Grecia, donde los lindos libraban. ¡El sufrimiento ajeno! ¡Tú estás loca! ¿Y qué hay con el sufrimiento de las víctimas? Este tipo es un mierda, una cucaracha reptil y eso no tiene vuelta. No paga ni con la muerte. ¿Escucharlo? ¿Para qué? ¿Para que nos cuente cómo en la primaria las niñas le quitaban el refresco y le ponían traspiés?

¿Qué lo trajinaban y lo cogían para sus cosas? Mira, a mí todo ese psicoanálisis de pacotilla no me convence...

—¿Y te parece que eso no es grave?

—¿El psicoanálisis de pacotilla? ¡Gravísimo! —Hojo arrojó el cabo al suelo para apagarlo enseguida de un pisotón con el gesto de quien apachurra una cucaracha reptil–. ¡Si convierte a los degenerados en enfermos y en pobrecitos llorones que en el «juicio justo» –representaba las comillas con el mismo mohín despectivo que mucho antes había dedicado a la torcida alma eslava de Tarkovski– se ponen a hacer el cuento de su abuela y el brócoli y el de Blancanieve y los siete enanos y el de la buena pipa...

—¡Las niñas! —aulló Lorenzo–. ¿Qué coño sabes tú de las niñas? Las niñas son del carajo. ¡Ellas sí que son lo peor de lo peor! Son espantosas. Son malísimas. Tú lo dices muy fácil porque tú no tienes intríngulis, claro, a ti todo te da lo mismo, pero cuando las niñas la cogen con un niño... ¡lo acaban! Son peores que los niños. ¡Y mira que los niños son perversos! Pero qué va: en cuestiones de malicia ellas les dan punto y raya. Son más insistentes, más refinadas, más turbias. Yo no sé por qué, pero es así. Y no sólo le quitan el refresco y le ponen traspiés, también le...

El Perseo frenó en seco y el chirrido fue casi audible. Perplejo, como quien regresa a sí mismo y se descubre en medio de un carnaval, entre serpentinas, confetis, pitos, matracas, antifaces, gorros de cartón y demás rocambolescos aparaticos y, desde luego, bailando encaramado en una carroza, miró a Hojo. Miró al búho disecado, a la jicotea en su palangana, y luego miró las telarañas del techo. Por allá arriba, pardusca y rinconera, una tatagua. Ningún sitio donde esconderse.

—¿Por qué no sigues? ¿Qué más le hacen?

El bailarín, aterrorizado, se apeó de la carroza.

—No sé –la tatagua, por allá arriba, un monstruo–. No sé. No sé. ¡No sé! ¿Por qué me miras así? Déjame tranquila... Yo no dije nada.

—Ok. Tú no dijiste nada. Tú nunca dices nada. Pero no digas idioteces –Hojo, por unos minutos dueño de la situación, ¡jo jo!, apagó el televisor–. Como todo el mundo se merece que lo escuchen, ahora tú me vas a escuchar a mí. Me vas a escuchar sentadita y tranquilita, sin berrear y sin tirarme cosas, ¿está claro? –Por unos instantes, Gabriela tuvo la impresión de que Hojo la estaba amenazando, pero no, ¿a quién se le ocurre?, debió tratarse de una falsa impresión.– Para tu consumo, para que tú, mi amor, que vives en la luna, tengas una idea de *quién es* tu adorado tormento, te voy a contar algunos detalles de los que no salen por el noticiero...

A partir de aquí, la banda sonora se distorsiona. La voz de Absolutamente Nadie parece mezclarse con los dos o tres dedos de ron todavía en la botella y quizás con el humo dulce de un pito de marihuana, porque todo es caos. Enredo. Amasijo. Confusión. Y confusión es lo que reina, como diría Santayana, en el hombre interior de nuestro héroe... *De esto no se ríe... Ni una sonrisita, ni un guiño, ni un jo jo... Es cierto que no da gracia, no, ninguna gracia, pero él siempre se ríe de millones de cosas que tampoco dan gracia... Esto se lo toma a pecho, como si fuera algo personal... ¿Qué le pasa...? De repente se vuelve moralista, se siente virtuoso, el sumo pontífice dueño de toda la verdad... ¿Por qué...? ¿No dicen que la verdad no cuenta...? ¿O acaso cuenta a veces sí y a veces no...? ¡Ah! Me da lo mismo si fusilan o no al más depravado de los hombres, sí, aunque sea una belleza... Porque las reglas son las reglas y no se puede esperar otra cosa... Ahora, todo este derroche de moral, de virtuosa indignación, lo que me parece es una... Cómo me gusta esa palabra: pontífice...*
Antes de continuar quizás convenga advertir que, desde su primera novela, concluida en París en el invierno de 1994 y, para muchos, excesivamente literaria y excesivamente intelectual, lo que se dice una obra de juventud, Emilio U –quien no era pensador ni tampoco se dedicaba a cultivar el estilo, de manera que no terminaba de comprender la crítica y persistía en lo suyo encantado de la vida, con una seguridad en sí mismo casi insultante– ya había explorado la veta, el filón anárquico inherente al Nuevo Realismo. Cito sus palabras de entonces: «Sus oyentes habrían de renunciar

a la expectativa de asir alguna reconstrucción de los sucesos más o menos realista en sentido tradicional. Deberían conformarse con mitos, fantasmagorías, hilachas, embriones, materiales muertos y protohistorias disecadas [...]» Y más adelante: «Sin una anécdota bien trenzada [...] frases que se siguen y se neutralizan sin hacer caso de la lógica, de eso que llamamos lógica por seguir la tradición. Emergen, pues, ya en ruinas, estas historias siempre por construir. Fragmentos apenas susceptibles de ser encadenados siquiera en el más azaroso de los montajes. Textos esquizofrénicos y desprendidos de la imposibilidad, *el desorden*, una oscura sensación de fracaso y también de impostura algo carnavalesca, triste y jovial.» (El subrayado es mío.)

Página tras página, año tras año, fue adentrándose cada vez más en la oscuridad de la mina, en ciertas atmósferas de *thriller* con soplos raros y embudos que se tragaban a los personajes. Saqueaba a mansalva a otros narradores, poetas, dramaturgos y guionistas de cine sin que jamás pudieran acusarlo de plagio. Traducía a su modo la música y la pintura, los anuncios publicitarios, el paisaje urbano. Peleaba con su propia sombra y subvertía imágenes ajenas en busca de un supuesto sol negro, ilusión de ilusiones. Así, lo que había comenzado por una leve desviación en el curso de los relatos, una ligera extrañeza, un giro de apenas un par de grados en las habituales relaciones, proporciones y funciones, terminó por convertir a Emilio U en narrador del Desorden, una especie de nuevo absoluto en constante autodestrucción donde la mayúscula aportaba un sentido más allá del Apocalipsis y también de la mera sintaxis. Y por las ondas de la voz ronca de quien un día fue Cassio navegan ahora los pedazos que recuerdan los cristales rotos de las gafas de Pierrot, los pedazos que se clavan y que van a reunirse con otros y otros pedazos en el hombre interior de nuestro héroe como las aguas verdes y azules en un delta.

–...detalles de los que no salen por el noticiero...

Así, las rayas de la acera. No pisarlas y no transitar bajo las arcadas, mucho cuidado con las salamandras en la pared, los alacranes que curvan el aguijón y los gatos negros que saltan desde los latones de basura. Los pequeños úteros tan perforados por la embestida que hubieran quedado estériles de haber sobrevivido. La erosión, la tierra baldía, los árboles que pudieron ser y no fueron, la fruta que se pudre sin madurar y todos esos entierros, el llanto y la cólera, esos ataúdes enanos, cerrados, blancos... El exhaustivo paralelismo entre la libreta, el mocho y el arma. Salpicaduras de sangre en otro sitio, justo en el instante de un desborde de materia cerebral, un mínimo desborde a través del boquete con el diámetro de una bala calibre veintidós, tiro efectivo a cien metros, bocabajo a partes iguales entre el tapiz de hierbas y el cemento. Salpicaduras de sangre en Luyanó, muy cerca de la calzada y de los transeúntes que tampoco escucharon nada... ¿Por qué nadie de afuera se alarma con los gritos de adentro? ¿No se tratará de otra pesadilla? El orine en la cama y el orine sobre el otro cuerpo, sobre el pelo enfangado de las niñas la lluvia de oro que atraviesa el techo para fecundar a Dánae y mejor aún en la noche peligrosa, cuando la lluvia que cae del cielo, fría, y la lluvia de oro, tibia, se entreveran y fluyen, corren juntas por la piel llagada. Oscuridad y agua para desinhibirse y liberar el chorro, para rozar el desenfreno, abre la boca, trágatelo, dale, trágatelo así, y los andarines con tricornio. El andarín persigue al peludo que rueda un monociclo y las nalguitas blancas, escandalosamente blancas, pues cada cual se procura la carne dentro de su propia etnia, dentro de su propia familia vegetariana radical en lo más blanco de la Isla mestiza y endiablada. ¿Qué se propone el andarín? Ah, ese chochito rosado. Es mío y es blanquito y es rosado cuando se abre, apenas una pincelada color mamey, cochinito y calvo. ¿Qué tenemos aquí? *My stink pussy*. Suave, suave. ¿Tú sabes lo que es una ablación de clítoris? Yo te la hago de un mordisco y después te escupo en la cara el pedacito ensangrentado. No te alcanzará la voz para gritar... La esquina destendida, las trampas de un día difícil y lo muy importante dentro del bolso, siempre se me olvida lo más importante. Suave, suave la penetra con un dedo, con dos y un anillo con una piedra y unas aristas y unos vértices que desgarran. ¿Por qué no cuentas ahora las aristas y los vértices, pero sin mirar, sintiendo sólo cómo acaban contigo? Gira, giran los dedos, revuelve, la rompe y la besa para acallar los gritos. ¿Te gusta? Dime que te gusta. La abofetea. Vamos, vamos, mi amor... Estas no son horas de dormir la siesta... El bolso de flecos no, el otro. Poco a poco la estrangula, aprieta y lo que va entrando, *work in progress,* lo que desgarra más y más y taladra y arde y una silueta que atenaza el cuello de la otra, más chiquita, qué miedo. Qué miedo. Qué miedo. Soy el miedo. Soy todo el miedo del mundo. Con las dos manos el Ogro bueno suscita las agónicas, violentas, inmejorables contracciones alrededor de la pinga, el *kabbazah* o cualidad africana de las contracciones, tam-tam, el túnel menudo late como un corazón al descubierto, tam-tam y todo el mundo quieto. Como explicó la instructora, no hay que moverse para nada, cada uno en su sitio tras la línea de tiro. Basta con estrangular y el chochito sangrante devuelve el apretón allí donde más se siente. Rico, riquísimo. Donde único se siente el *kabbazah* mecánico y quién sabe si aprendido en los relatos de Sade o si experimentos previos con animales, con pájaros a los que se les retuerce el pescuezo, la orgía del ganso y la bestia. Rojo sobre blanco, rosado y manchas. El tono del teléfono que simula esperar por un número perdido en el desastre, en la inundación de los canales subterráneos. Porque lo perdí, susurra el Ogro en el oído del pájaro, del ganso, de la niña, lo perdí, lo perdí... ¿O acaso nunca lo tuve? Susurra el Ogro, aprieta con las dos manos, le envuelve la cabeza en una jaba de nailon, las uñas se tornan cianóticas y el diminuto esfínter se contrae, ¡ay! Así. Se contrae así. Aprieta así. Muertevidriosa, *kabbazah*, rico, riquísimo. Una telaraña con el poder suficiente para enredar a la tatagua. La tatagua se agita, forcejea, pero no puede escapar. La araña gigantesca va devorando a la tatagua viva, rostros de la muerte. La voz que se ahoga. Se ahoga y él retira la jaba de nailon antes que se ahogue del todo, pues la primera perrita, la de Marianao, se ahogó antes del orgasmo y la muertevidriosa le aflojó el diminuto esfínter y el Ogro se sintió frustrado, sin más alternativa que comerse a otra al día siguiente. Otra perrita, la voz... No la de Hojo... *Olvídate de ese tipo, mi amor... Es un tipo malo, muy malo... No debes ni pensar en eso... En esta vida todo tiene un límite y ese tipo se pasó de todos los límites... Ni se te ocurra decirle a nadie que te gusta, que estás de parte de él... Eso sería como romper la barrera, como llevarse la luz roja del semáforo... En primera nadie va a creértelo, dirán que buscas epatar, que lo tuyo es una epatancia como las novelas de Emilio U... Y luego, si te lo creen, van a decir que entonces te mereces lo mismo que la cucaracha reptil le hace a las niñas... Ven acá, ven, yo te guardo el secreto...* No, esa no. Vuelta a encender la tele. Pero ya no hay más noticiero. Hay un presentador con cara de torta y corbata de lacito jurando y perjurando con mucha violencia que odia la violencia y a las obras de arte, si acaso se les puede llamar así, que estimulan la violencia en lugar de condenarla, con tantos loquibambios sueltos, armados y peligrosos, como pululan por ahí por la calle siempre a la caza de algo que los inspire y los justifique, todo eso para prevenir a los inocentes espectadores contra la película que viene a continuación y... *Oye, oye, otro predicador... ¿Tú quieres ser así cuando seas grande...? Mañana quiero todos los periódicos... Los quiero aquí, en mi mano... ¿Oíste, Hojo Pinta Pontífice...? ¡Todos los periódicos...! ¡Todos...! Como si tienes que levantarte a las tres de la mañana para conseguirlos, no me importa... ¿Quieres saber algo...? Lo que tú dices no es exactamente como tú lo dices, pero no voy a discutir más contigo... Y yo no tengo ningún secreto, así que te puedes ir a la mierda...* Y Hojo, amablemente, se va a la mierda. Porque el héroe cómico, por más que se lo proponga, no puede sofocar las llamaradas del héroe trágico. No puede espantar a los bichos ni a los tipos malos. Siempre le queda, por supuesto, el recurso de la burla, de instalar en el ridículo toda la historia. ¿Puede ser ridículo el asesinato? ¿Y la tortura, puede? Dicho así, en abstracto... Es otra voz la que se ahoga. La vocecita de la niña que gimotea y llama a su papá y a su mamá porque ya no quiere seguir en el juego pero no la dejan huir con tantos loquibambios en la calle y tantas estrellas en el cielo. Porque el juego duele, duele mucho y tanto, que no importa ya el secreto. Yo te guardo el secreto, decía el Ogro. Chocolates y cuentos, las auténticas fábulas de Andersen, que detestaba a los niños y le tenía terror a Kierkegaard. Chocolates y cuentos a cambio del secreto, de la exclusión de mamá y papá. El olvido de lo muy importante, de lo terriblemente importante, lo definitivo, lo comprometedor. Entre los yerbajos la navaja para seccionar la carótida. La navaja oxidada y húmeda, pegajosa. En el nácar, las huellas dactilares. Quemadas, sin fichar, raspadas, sin correspondencia en el archivo, sin antecedentes, pero huellas. Por fin una señal. Una prueba irrefutable. El primer y último error. El chorro de sangre hirviendo que brota, que irrumpe simultáneo al chorro de semen. Porque el *kabbazah* es tan irresistible como los vibradores. Porque las mujeres que pueden producir *kabbazah* por sí mismas, como Gabriela, sin que nadie tenga que tomarse el trabajo de estrangularlas, valen mucho dinero en África... *Está bien, los periódicos, te consigo los periódicos... Oye, ¿por qué será que no puedes pedir nada en buena forma...? De la melcocha al arrebato, siempre dando órdenes la hija de su padre, ¡jo jo!, la coronelita... Mira, si no te portas como es debido, un día de estos, ¡jo jo!, te voy a vender... Te voy a cambiar por un caballo árabe...* Pero al más depravado de los hombres no le interesan las mujeres, no piensa en ellas. No piensa nada en medio de los espasmos, sacudidas, la contracción final agónica, violenta, inmejorable, las últimas gotas dentro de un cuerpo sin cabeza que hace del acto necrofilia, un caso de cópula rara donde es el macho quien devora a la hembra como la araña a la tatagua viva y nada se reproduce. Borde centro inferior. La erección que cede oscurecida y untuosa por la sangre que chorrea hasta las botas. La mancha oscura sobre el azul del hombro. La cabeza de la muñeca pendiente de un cordel. La cabeza de la niña, casi la mitad de una mejilla arrancada de un mordisco. La instructora que se acerca al tirador sorpresa. Las cuencas vacías, porque los ojos, boliches de gelatina, van encima de la cabeza encima del vientre sajado. Todo prolijo, pulcro, muy bien acomodadito como los juguetes del nene ejemplar bajo un letrero que dice *Te cogí asando maíz*...

En el transcurso de una semana, cada vez más nítido, más visible, el Ogro. La obsesión de Gabriela se fue corporeizando, se fue volviendo taquicardia, asfixia, aguja en la bolita en la garganta, sudor frío, anteojeras en la medida en que aparecían nuevos y nuevos detalles. No en los periódicos ni en la TV, sino en el rumor, tono bajo y sibilantes de corrillo, de oficinas y círculos de abuelos y la cola del pan, en los titulares de Radio Bemba. En la madeja de la cual Hojo, confundido y a pesar de sí mismo, le había alcanzado la punta para ayudarla a entretejer un pretérito. Fabuloso, extraño como la sombra del caminante, un pretérito que se cruzaba en más de un punto con el suyo, el arcano pasado de Lorenzo, el del naufragio. Una leyenda para el Ogro. Para explicar y redimir o, al menos, buscarle una agradable compañía en el Infierno al más depravado de los hombres...

Emilio U escribía de prisa, trastornado por la ventolera y el intento de hacer que los dedos se movieran por el teclado tan rápido como las pasiones por la mente. Era un hombre joven y saludable y, sin embargo, le faltaba tiempo. Sin saber por qué, se sentía al borde de un precipicio donde la novela flamboyante era su propio réquiem. Además, estaban su Diario, algunas cartas, los articulejos para *El Hideputa* y para *Le Monde*, otros articulejos. Y luego, la vida cotidiana. Tantas presiones, tantas amenazas, tantos enemigos... Escribía desaforado, sinfónico durante más de diez horas al día, y eso allí donde las noches eran más largas, más iluminadas, más vacías y más ajenas que en La Habana. Escribía con los pelos erizados y la carne de gallina, febril, trepidante, enloquecido. Tanto, que hubo un momento donde todas sus cuartillas impresas fueron a parar al suelo en lo que debió ser una oda al caos, al Desorden. Su nueva impresora no requería papel continuo. Sólo hojas sueltas que iban brotando tiernas y calentitas como el *croissant* que el narrador engullía cada mañana en el café de los bajos.

Las recolectó de nuevo con los pensamientos en otra parte, creyendo que ordenaba y sin advertir cómo unas cuantas páginas de su Diario iban a parar con tremendo descaro al capítulo noveno de la novela flamboyante. Puesto que se la sabía de memoria, de haberla meditado y manoseado durante varios años, no volvió a leerla. Tanto su agente como su editor consideraron el capítulo de marras algo extrañito, quizás difícil, estrafalario, inverosímil, pero no más que el resto de la novela... *Este muchacho, tan súbito como de costumbre... Tan traumatizado, el pobre... Si lo que parece es un hipnotizador de pollos... Un traficante de cocos... El gran fotógrafo de su propio dedo... Un día de estos lo vamos a perder, ¿no debería encargarse la Agencia de conseguirle un psiquiatra...?* De esa manera, el traspapelado despojo de sinceridad, incluidas algunas palabras y líneas tachadas a mano, curiosa autocensura, no mereció comentario alguno por parte de la gente cuerda. Y así lo publicaron, *post mortem*. Pues resulta que cuando el gran fotógrafo de su propio dedo regresaba a su apartamentico en Montmartre, listo para revisar las pruebas de imprenta después de un largo paseo a pie bajo la llovizna, precisamente cuando más alegre iba... lo atropelló un Peugeot. O quizás un Renault. O un Citröen.

El día del derrumbe los pensamientos de Emilio giraban alrededor de una breve secuencia en una de las novelas más puñeteramente bien escritas que él hubiese leído jamás. Comenzaba por un caballero del Sur, del Deep South. Un caballero bien vestido hasta lo impecable, mientras más sin dinero más elegante en una ciudad del Norte, que se iba a tirar al río con una pesa en cada bolsillo. Era tanta la carga que otro final hubiera parecido imposible. En algún meandro del trayecto, el caballero del Sur se encontraba con una niña. Huidiza de una familia de inmigrantes en un país de inmigrantes, primero por un pedazo de pan y luego por gusto, ella lo seguía a todos lados sin comprender su idioma (el de él) y era entonces cuando, en los pensamientos de Emilio, se producía el disloque. El palimpsesto. El giro de apenas un par de grados en las habituales relaciones, proporciones y funciones. El caballero del Sur se transformaba en un caballero de aún-más-al-Sur, un caballero pánico que decidía posponer el río, sin saber, desdichada marioneta, que los caballeros de aún-más-al-Sur no deciden, que algo dentro de ellos decide por ellos y que, aptos para los mayores sacrificios, luchan hasta la muerte con tal de ignorar cómo y por qué ocurrió todo, quiénes son.

—Quiénes somos —hubiese rectificado Hojo si, apartando los principios y la repugnancia con que trataba de disfrazar los celos, se hubiera decidido a incluir al asesino sádico en la multitud.

En lugar de Quentin Compson, el traficante de cocos escribía Daniel Fonseca. Así, con todas sus letras, pues una vecina había identificado el retrato hablado desde el colmo del horror... *A mí siempre me pareció raro... Muy amable, tranquilo y correcto y todo, pero raro... No quiero decir que fuera invertido, no es eso... Quiero decir extravagante, complicado, sospechoso... Fíjese que nunca hablaba con nadie, los buenos días, con permiso, eso sí, ya le digo, oficial, muy bien educado... Pero enseguidita seguía de largo, mirando para el piso, pensando en las musarañas, sin amigos y sin novia, todo el tiempo solo...* De ese modo le cortaron la retirada al asesino sádico al impedirle no sólo regresar a su casa en Kohly, sino también acceder a cualquier otro refugio. El nombre de Daniel se había vuelto por fin en su contra. Se había convertido en una señal, una marca, una maldición que hacía de él un Mr. Hyde irreversible, un vampiro sin ataúd. El hombre de la noche peligrosa.

8

Caminar y caminar hacia ninguna parte.

Ahora, bajo los rayos cada vez más horizontales y oro viejo de la casi noche habanera, no hay una ruta prefijada. No hay un camino incorporado a los pies, aprendido por ellos en carne y sangre hasta hacerlos independientes de la cabeza, como el *jean* desteñido que ha ido adquiriendo la forma del cuerpo y uno comenta que ya va solo a los lugares, a la universidad, al trabajo, a la rutina. Ya no hay rutina ni tampoco una voluntad de trayecto, un orden, un plan, una forma de razonar los pasos.

La nueva vida de nuestro héroe consiste en ir dando tumbos. Escapar sin saber muy bien adónde, perseguir sin saber muy bien qué. Es el Vedado en círculos no muy perfectos. De vez en cuando, algunos barrios cercanos también en círculos no muy perfectos. Calles numeradas, tediosas con sus mojones de lindero en forma de casitas, pajareras macizas, hogares para muñecas decapitadas, para muñecas muertas, cuchillos y cuadrículas. Un pedazo de ciudad con fronteras invisibles y visible decadencia, pues el perseguidor fugitivo (el *perseguitivo fugidor* –hubiera dicho uno de los colegas de Hojo, el mismo que se complacía en afirmar, allá en París, que los extremistas cubanos no eran más que una partida de *extremanos cubistas*)

165

no se aventura más allá, el diablo sabrá por qué. Sólo su pequeño mundo de loma en loma, entre escaladas y deslizamientos.

Son el cansancio y la ansiedad desde el muro del Malecón, varios kilómetros antes de alcanzar la bahía, hasta el Zoológico, otro lugar con jaulas para las bestias famélicas. Días y noches (nunca sabrá cuántos, ni siquiera sabrá si muchos o pocos) de vacío, *impasse*, tiempo desleído sin techo ni ley donde primero aparecen el hambre y la fatiga. Luego, una desesperación tan dura que trasciende el hambre y la fatiga. A lo lejos, la luz giratoria del faro en la fortaleza de los Tres Reyes del Morro, un ojo como el que pudiera atisbar la noche peligrosa en el patio de una penitenciaría de alta seguridad. Pasos y más pasos por la fronda de sus propias palabras.

Prefiguración de Aimée, de la voz quebrada, muy triste y musical, de la muchacha negra, nuestro héroe ya comienza a repetir palabras... *¿serás tú, que corres...? ¿o tú, que cruzas la avenida sin fijarte en la luz equivocada del semáforo...? ¿o tú, que desde atrás de las matas me chiflas y me enseñas algo que ya ni siquiera me horroriza...?* ya comienza a multiplicarlas al principio y al final de la frase, anáforas y epíforas... *¿no serás tú, que remolcas a ese bóxer de mirada romántica, perdida en los espacios siderales y siderúrgicos...? ¿o tú, con esa cara de sabandija, que piensas quién sabe qué atrocidades porque me sorprendiste hablando solo...? ¡como si nunca hubieras visto a nadie hablando solo...!* siempre las mismas una y otra vez en el mismo tono... *¿o tú, tan Goloso de Rodas que pretendes engullir de una sola sentada esa chambelona gigante y para colmo azul con rayas anaranjadas y te atragantas con ella sin que nadie te auxilie...? ¿o tú, que zapateas en la acera como el vesánico de los tres tristes tigres...? ¿o tú, que aúllas como cualquier otro vesánico...? ¿o tú, que...?* como si creyera que así, dobles, triples, martilladas y machacadas... no, no, *ni te esfuerces, que yo sé, yo sé muy bien que tú no eres, que tú no eres Daniel...* las palabras pueden adquirir significados más precisos y preciosos que los habituales... *Daniel, Daniel, dónde, dónde está Daniel el que no corre ni zapatea ni aúlla... bueno, a lo mejor aúlla Daniel sin perro, sin chambelona, sin cara de sabandija... Dónde está Daniel, Daniel Fonseca el de los iris* *negros...* desde la Plaza gris y sucia con el obelisco y las diversas moles en estilo monumental moderno, hasta las aguas oscuras, translúcidas casi opacas, manchadas de grasa y algo cadavéricas del Almendares.

Su peregrinar está hecho de tropiezos con el pavimento rajado, un crujir de hojas y boliches resecos junto a las sombras desfiguradas (y desfiguradoras, agresivas, ramas con la osadía de simular brazos que terminan en garras, bosque de Birnam, bosque feroz) de los álamos y los almendros y el lado blanquecino de las yagrumas. Olor a marisma, a salitre, a moluscos y crustáceos podridos en el dienteperro junto a las púas de los erizos. Goterones del Atlántico. Animalejos urbanos que también huyen sin saber muy bien adónde, sólo huyen, pues la endiablada es su propio confín, horizonte de agua indeseable como el de cualquier isla indeseable, animalejos que huyen ante la urgencia del huracán que barrerá con todo para ser llamado, al igual que tantos anteriores, «la tormenta del siglo».

Recorre un paisaje con bicicletas repentinas detrás de cada curva, sin frenos y sin claxon las bicicletas, carros con los faroles rotos, también sin claxon por callejuelas con los faroles rotos y hasta camiones que portan contenedores quizás robados y de seguro mal ajustados, listos para caerse... *todo lo que sube tiene que bajar... que para abajo ayudan todos los santos, empezando por San Gravedad... aunque yo no tengo la culpa...* y apachurrar lo orgánico, lo inorgánico y lo inclasificable. Para convertir los cuerpos y los objetos en natilla de papilla de puré de talco. Máquinas voraces.

Exploración de un panorama de otoño, mezquino otoño tropical y salpicado a gusto con hampones baratos, granujas sin elegancia ni guante blanco ni la transfiguradora máscara del dios Loki, muy capaces de matar por siete dólares (justo lo que tiene el Perseo: siete dólares) y quizás por menos. Rufianes de los que hacen la calle con un punzón de picar hielo, unas tijeras de jardinería, un bate de aluminio o a cabillazo limpio, aunque tampoco faltan las escopetas con los cañones recortados y muescas en la culata... *he matado a quince... quince tipos y una vaca...* los juguetes rabiosos, los lanzallamas y otras armas de fuego, con el festivalesco propósito de recaudar lo suficiente y aún más para celebrar el 31 de diciembre, de ser posible también el 32, el enjambre de fiestas cristianas y paganas y el ya avistable advenimiento del nuevo milenio, en fin, todo lo que Dios tenga a bien enviarnos en Su infinita bondad.

Ahora que la policía en pleno, los de índigo, los de paisano, los bomberos, los de tránsito y quién sabe cuántos más, anda como Gabriela, enloquecida tras Daniel –no «el de los iris negros», que no es tan comemierda la policía, sino el otro, el asesino sádico, el perverso, el monstruo, lo peor de lo peor, el más depravado de los hombres, la cucaracha reptil, el fabricante de ilusiones acerca de la bondad innata de todos aquellos que no sean él...–, proliferan alegremente las truhanerías, los asaltos a mano armada y los degüellos en nombre de Dios, la guerra santa. A los bandidos de Río Frío parece importarles un huevo la reforma del Código Penal, crudas condenas a veinte años, a treinta, cadena perpetua y extensión de la pena de muerte para ciertos delitos comunes. La consigna es la fuga, siempre la fuga sin saber adónde. *A mí sí que no me cogen, a mí sí que no... ¡Qué va! Yo soy el bárbaro, yo soy un bicho, yo soy la bestia, yo soy lo máximo... Yo soy el que soy...*

Nuestro héroe, de tanto no salir de ella, de tanto no salir de sí, desconoce la ciudad casi por completo. Del modo en que se ignora aquello que no hemos palpado ni nos ha hecho sufrir, no comprende la diferencia entre las ciudades profundas, urbes como NY, y las ciudades superficiales, cognoscibles *civitas* como Barcelona, según la clasificación sugerida antaño por Hojo Marco Polo. *En las primeras, si no le pones cuidado al asunto, la vida se te hace laberíntica, los senderos se te bifurcan y tú te pierdes, mi amor, te pierdes e incluso puede ocurrir que no vuelvas a encontrarte nunca... En las segundas, por el contrario, no te queda más remedio que hacerte el perdido y el tambaleante, el sordociego sin brújula ni astrolabio, lo que tú quieras, mi amor, no importa, porque siempre terminarás por tropezar contigo misma allí donde menos te lo esperas...*

¿Y dónde colocar a La Habana? ¿Es posible desaparecer en ella? ¿Borrarse en el fondo de algún callejón tenebroso y maloliente? ¿Ser tragado por la multitud, por los antropófagos de la multitud? Una ciudad extensa y todavía más por carente de metro, con sus varios millones de habitantes sin contar a los que van y vienen y revolotean y se posan, turísticos o negociadores, igual que la mariposa en la flor de la calabaza, sin contar a los muertos, ni a los espías, ni a los que viven en otras capitales pero soñando con ésta, inventando ésta en memoria de los floridos años cincuenta, luces de neón y proyectos de casinos, sin contar a los que flotan por sus azoteas como el violinista verde. Sí, una ciudad muy vasta. Pero al mismo tiempo estrepitosa, parlanchina, promiscua y poco dada a marcar distancias. ¿Y entonces qué? ¿La Habana superficial? ¿La Habana profunda? Como buen habanero de cuarta generación (especie casi extinta) y, sobre todo, como buen habanero del Vedado, Lorenzo es incapaz de trazar una más o menos aceptable cartografía para describir su hábitat con algún verismo: no lo necesita. Ni yo tampoco, por cierto. Quede, pues, así: La Habana profunda y la del Perseo una informe, inconcebible travesía urbana signada, como diría Paul Auster, por la música del azar.

Cuando se camina y se camina hacia ninguna parte, uno puede encontrar. Quizás no la verdad, ni a un hombre honrado, ni tampoco lo que uno busca. Pero da igual. La verdad no importa, y es que la cara cuadrada y los pelos cortados al cepillo de un tal Manolito ya se han diluido en el magma de los recuerdos sin dejar otra huella que el arañazo de una frasecita cínica. Un hombre honrado, suponiendo que exista, no es compañía para nadie según el Perseo. Y en cuanto a lo que uno busca... bueno, ya eso sería tener demasiada suerte. De cualquier modo, no hay que permitir que la angustia se apodere de nuestros ávidos corazones: siempre se puede hallar otras cosas. *¡Cosas veredes, Mío Cid, que farán fablar las piedras!*
Pordioseros, por oleadas. De pronto una turba de ellos, gentío más que suficiente para instituir varias órdenes mendicantes y de las más andrajosas. Casi todos viejos, torcidos, arrugados, con escasos dientes y con tremenda peste. No el mal olor incidental,

selvático, de un día movido. No, nada de eso. Peste. Lo que se dice una peste histórica, consuetudinaria, agresiva, una peste profesional integrada por distintos subgéneros de peste, tanta que ni la cuprosa Colombina ni nadie rivalizará jamás en cuestiones de fetidez con tan estupenda cuadrilla. También llevan alcohol de farmacia en una caneca o en un pomito de cristal ámbar que asoma por el bolsillo trasero de algo bien ripiado que quizás, no es seguro, en alguna de sus encarnaciones anteriores fuera un pantalón. Arrastran mendrugos de pan alquimístico y reblandecido en alcohol de farmacia, cabos de cigarros, picadura suelta, bultos de periódicos, trapos y trapajos, desechos surtidos. Las uñas llenas de churre, las barbas harapientas, en exhibición el dedo gordo del pie, que por la punta del zapato feo y chato se les ve. De tan percudidos, han mudado el color de la piel: los blancos se han vuelto casi negros y los negros, casi grises.

Pululantes como las mascotas de la prima Viridiana, los pordioseros rodean a Gabriela. No la dejan dar un paso más, ni siquiera un paso de baile. Extienden las manos hacia ella. Por doquier las manos escuálidas, sarmentosas, velludas, casi la tocan. Se les adivina resueltos a cobrar peaje mientras ella suda frío, se paraliza, se aguanta para no gritar, para no pedir auxilio (ni mucho menos asilo) al guardia de la embajada cercana. Siente que se asfixia, que está a punto de escupir el hígado y los pulmones, que su existencia misma corre peligro, un peligro más inmediato, más concreto, más peligroso que el habitual, pues desde el episodio en la beca, allí donde la sangre fluyó entre los detritus y la hojarasca tras un resbalón en la ducha, no resiste sin pánico la posición de centro de un ruedo humano.

–Quietos ahí, quietos –murmura–, quietecitos, que así se ven mejor...

Y les regala su reloj *made in Japan*, automático, extraplano, sumergible, luminoso, con termómetro, barómetro, pluviómetro y calendario, a prueba de golpes.

–Agarren...

¿Pero qué van a hacer estos ancianos callejeros con semejante reloj? Lo miran con asombro, lo sacuden. ¿Para qué sirve? Ellos están fuera del tiempo. Desaparecen el reloj entre los desechos surtidos y vuelven a extender las manos:

–Dame más...

De propina, la muchacha les entrega los siete dólares, con lo cual se condena a días y noches (nunca sabrá cuántos, ni siquiera sabrá si muchos o pocos) de ayuno total, sólo agua y cigarros y sus propios jugos interiores, cada vez más corrosivos. Se condena a resbalar desde la casi inanición y las varias libras de menos, irreconocible, extraviada y sin amor a la vida, hasta caer en los brazos de alguien aún por descubrir. Una esbelta figurita de ébano, pichón de haitiana... Pero no importa, de momento no importa.

–Espero que con esto les alcance, muchachones, porque ya no hay más nada, ¿saben?, el banco acaba de quebrar... –actúa así no sólo por miedo o por ansiedad, sino también porque considera que tanta riqueza resulta innecesaria cuando ya no hay regreso al mundo donde la riqueza funciona.

Perplejos y medio asustados, los pordioseros se apartan de ella (no sin antes bendecirla y desearle muchos triunfos, mucha salud y muchos hijitos) para reagruparse luego en torno al cofrade que ha recibido los billetes, un vejestorio largo y ensombrerado, con aspecto aristocrático de Corte de los Milagros y más conocido por los arrabales como Su Pestilencia el Monipodio. *Yo también les deseo que sean muy felices, que la mucha buena suerte los acompañe y que sueñen con los angelitos... O con los diablitos, si les gusta más... Yo, personalmente, les recomiendo diablitos, tiernos y delicados marfuces... ¡Ah! No hay nada como soltar lastre, soltar amarras... ¡Ah! Qué serenidad, qué alivio, qué paz...* Qué ataraxia ésta que no dura ni media cuadra, porque el guardia de la embajada, quien ha estado observando la escena desde su caseta y un creciente fastidio, termina por perder las últimas gotas de paciencia y expulsa a los pordioseros que estropean el ornato público:

–Circulen, vamos, vamos, circulen... ¿pero qué se piensan ustedes de la vida?, ¡están más locos...!, arriba, arriba, circulen... –y el guardia de la embajada por algún motivo le recuerda a un policía y un policía, aun virtual, le recuerda su propia condición fugitiva, lo efímero de sus andanzas.

Más tarde, la historia prosigue con unos individuos huraños, bastante malencarados, que conversan en una esquina poco antes que anochezca. No muy aconsejable y casi desierta, un nido de ratas, la esquina que el sol tardío colorea de rosa, la esquina rosada... Aunque, a decir verdad, los individuos huraños no conversan. Qué van a conversar, con esas jetas malévolas de Pedro Navaja, sonrisita con diente de oro y mirada artera, con esos tatuajes (serpientes, crucifijos, mujeres desnudas, una cabeza de sioux con plumas y todo) en los brazos... No, ellos no tienen noción alguna de lo que puede ser un diálogo, un amistoso tête-à-tête, un razonable entendimiento, y sospechan de la garrulería ajena. Son gente de pocas palabras, masculladores con la boca chiusa que siguen al pie de la letra el onceno mandamiento: NO HABLARÁS DEMASIADO. Ahora sólo conspiran. Urden. Planean. ¿Qué? Eso no lo sabe nadie.

Podemos, no obstante, conjeturar que las maquinaciones de los huraños giran en torno a un atraco a la mansión de Doña María del Socorro Anunciata Cayetana Ramírez de Valcárcel y Pontevedra de la Riva, esa esmirriada viejuca de la burguesía de antes, la burguesía de verdad, la de los cuadros y muebles y lámparas y vajillas y el dinero debajo del colchón en sus antaño soberbias y ahora apolilladas, arruinadas, alicaídas residencias del Vedado... A partir de ahí, podemos inferir que a los pobrecitos huraños no les quedará más remedio que desnucar a la señorona catolicona o quizás degollarla o descuartizarla para arrebatarle los cabrones pesos, porque la muy urraca es tan harpagona, durañona, egoísta, casasola, tacaña y avarienta que camina con los codos: por el barrio se rumora que Doña Socorrito no se largó con su tribu cuando su tribu se largó con tal de cobrar hasta el último quilo prieto partido por la mitad de la indemnización por la reforma agraria. Porque su papá, el muy ilustre y eminente doctor Don Jacinto Guillermo Leovigildo de la Concepción Ramírez etcétera, que en gloria esté, no le dejó las tres fincas ganaderas en Camagüey para que ella se las regalara a los bolcheviques así como así. Con Doña Socorrito sí que no va eso de soltar lastre ni soltar amarras ni soltar nada. Primero muerta.

Lorenzo, ya sin reloj, se aproxima al conciliábulo de futuros desnucadores, degolladores o descuartizadores. *Ojalá que éstos no se pongan con la misma gracia que los otros... Ojalá que no... Ay mi madre... ¿Por qué me pasarán estas cosas precisamente a mí...?* En actitud marcial y con toda la firmeza que el asunto requiere, el selenita se dirige a ellos para preguntarles con la misma voz del capo Zutanaglia (un registro bajo, sedoso, felino porque los tipos duros no hablan alto ni toman sopa con tenedor) nada más y nada menos que la hora. La gran pregunta. Así. Al directo. A quemarropa. Sin ambages. Mirando fijo al circuito de ojos fijos con sus propios ojos de hielo. Porque nuestro héroe, a pesar de su historial, cuando es necesario sabe comportarse como todo un hombrecito, como el mismísimo caminante verde luz del semáforo para peatones. Y lo cierto es que luce regio, Lorenzo el Magnífico. Fulgurante. Espléndido. *Terrific.* Hojo lo hubiera comparado con Philip Marlowe, con el nunca medroso Brandabarbarán de Boliche, con Pentapolín del Arremangado Brazo, con el temido Micocolembo y hasta papá oso se hubiera sentido satisfecho de él. Lástima que ahora no puedan verlo ni Hojo ni papá oso. Lástima que nunca más puedan verlo con vida...

Los huraños, pasmados... *¿qué bolá con este chama...? éste anda en algo, me lo huelo... ¡y yo tengo un olfato...! que no ni no, éste anda en algo, éste es un fiana disfrazado...* le informan la hora con toda la deferencia del mundo y Lorenzo les da las gracias antes de seguir de largo. Los huraños, más pasmados aún... *ah sí, cómo no, la hora... ¡la hora ni la hora!, como si yo no los conociera... ¡fiana y bien!, fiana disfrazado haciéndose el bobo para cogerlo aquí a uno de atrás p'alante...* musitan algo parecido a un «por nada, mayor». El Perseo, que nunca antes se ha tropezado con unas personas tan amables y correctas... *¿mayor?, ¿cómo que mayor?, el diablo sabe lo que se habrán figurado estos rudimentarios... lo que sí creo es que acabo de ganarme un Oscar al mejor actor, je je, yo soy el bárbaro, yo soy un bicho, yo soy la bestia, yo soy lo máximo... yo soy el que soy...* se sujeta bien la lengua para no exagerar el numerito. O sea, para no espetarles en sus jetas malévolas que de «mayor», nada. Coronel. *¿Está claro, trogloditas...? Coronel de la* *fuerza aérea... Coronel volante con pespuntes azules y estrellas doradas en la charretera... Es más, ¿quieren ver el uniforme de ceremonia...?* Antes de alcanzar la esquina siguiente, por supuesto, Lorenzo el Magnífico ya habrá olvidado la hora. ¿Para qué rayos la necesita? Al igual que la cuadrilla de Su Pestilencia el Monipodio, nuestro héroe está fuera del tiempo. Para él sólo cuenta no exhibir el miedo, perforar la noche peligrosa sin actitudes de víctima.

Aleccionada por la reciente victoria sobre sus propios temores a los personajes y personajillos de La Habana profunda, Gabriela determina aproximarse *ella primero* a los más terroríficos. Como diría el poeta de *Jail House Rock:* lo que no te gusta que te hagan, hazlo, pero hazlo tú primero. Alguna vez, en el pasado remoto, el mismo que es ahora todo su pasado en mezcolanza, en fragmentos de imágenes disparadas desde la tarde del desastre con calibre veintidós, ella quiso integrarse a la comuna, a la compañía fraterna, al gran caudal afectuoso *cum nobilitate* por donde, al parecer, navegaban los otros. *Qué bobo el ratón, qué tontuelo...* Quiso, aunque fuera a nivel epidérmico, aparencial de cáscara y accesorios, aunque fuera por la vía complaciente, diplomática y reprimida hasta casi olvidar la singularidad de su propio hombre interior, acceder al imperio de la *otherness*. Quiso penetrar (si no por la puerta principal, al menos por la trasera, por una ventana o incluso por la chimenea) en el ajeno paraíso donde comulgaban los iguales. Pretendió, con la ambición desmesurada que corresponde a su signo de fuego, subvertir la esencia de la *otherness*. Casi nada.

Ahora se ha reafirmado de la manera más rotunda y ya no le importa. Qué serenidad, qué alivio, que paz. Es como si hubiera envejecido, al igual que la ciudad, con la prisa indecente de los enanos. Si busca compartir la soledad y la fuga con Daniel Fonseca, si aún persigue, no es porque crea en un posible triunfo sobre ellas. Sabe que nada pueden los proscritos, ya sea juntos o separados, contra la soledad y la fuga. Sabe muy bien que sólo resta saborear las dulzuras del fracaso y que cualquier roce, cualquier intercambio de palabras o de gestos con alguien que no sea un fracasado, un fracasado rotundo, resulta asqueante. Desde luego, el hecho de que una criatura humana *sepa* algo no significa en modo alguno que ese algo sea cierto, es decir, que posea un valor universal y menos aún si la criatura de marras no ha llegado a los veinte y su saber florece bajo el cielo empedrado de noviembre, una bóveda a punto de caer sobre la tierra, a punto de hacerse añicos y además... *¿Pero qué veo...? ¿Qué coño es eso que camina, que viene para acá...? ¿Una señorita de Aviñón...?*

Horrorizada y a la vez curiosa, Gabriela se aproxima al mamarracho. *Ni te imagines que voy a salir huyendo, tú...* Probablemente se trata de una mujer, puesto que lleva saya y no estamos en Escocia. Un tipo con saya a lo mejor va y no luciría mal, quién sabe –piensa la muchacha–, pero seguro le lanzarían piedras y cambolos al pobre infeliz hasta lapidarlo o hacerlo poner pies en polvorosa, que así de amables y tolerantes y democráticas suelen ser las cruzadas de los iguales... Pero no. Lo que se acerca es una mujer común del cuello para abajo... *no voy a cruzar la calle, tesoro, de eso nada...* con el rostro desfigurado como las sombras desfiguradas de los álamos, los almendros y el lado blanquecino de las yagrumas.

Pero desfigurado es poco. Tanto así que, ya de cerca, a la muchacha le cuesta sofocar una avalancha de interjecciones. *Tampoco hay que ser groseros, ya lo sé, ya, ya...* Porque a la luz de la luna el monstruo ha dejado de ser un Picasso de la etapa expresionista, cubista, surrealista... *pero si me atacas, vas a ver, tú vas a ver...* o de cualquier otra. Con las facciones, si acaso se les puede llamar así (en voz muy baja, un susurro, no sea que nos escuche el Sublime Diseñador de Facciones y nos mande a freír espárragos), derretidas, una fisonomía chorreante cual vela de sebo, medio reventada pelota de carne enrojecida en algunas partes y violácea en otras, blancuzca y blandengue aquí y allá, los labios hendidos, una línea que apenas oculta los dientes y la nariz un colgajo, ese ojo translúcido con el párpado sin pestañas a media asta, gelatina turbia ceniza bajo la protuberancia frontal que se desborda y pende y el otro ojo... ¿pensativo?, ¿desconfiado?, ¿triste?, ¿cómo interpretar la mirada de un ojo solitario empotrado en la carroña?, se asemeja más a un Bacon. Se asemeja, para ser precisos, al retrato de Isabel

Rawsthorne. Para ser más precisos, al recuerdo que tiene Gabriela de una reproducción vista de reojo y una sola vez del retrato de Isabel Rawsthorne.

–Ácido, m'ijita, ácido... No es contagioso, no es lepra... No se pega.

No sin sobresalto, la muchacha retrocede. *Pero, ¿hablas...?* Nunca sabrá si Isabel Rawsthorne percibió la mueca, el horror esplendoroso de la mueca frente al testigo de cargo. En las yemas de los dedos, goticas de ácido sulfúrico. Diluido, pero aún sulfúrico. Y cómo duelen... *¿Ironías conmigo...? Yo no tengo la culpa...* Gabriela se siente ridícula y, sobre todo, miserable. Los mamarrachos –supone– poseen la facultad de hacer que el resto se sienta ridículo y, sobre todo, miserable. *Ella piensa que yo soy normal...* Tal es la venganza de los mamarrachos y hay que admitir que los asiste cierta razón. *Sólo alguien así puede pensar de esa manera y no valdría la pena explicarle que...* Los mamarrachos también son proscritos, pero al menos saben por qué lo son, cada mañana el espejo los instruye. *Ella se equivoca y a la vez no se equivoca...* Gabriela reasume su cara trivial, anodina. *Tú no me importas, ¿por qué habrías de importarme tú, mamarracho sarcástico...? Aunque no lo creas yo tengo de sobra conmigo misma... Tu circunstancia no aligera la mía porque tu sufrimiento... en el supuesto de que sufras, de que en el fondo no disfrutes con el adorable pasatiempo de humillar a todos aquellos que te parezcan normales... Porque tu sufrimiento no está a mi nombre, Isabel, porque tú no eres el Mesías, porque... ¿Quieres que te revele mi secreto...? Pues bien, ahí te va: yo debo ser por dentro igual que tú por fuera... Yo, que por desgracia no asusto a nadie a no ser con un arma en la mano, también soy Isabel Rawsthorne y los otros siempre terminan por enterarse y actuar en consecuencia y estamos de acuerdo en que no es gracioso y estamos de acuerdo en que a veces puede ser gracioso, ¿tú no crees...?* Se atrinchera dentro de sí misma y le pregunta a la otra por una dirección imaginaria.

La dirección al parecer existe (es la música del azar), pues Isabel también se relaja, de repente se torna comprensiva... *es joven, es muy joven y se ha extraviado...* Tal vez admira su extraño coraje de permanecer, de no desviar la vista... *joven y con esa carita aburrida que ya vi antes... sí, estoy segura de que la he visto en algún lugar... lo que no me acuerdo es dónde, ella se parece a... no sé, a alguien, ella se parece a alguien, quizás a mí... sí, a mí misma antes de...* cuando asegura sin pizca de sarcasmo:

—Tienes que coger por allá, caminas un par de cuadras y luego bordeas el cementerio hasta que salgas a la calle ancha, ¿tú sabes?, por donde estaba antes la gasolinera y ahora está el cupet, ¿ok?, y después sigues recto por ahí p'allá hasta... bueno, hasta que llegues, no hay pérdida, hay que caminar mucho, en realidad yo diría que hay que caminar bastante, pero, tal como están las cosas, a mí me parece el camino más seguro, claro que si estás *muy* apurada puedes coger por este lado, ¿ves aquellos latones de basura allá, frente al edificio carmelita?, bien, por ahí doblas a la derecha y son como cinco o seis cuadras más arriba, de las cuadras largas, pero cinco o seis nada más, lo único que tienes que desprenderte a correr, ¿tú entiendes?, correr sin parar y lo más rápido que tú puedas, sin mirar a los lados, porque esa parte de ahí no está muy alumbrada, ¿tú ves ésta, verdad?, bien, pues ésta no es nada comparada con aquella, ahí la cosa está muy mala, pero mala-mala, remala, malísima, fíjate que ni la policía entra, para que tú lo sepas... ¿está claro?, tienes que correr, es obligado a carabina y no me mires así, que yo te lo digo por tu bien, fíjate que quien no oye consejo no llega a viejo, por ahí *tienes* que correr, *tienes* que pasar volando como una flecha...

Como una flecha Lorenzo se precipita encima de un señor calvo, menudo y portador de un paraguas a modo de bastón. Mientras va en picada cual avispa o helicóptero en desgracia, el interés de nuestro héroe no radica en arrebatarle el paraguas al calvo para luego propinarle el certero paraguazo que seguramente merece (el calvo no tiene aspecto de hombre honrado), ni tampoco en despojarlo de su palangana de barbero (el calvo no lleva palangana alguna, aunque muy bien podría llevarla) para adornarse más tarde con ella como si fuese el yelmo de Mambrino, el baciyelmo y, de paso, volverse invisible. *¡Ah! ¡Quién fuera invisible! ¡Ya verían los* *bellacos, ya verían...! Aunque no, en realidad no verían nada...* No, ni asaltos ni latrocinios ni malos modales. Nuestro helicóptero en desgracia sólo busca averiguar con mucha dulzura, o sea, fingir que averigua con mucha dulzura cualquier tontería que en realidad no le interesa en lo más mínimo. Nuevo simulacro, pura forma sin concepto. Pura fanfarria con más y más palabras destinadas al limbo. Repetición mecánica, *ritornello* de la desmemoria. Según parece, este muchacho ya le va cogiendo el gusto a eso de interpelar por gusto a los transeúntes.

El calvo de este pasaje es uno de esos calvos renegados, vergonzantes, que se dejan crecer unas pocas y lamentables pelusas laterales, anémicas hebras reunidas en mechones, luengas guedejas, y acaso coloreadas con papel carbón (si no hay negro, pues violeta), con el muy elegante objetivo de peinarlas hacia arriba, hacia el polo magnético, de acomodarlas hilo a hilo con amor y brillantina sobre el coco liso, de pegarlas al devastado cráneo hasta arribar a la convicción de que no son calvos: lo que se dice una idea descabellada. Hay que ver a estos figurines en una piscina o en la playa, donde ofrecen un soberbio espectáculo digno de vítores y aplausos, sobre todo en el instante supremo, cuando emergen de las aguas como el kraken o el narval y el andamiaje en pleno se derrumba y se destiñe. Ahora, ante el ataque de la avispa, el figurín se desvía amedrentado como un gato ante el Diablo de los Gatos, esa mofletuda espantosidad que llega con un jamo para cazarlos y más tarde remitirlos al infierno gatuno. Otra vez la fuga y un desventurado calvo que mira en todas direcciones en busca de auxilio, socorro y una vieja sin gorro. Pero no hay nadie.

Conmovido por tan imprevisible terror pánico... *pero, ¿y eso...? ¿y a éste qué le dio...?* Lorenzo lo gardea, lo acosa... *¡non fuyades...!* Lo persigue en la oscuridad de una zona donde la cosa está muy mala, pero mala-mala, remala, malísima, donde no hay nadie. Lo alcanza muy rápido... *¡pero qué tipo más loco...! ¡chiflado...! ¡tostado...! ¡fundido...! ¡orate fratres...!* le corta la retirada y lo está acorralando sin darse cuenta. Al bajar a toda prisa del contén...

—¿A dónde cree usted que va? ¡Párese ahí!

...el calvo tropieza con una rajadura del pavimento, lo cual produce el efecto especial de un crujido de hojas y boliches resecos. Un efecto de soledad, de ambiente metafísico al modo de las *piazze* que pintara De Chirico. Lorenzo lo sostiene por el brazo para evitarle una caída.

—Oiga, señor...

Pero el calvo, malagradecido, se sacude a su benefactor...

—Oiga, oiga, señor, ¿qué le pasa...?

...como si lo tomara por una garrapata. *¡Zape, zape...!* El benefactor, que es de su misma estatura, lo apescueza. Sin agresividad, sin violencia, incluso con cariño. Con mucho cariño lo apescueza sólo para tranquilizarlo, para explicarle que... Qué abismo, qué vértigo, qué horror: el muchacho descubre que no tiene nada que explicarle al calvo. En vez de hablar, lo observa anonadado mientras un temblor recorre el cuerpecito del otro. *¿Para qué coño lo quería...? ¿Me estaré volviendo loco yo también...? ¡Ah! ¡Esto sí que es grande...!*

—¿Usted ve lo que ha logrado con su estupidez? ¡Hasta se me olvidó lo que le iba a preguntar! Usted es un misántropo. Un antisocial. Un malvado —gruñe—. Sí, usted es injusto y malvado. Muy mala persona.

Después de enderezarle el cuello de la camisa y poner un poco de orden en las pelusas despeluzadas durante el forcejeo, lo deja libre. El calvo se aparta presuroso.

—Cabrón hijo de puta cínico qué clase de sinvergüenzura es ésta...

Para mostrar su desacuerdo con los métodos reconstructivos de Lorenzo, se endereza él mismo el cuello de la camisa y se desordena, amor, se desordena de nuevo el falso, irremediable y desvencijado autopeluquín. Se desgañita:

—Yo soy un hombre decente... Para que usted lo sepa... ¡Yo sí soy un hombre! ¡Macho varón masculino! ¿Qué se ha creído usted...? Óigame bien, yo tengo una esposa, tres hijos y cuatro nietos... —no le permite proferir ni una sílaba más al Perseo boquiabierto—. Estos puñeteros maricones ya no respetan a nadie... —lo amaga con el paraguas y con una cara de *vade retro* de lo más cómica–. En la cárcel es donde deberían estar. ¡Sí, en la cárcel...!

–Pero abuelo...

El figurín salta como si le hubieran puesto un supositorio electrizado:

–¡Yo no soy su abuelo! ¡Líbreme Dios! ¡Y échese para allá! ¡Vamos, vamos, échese para allá! ¡Más, más para allá...! –Nuestro héroe se aleja riéndose.– ¡Qué desfachatado!

Y la noche persiste.

Con el masturbador transarborescente del aburridísimo verdor, quizás un eco, una resonancia de otra estación en la caminata o de otra caminata incrustada en el tiempo en que sólo huía, tiempo anterior a Daniel Fonseca, extraño interludio... *tú, que desde atrás de las matas me chiflas y me enseñas algo que ya ni siquiera me horroriza...* no llega a ocurrir nada. Con estos solitarios, tímidos y susceptibles hasta la pared de enfrente, nunca ocurre nada, a no ser en la sala oscura de la Cinemateca, donde estremecen, primero con su entusiasmo y luego con su orgasmo, la fila entera de butacas, hacia atrás y hacia delante trac trac como si se tratase de una fila entera de sillones y uno se asombra, cómo no, uno se hunde en el Gran Asombro ante los ojos del solitario, fijos, embobecidos, clavados sin un solo pestañeo en la pantalla donde transcurren, en silencio y muy lejanas a él (cercanas de un modo incomprensible), aquellas trepidantes escenas de Griffith referidas a la *intolerance* o tal vez al *birth of a nation*... Como diría Hojo durante la época agitada y algo bohemia: Eso sí es admiración y lo demás es bobería.

Aún sin aliento por la carrera de cinco o seis cuadras largas *sub nocte per umbram,* pero aún con vida y con todos los huesos y huesitos sanos, Gabriela se le planta enfrente al masturbador. Él resopla, jadea y trata de disimularse entre el follaje, pues no se ha escondido en este hoyo con historias de licántropos y vampiros, en este agujero que todos temen y atraviesan volando como flechas, para mostrarle nada a nadie. Su masturbación es asunto suyo, sólo suyo y si no la practica en su casa es porque la maldita casa siempre está abarrotada de gente, más de mil primos y primas, tíos y tías, cuñados y cuñadas, niños y viejos, todos orientales, de acento cantarín y epidermis color cartucho, intrusos en La Habana y, por desgracia para él, intrusos potenciales en (y posiblemente críticos de) su pacífico, delicioso, inofensivo hábito masturbante. Porque así es la cultura: apenas surge una obra de arte, aparece una pandilla de críticos más que dispuestos a despedazarla y cuidado no aparezcan también los inquisidores, más que dispuestos a despedazar al artista. Qué fastidio.

La muchacha resopla, jadea y se recuesta al tronco del árbol donde alguna niña grabó su nombre henchida de placer y de pésima ortografía: GRAVIELA. Intenta borrarlo raspando con las uñas y, desde luego, no lo consigue. *Siempre terminarás por tropezar contigo misma allí donde menos te lo esperas...* Le tuerce los ojos al malhadado árbol y observa en derredor. La zona mala no ha terminado, esto es una boca de lobo, no era exacta la cuenta de Isabel Rawsthorne. En una ciudad donde casi nada es exacto, donde casi todo es más o menos, ¿para qué sirve la Matemática? Observa otra vez y enseguida descubre entre los horrendos matojos a la figura sentada sobre la piedra bajo el rayo de luna, piedra lunar, ella selenita y quién sabe si lunático él.

−¡Oh, usted ahí! ¡Qué bien! Espérese, que me falta el aire... Espérese un momentico... Déme un chance, ahora hablamos... −todo ello sin advertir en un primer momento la festiva, jocunda, inspirada fricción de la zurda, qué casualidad, hacia arriba y hacia abajo los dedos resbalando alrededor de un artefacto insólito, descomunal en su erección, venoso como al borde de un estallido, reluciente de tan embadurnado con saliva y con su propio lubricante aquel ejemplar de campeonato, digno de la más exigente procesión falófora−. Señor, usted sería tan amable de... −lo nota... *¡oh! ¿qué tenemos aquí...?* y se interrumpe para notarlo mejor.

Ha visto muchos en su corta vida, de todos los tamaños y colores. Raquíticos y gruesos, microcéfalos y cabezones, jorobados y derechos, completos y circuncisos. Sabe para qué sirven, cómo agarrarlos, hasta dónde tragar sin que sobrevenga la náusea y menos todavía el vómito (¡no es ninguna gracia!, le gritó una vez, antes de propinarle una soberana paliza, uno de aquellos hombres sin rostro), pero no le gustan. Se ha aplicado a ellos porque de algún modo supuso que debían gustarle, que eso era lo normal. Siempre tratando de parecerse a las otras aún más de lo que ellas se parecían a sí mismas, fue la primera de su aula en deshacerse del himen y también la primera en dar el culo, pero de nada le sirvió. Quiso creer que la insistencia cambiaría las cosas, pero no, tras el dolor sólo vino la apatía, un aire gélido. ¿Qué más puede hacer, la pobre, si no le gustan? Ahora examina éste, impresionante, mientras el último hombre sin rostro la examina a ella, impresionado. *Estos críticos...* La zurda deja de moverse y algo se tambalea. Ella lo examina más de cerca, las manos a la espalda como si admirase una pieza de museo.

–¿Podría usted apartar la...? ¡Oh, sí! Así está bien. Muchas gracias –de frente, de lado, otra vez de frente, otra vez de lado, vaya escrutinio–. Es usted muy amable.

Pero no. No hay arreglo. *Definitivamente no le gustan.*

El último hombre sin rostro, más piedra que la piedra donde está sentado, se llena de pánico a la manera de un loco medio falso que tropezara en la noche peligrosa con un loco verdadero. No atina a levantarse, no atina a nada. La intrépida malasombra...

–¡Oh, no! Por favor. No se moleste. No hace falta que se moleste. Siga, siga en lo suyo. Ya yo me iba.

...se siente depravada, monstruosa, anormal, suspira y se va.

Al poco rato, de entre las tinieblas (¿de entre los muertos?, ¡ay, mamacita!) brota cual genio de la lámpara un gigante negro embutido en un overol sin mangas, con un pañuelo rojo amarrado en la cabeza, una musculatura estilo Jack Johnson en su mejor época, una caja de cartón tabla entre las manos, un silbido jacarandoso y un alegre caminar. Menudo escollo en el trayecto del Perseo este obstáculo inoportuno y difícil, que antes no lo hubiera sido, pero que ahora sí lo es... *Es una lástima, pero en este crucial instante de mi vida no estoy para nadie... The game is over, boy...*

La zona infame es aún el escenario para el encuentro y el desencuentro de la pareja antes posible y ahora imposible. El tal callejón ha resultado inicuo a perpetuidad. Una especie de túnel en apariencia desierto, con ojillos malignos a través de las hendijas y perros de los que no ladran pero sí muerden, esta sucesión de cuadras y cuadras de Habana *underground,* unas largas y otras cortas, ululantes y sombrías todas, que quizás desemboque en las alcantarillas o en el infierno, que quizás ya lo sea. La cuenta de Isabel Rawsthorne no sólo no era exacta, sino que ni siquiera se le podía llamar «cuenta». Un par de números arbitrarios, disparados así, al buen tuntún, a comoquiera van los mangos. Lorenzo pone la voz gangosa, carcomida por el ácido y remeda:

—Son como cinco o seis cuadras más arriba, de las cuadras largas, pero cinco o seis nada más...

¿Por qué le habría mentido el mamarracho? ¡Ah, las mujeres!

Y ahora, para colmo, el etíope, el abisinio, el somalí con su caja donde seguro esconde una cimitarra. *¡Ah! Está visto: nada más sale uno de Guatemala y ya está entrando en Guatepeor... ¿Y ahora qué...?* El Perseo se muerde los labios hasta el sabor salado que tan bien conoce, pero no se le ocurre ningún ardid para esquivar al abisinio de la caja tenebrosa sin ser demasiado evidente. *Sangre fría, coronel volante, sangre fría... ¡Ya me vio...! ¡Qué fatal soy...! Lo que estoy es frito si me descubre con miedo...* El negrón se aproxima con su alegre caminar, una mueca irónica bajo el pañuelo rojo y una sonrisota de oreja a oreja. *¡Vaya tipo sonriente...! ¡Vaya dentadura...! Éste sí que toca en la misma orquesta y sólo el diablo sabe por lo que le dé...* Ya van a cruzarse. *Un hombre muerto a puntapiés... Así voy a terminar yo, muerto a puntapiés...* El coloso le guiña un ojo o al menos eso le parece a Lorenzo. *Estoy frito de todas maneras... Haga lo que haga estoy frito... Me cago en la puta mierda... ¡Allá va eso!*

El Perseo extrae del bolsillo un cigarro que es casi una piltrafa, un cilindrín machucado que suelta briznas por ambos extremos. Lo mira con desaprobación. *A este pobre no hay quien se lo fume... ¡Ni a mí tampoco!* Y de repente lo enarbola, empuña el cilindrín como si fuera un alfanje (ya que el genio de la lámpara porta una cimitarra, pues bien...) y se abalanza a pedir fuego del mismo modo en que esa bestezuela conocida como «pepino de mar» aterroriza a sus enemigos con la súbita expulsión de su propio sistema digestivo.

—¡Fuegooooo...! —aúlla mientras la única luz de la cuadra, tenue, macilenta como ninguna la luz emitida por un miserable farol que se confunde con la luna fangosa, hace saltar chispas, destellos asesinos del color de una tierra llamada Rickey. Metamorfosis. De duende, silfo, criatura alada, animalejo nocturno huidizo, carne de horca para regar la mandrágora con su último fluido, nuestro héroe se ha transformado en demonio.

El gigante negro se paraliza con la sonrisota congelada en un rostro que, sin ser bello, resulta atractivo: el rostro de alguien muy fuerte y a la vez muy tierno, de alguien por lo pronto azorado, poco amigo de los demonios y los destellos asesinos. No pretendía hacerle a la siniestra enloquecida pajarita nada demasiado cruel, al menos nada que no le hubiesen hecho antes. Pero ahora ha olvidado sus pretensiones. Aprieta contra el pecho la caja tenebrosa, se aferra a ella como si se la quisieran arrebatar y huye despavorido. Se reintegra a las tinieblas sin mirar atrás. Lorenzo, triunfante y gracias por el fuego, gracias por los conquistadores del fuego, decide no arrepentirse.

Y entonces ocurre algo que ya había ocurrido antes. Algo que no debemos calificar de insólito, puesto que concuerda a las mil maravillas con las incoherencias y dislates anteriores. En coincidencia con las primeras gotas del huracán, pues la noche oculta lo nublado, la noche es traicionera y los huracanes, aun vigilados por el observatorio, no suelen dar a quienes caminan una ventaja más allá de las veinticuatro horas, la siniestra enloquecida pajarita advierte la vibración de una presencia tras de sí. Percibe el jadeo, sonido y aire caliente. *Algo* le respira en la nuca, un objeto vivo. Se sobresalta igual que sus víctimas recientes y menos recientes. Se horroriza de los pies al polo magnético y un viento frío se le instala dentro, mas no se atreve a voltear la cabeza. Y entonces es la mano sobre el hombro, cálida, seca, un ligero temblor. Es la momentánea anulación de un ámbito más descampado y feroz, pero igual de misterioso que el ámbito del no subtítulo. *La vida tampoco lleva subtítulos y bien que a veces los necesita, ¿no cree usted, mi tía?* Ahí está y es el deseo, desgarrado y no hay más palabras, de transformar un cuerpo en otro, de unir en un murmullo sólo audible para quien acepta el mayor de los imposibles sin preguntarse cuál podría ser. Es la voz de la Persona Que Busca:

–¿Emilio?

9

Qué sensación inquietante la
de encontrar un espejo donde
se espera una pared.

La oscuridad no terminaba de tragarse aquella silueta minúscula, todavía más pequeña que la del Perseo. La luz fangosa de la media luna con cara de conejo, ahogada casi por el tul de nubarrones y entretejida con la macilenta del farol, le delineaba unos contornos angulosos, irregulares, turbadoramente asimétricos: una mejilla, un ojo, una oreja con argolla. Le permitía recortarse de la penumbra, más o menos sobrevivir en forma de fisonomía inconclusa, mutilada, criatura de ensueño, boceto del ser que se repite o una cualquiera entre las mitades del vizconde.

A tan borroso estar ahí ayudaba la omisión de los brazos hercúleos, las manazas prestas a arrebatar y tal vez a estrangular, de aquel gigantón escapado del celuloide. También la ausencia de los chillidos y empujones de la vieja inmunda número tres (Lorenzo podía olvidar a una acomodadora, jamás un número) y del alboroto del público en la sala grande del Chaplin. El largo callejón era un largo silencio excepto algún alarido a lo lejos. Quizás estuvieran asesinando a alguien en aquel preciso momento, bajo las primeras gotas de lluvia.

–¿Emilio? –volvió–. ¿Emilio, eres tú? –fantasmal y persistente como el sitio mismo.

Esta vez era uno de los habitantes de la noche peligrosa quien *atacaba* primero. Y para colmo, por detrás. ¡A traición! Gabriela se sintió en desventaja, cogida en una trampa, y tal vez fue por eso que su voz sonó crispada:

–¿Por qué usted anda detrás de mí? ¿Por qué me persigue? ¿En verdad le parece que yo podría ser Emilio?

–¡Oh...! –la silueta retrocedió, no tanto por la crispación como por el timbre–. No. Usted no puede ser Emilio. Claro que no. Definitivamente no. Usted disculpe. Yo no la persigo. De ninguna manera. ¿Cómo se le ocurre? ¿Por qué iba a perseguirla? Lo que pasa es que estoy muy cansada –monótona y locuaz, se adelantó de nuevo–. Estoy muerta. Muerta en sentido figurado, que esto –señaló vagamente el entorno, incluidos los turbios celajes– está un poco tenebroso, no vaya usted a pensar que yo soy el espectro del padre de Hamlet o algo así –sonrió, creo, pues ni yo me atrevería a asegurarlo–. ¡Mira que confundirla a usted con Emilio...! Estoy que ya ni veo. Voy a tener que usar espejuelos. Y además está lloviendo. Ya veo que usted anda sin paraguas. Malo, malo. Pero no importa. Lo que va a caer de agua es un mundo. Y con vientos huracanados, huracanadísimos, de los que agarran los paraguas, hacen así, crash, y los viran al revés. Así es la cosa. Siempre que llueve, hay problemas. Y cuando no llueve, también hay problemas... –aquella voz, hermosa y teatral como una bruja de Salem, se apoderaba de la escena sin que nuestro héroe pudiera impedirlo–. Por cierto, su cara me resulta familiar. ¿No nos conocemos usted y yo de alguna parte?

A Lorenzo le pareció que, en virtud de algún sortilegio, el tránsito por el túnel en apariencia desierto (y en realidad más concurrido que un hormiguero o una colmena con tantos calvos teñidos de violeta, troncos mal tatuados, masturbadores transarborescentes, colosos en overol con una cimitarra dentro de una caja, ojillos malignos a través de las hendijas y perros de los que no ladran pero sí muerden) lo había conducido por fin a un claro de pesadilla, hiperrealandia con aguja atravesada en la garganta del cachorro o el páramo de Pedro Páramo. Nada de que extrañarse entre la música del azar y una vida laberíntica por los recovecos de La Habana profunda. Se encogió de hombros. De tanto vértigo y tanta fatiga, había llegado a sentirse a gusto en el parloteo de la incoherencia, de la repetición, al borde del absurdo y más allá.

–Seguro.

–Ya decía yo. A mí no se me despinta ninguna...

–Sí, sí. Aunque no creo que me haya visto la cara ni nada –dijo Gabriela mientras pensaba que la misma preguntica estúpida de siempre, sin dejar de ser estúpida, recibía por fin la tan anhelada y no menos estúpida respuesta–, ya me confundió una vez con Emilio. A usted parece que le gusta reincidir. Tropezar dos veces con la misma...

–¿Que la confundí con Emilio? ¿En serio? ¿Dónde fue eso?

Por algún motivo, nuestro héroe tuvo la impresión de que a la Persona Que Busca no le interesaba saberlo.

–En el Chaplin. Usted formó tremendo...

–¿Quiere decir en el cine? ¿Cuándo?

–Hace... bueno, hace un tiempito. Usted formó tremendo carnaval en el cine. ¡Tremenda guarapachanga! ¿No se acuerda? Puso a rabiar y a patalear a la vieja inmunda número tres, o a la número uno, o a la número dos, porque a lo mejor no son tres viejas, sino dos nada más, dos que se sustituyen y se turnan para... ¡Bah! ¡Qué tanto lío con las viejas! –explicaba Lorenzo, distendido y en ambiente, más y más a gusto bajo la llovizna frente al espectro del padre de Hamlet, a quien había imaginado mucho más corpulento pero *and so what?*–. ¡Ja! Yo antes iba mucho al cine, ¿sabe? Iba casi todas las noches y nunca vi una cosa así. Vi otras, no crea. Dentro y fuera de la pantalla. Fíjese que mi amigo el muy ilustre señor Pinta, que es un poquito escribidor, hasta pensaba escribir un libro sobre las cosas que pasan en los cines. Pero como lo suyo –con el dedo de Dios le apuntó a la frente, al mesencéfalo, estocada de Nevers–, nada. De lo más gracioso, porque de todas maneras la película estaba en francés y sin letreritos. No se entendía ni hostia. Era en blanco y negro. Y rojo. Si mal no recuerdo, había alguien que tenía peste y entonces...

—¿Que yo tenía peste...? ¿Tú me oliste? —a la Persona Que Busca parecía divertirle en extremo la idea de apestar y, aunque no apestaba, con semejante ideología, pensó Gabriela, bien que hubiera podido incorporarse a la cuadrilla de Su Pestilencia el Monipodio—. Te digo «tú» porque, si me oliste y yo tenía peste, es ridículo que te trate de «usted». No tiene sentido.

Sin inmutarse, Lorenzo aceptó el cambio. Al igual que en otros temas grandiosos como los huecos en la capa de ozono, la legislación sobre la eutanasia o la guerra en Cisjordania, carecía de opinión en lo relativo al «tú» y al «usted». Qué más daba. Lo mismo se podía decir «tú, mi amigo» y «usted, canalla» que la viceversa. «Vuestra merced» no sonaba del todo mal. Respetuoso, elegante, quizás algo arcaico. Pero los ingleses eran más económicos: decían *you* y se acabó. ¡Ah, los ingleses! Cuentan que una vez tomaron La Habana, pero que volvieron a irse porque ellos son así, ingleses, con el timón por el lado que no es, y uno aquí, de bestia con el «tú» y el «usted»... Y otras divagaciones por el estilo. Para el Perseo, lo que en verdad no tenía sentido era que aquella persona, *precisamente* aquella persona, dijera que algo no tenía sentido.

—No, no dije que fuera us... que fueras tú. Dije que *alguien* tenía peste. ¿No te acuerdas de lo del cine? ¿De verdad no te acuerdas? ¿O es que tú te pones todos los días en esa gracia de estar llamando a Emilio a grito pelado...?

—¿Por fin quién tenía peste? ¿Emilio? A mí no me importaría, ¿sabes?

—Me imagino. Dice Manolito que cuando dos personas se gustan *en serio*... Oye, tampoco dije que fuera Emilio el de la peste. Era simplemente alguien. ¿Tú no entiendes? Al-guien. No recuerdo quién. Objeto Apestoso No Identificado —Gabriela delimitaba las palabras y hasta las sílabas como si tuviera que vérselas con un niño, un retrasado mental o un extranjero no hispanohablante—. Y en realidad yo ni siquiera sé si tenía peste o no. A lo mejor va y estoy calumniando a alguien. En la película decían que tenía peste. Mejor dicho, Manolito dice que en la película decían que tenía peste. Pero Manolito es un bretero y un chismoso y un nihilista. Dice que él conoció a Emilio en no sé qué lugar ahí donde estudiaban los carros franceses. Seguro es mentira. Emilio no estaba en el cine.

—Eso ya lo sé. Emilio nunca está en ninguna parte —entre las brumas de su medio rostro, la Persona Que Busca intercaló un suspiro con cierto aire de impostura—, parece que es un *nowhere man*... Carros franceses, ¿no? Está bueno eso. Emilio sabe francés, pero no creo que se dedique a la mecánica. Aunque... No, no creo. El Manolito ese debe estar confundido. En realidad a lo que Emilio se dedica es a... Oye —de la evocación al pragmatismo—, tú no pensarás quedarte aquí a esperar el milenio, ¿verdad?

—Pues... no. Supongo que no. Verás. Yo...

—Lo del milenio es un decir, tú sabes —un guiño del ojo visible donde Lorenzo leyó: «ni tú ni yo usamos reloj porque no somos de esos bobos que se toman en serio la coordenada tiempo»—. Lo que se nos viene encima es un ciclón y de los más jodedores. Del grado máximo en la escala de no sé quién. Un huracán. ¿No oíste el parte de esta mañana? Fatídico. Una pila de gente no van a llegar ni al milenio ni a nada. Lo que es a mí, nunca me han entusiasmado los fenómenos naturales... —otro guiño, ilegible—. La atmósfera está cargada. ¿No lo sientes? —del pragmatismo a lo perentorio—. ¿Por qué no vamos caminando, eh?

—¿Para dónde?

Dulcemente agotada, Gabriela se acomodaba al proyecto de dejarse guiar en el descenso, *tu duca, tu signore, tu maestro,* por los círculos que faltaran. A fin de cuentas, el más depravado de los hombres podía estar en cualquier círculo. Y en cuanto a la policía...

—No sé. Está apretando mucho. Ya no llegamos a mi casa... ¡Mi casa! ¡Qué cómico! Yo ni siquiera tengo casa... —a la Persona Que Busca también parecía divertirle en extremo la idea de no tener casa—. Podemos meternos en algún portal... No. Qué va. Si no hay paredes es lo mismo que si no hubiera techo. El agua ciclonera va para donde le da la gana, entra de lado, de costalazo, y te ensopas igual. Eso, si no te lleva el viento. Lo peor de todo es el viento...

—husmeó en derredor al modo de los animalejos urbanos, los únicos animalejos que el Perseo conocía—. No sé. A lo mejor un garaje... ¡Eso! Un garaje. Es más protegido, más seguro. Y nos ponemos lejos de la entrada. Los ciclones pasan volando, tú sabes, la cosa es guarecerse. Escapar. Por aquí, un poco más arriba, hay varios edificios con garaje... —de lo perentorio a lo más perentorio todavía—. ¿Vamos o tienes otros planes?

—Planes, lo que se dice planes, no tengo. No soy de los que planean...

—Genial. Insuperable. Un verdadero *success*...

—Pero los garajes no son tan buenos como tú crees —Gabriela movió la cabeza en un gesto diagonal, paralelo a la lluvia, intermedio entre el «sí» y el «no»—. A veces se inundan y a veces viven en ellos unos tipos altos y flacos, sin intríngulis, que dicen que estuvieron en Alepo y después resulta que es mentira. Alepo ni Alepo. ¡Figúrate tú! Tipos que toman ron en vasitos plásticos y nada más piensan en... en las cosas que piensan los tipos. No sé.

—¡Ah! Qué malo. ¿Tú tampoco tienes casa? —tristealegre, ambigua y algo nerviosa la voz de la Persona Que Busca—. Vamos, chica, vamos. No puedes quedarte aquí, debajo de un huracán. Lo de que no me entusiasman los fenómenos naturales es en serio. Muy en serio. Vamos —la cogió por la manga para arrastrarla—, que a lo mejor va y nos ponemos de suerte y no nos encontramos con esos tipos tan horribles que piensan en las cosas que piensan los tipos... Dale, vamos —lo arrastraba—. Oye, niño, hablando como los locos, ¿no será el Manolito ese el de la peste?

Al Perseo le cayó un goterón del Atlántico justo en la punta de la nariz. Una gota fría y pegajosa como la increíble muchacha (la Persona Que Busca era mayor que él, pero no tanto, no hasta alcanzar la condición de adulta indiscutible) que decía «hablando como los locos» como si en realidad no estuvieran hablando como los locos.

—¿Otra vez la peste? ¿Qué decías de la peste?

4 de diciembre. Por supuesto, llueve. ¿Qué más se puede esperar? Desde la ventana diviso un canotier de neón, du Pied de la Butte, dice más abajo, que cambia de rojo a verde y de verde a rojo. Es grandote el canotier y es raro que no me haya fijado antes. Pero en realidad no es tan raro. No suelo ser un tipo ventanero. ¿Qué será lo que venden allí? «Tu abrigo liso y tu canotier azul marino», cuenta Colette y por ella supe de Carolina Otero, fabulosa la bailarina española. También desde la ventana, un poco más arriba, está el campanario del Sacré Coeur, la iglesia de Montmartre, de la cual JL, con un aire entre emigrado marroquí y el druida Panoramix de los muñequitos, ha dicho que no vale un níspero. Me gusta, sin embargo, el Sacré Coeur. Hay que admitir que la distancia y la lluvia lo favorecen, pero me gusta mucho más que Notre Dame. Incluso que Notre Dame en misa de gallo, con cámaras de televisión, feligreses, turistas, mirones así como yo y hasta un espectro jorobado tirando de la soga. Quizás me gusta porque nadie ha sugerido que debe gustarme. JL es muy tajante, muy radical: o Chartres o nada. Abajo las pequeñeces. Pero sucede que Chartres queda en las afueras y que no me pirro por huir del centro. No me dejo impresionar. JL se piensa que él es Marcel Proust.

Pero es mi amigo, qué coño. Y supongo que entiende mi punto de vista, pues frente a la Mona Lisa blindada, que nos observa y nos sonríe irónica, a nosotros y a la caterva de japoneses medio vándalos —yo ignoraba que existían tantos japoneses en el mundo—, empeñados en vigilarla a través de los prismáticos o en agredirla con el flash que rebota una y otra vez contra el vidrio, me ha preguntado (se ha preguntado), JL, si la admiramos, a Mona Lisa, porque debemos o porque sí. Pienso que esa pregunta forma parte del ritual. Me pregunto si la formulamos porque debemos o porque sí. La autenticidad es causa perdida, démodé. Resulta imposible escapar de la pose, suponiendo que aún valga la pena el mero intento de escapar de algo. ¿Acaso no somos todos fugitivos? De manera que le propuse al druida que la admirásemos y punto. No hay más nada que hacer. Esta Mona Lisa suscita toda clase de pasiones, es una provocadora, por eso está blindada y los del museo no permiten que nadie se acerque a menos de un metro. Se rió el druida, ji ji, mientras yo me dedicaba a admirar con gran ahínco a la Venus de Milo (la nariz de la muchacha rubia era más bonita, ¿qué habrá sido de la muchacha rubia?,

creo que existen diferentes clases de perfiles griegos), a la Niké de Samo-
tracia y a dos o tres bicharracos más, entre los cuales se deslizó una [aquí
una palabra tachada a mano] *que me asustó, me asustó muchísimo y fui
al lavabo para echarme agua en la cara... Mañana será otro día.*

5 de diciembre. *Hoy es otro día. La Concorde es otra cosa. Nocturna,
iluminada. Qué lástima de tempestad, lluvia muy fría, aguanieve, cristales que se revientan y se trasladan en remolino, árboles arrancados de
cuajo, árboles voladores y por el suelo cables de alta tensión. Más de cien
muertos por un vulgar ciclonejo. Las vías y las vidas, interrumpidas.
Ahora sí que no podremos ir a Chartres a hacernos los góticos. Es que estas
personas francesas no tienen costumbre de ciclones, se quedan pasmadas.
Y a mí parece que los ciclones me persiguen a donde quiera que voy.*

6 de diciembre. *La imposibilidad suele adoptar formas diversas,
desde lo más específico hasta lo más general. Lo que aún no permite fabricar el estado actual de la tecnología. Lo que ninguna tecnología permitirá
fabricar jamás en este mundo, pues contradice las leyes de la física. Lo
que ninguna tecnología permitirá fabricar jamás en ningún mundo,
pues contradice las leyes de la lógica. Ya sabemos que la ciencia positiva
no puede aportar, en virtud de su propia naturaleza, ninguna prueba
de la inexistencia de Dios. ¿Y la lógica? Si nos aventuramos a imaginar
un Algo que trascienda la lógica, entonces no nos queda otro remedio que
asumir nuestro ateísmo como lo que es: un puro y hermoso acto de fe. Los
herejes de esta creencia se denominan a sí mismos «agnósticos». Pésima
coartada. Nuestra inefable intolerancia nos induce a pensar en ellos como
en un hatajo de oportunistas que se resisten a contraer cualquier clase de
responsabilidad consigo mismos. Pero sucede que a veces uno llega a pensar
que lo único cierto es lo imposible y...*

10 de diciembre. *Allá afuera hace un frío que corta. No fui a la
Feria porque me enteré a tiempo de que por allá la cosa está peor. Menos*

diecisiete grados. No soy esquimal. Esta señora alemana bien puede buscar a alguien para que presente el libro, ella sabe de eso y yo no. Yo no sé nada. Ahora sólo tengo ganas de correr y correr. ¿Me estaré volviendo loco? Ojalá. Hay un tipo en El Hideputa que se mete conmigo. Antes firmaba Angelica Sedara y ahora firma Absolutamente Nadie, pero es el mismo tipo. Un cubano. ¡Tenía que ser! Es bastante inteligente, muy agudo y muy pendenciero. La tiene cogida conmigo. Allá él si cree que le voy a hacer caso. No faltaba más. Pienso en lo del museo la semana pasada y todavía me erizo. Pienso en el piloto que pasó con su avioneta por debajo del Arco de Triunfo. Pudo haberse reventado, el gran tipo. Otro héroe por gusto, como todos los héroes. Prefiero a los héroes que reconocen la futilidad de sus hazañas. Los héroes están fatigados. Desgraciada la tierra que necesita héroes. Desgraciada la tierra que necesita. Desgraciada la tierra. Desgraciada.

13 de diciembre. Una de Jean Rostand: «Cuando Nietzsche escribía que la bondad de los monos lo hacía dudar de que el hombre hubiera podido descender de ellos, se hacía ilusiones sobre las cualidades de esos cuadrumanos ávidos, crueles y lúbricos. Estos son exactamente los antepasados que merecíamos».

16 de diciembre. Pues sí. Muchas ganas de correr y correr, amok [aquí una línea tachada a mano] *y entonces aparece Félix. El barón Félix, sombrero en mano, todo Verlaine como en la esquina de Fantin-Latour, abajo, a la izquierda. Una de las esquinas, la misma donde comprobé que Rimbaud se parecía en serio a Leonardo Di Caprio, qué tipejillo. Y nos vamos, el barón y yo, a lo que él llama «los cafés». Caminamos alrededor de la placita, donde los pintorzuelos, las floristas y unos muchachos con gorras a lo Gavroche, bien folklóricos. Métiers bien françaises. El argelino que vende rosas por poco me saca un ojo con un tallo. Es un vendedor agresivo. Le compré la puñetera rosa mientras el barón se desternillaba de la risa. Traté de meterle el tallo en el ojo al risueño, para que viera. Pero se escapó y yo no iba a andar detrás de él por todo París y, para colmo, con una rosa. ¿Qué hubiera pensado la gente? Al poco rato, volvió. Me hizo jurarle por Santa Úrsula y las once mil vírgenes de Bretaña que no le iba a hacer ninguna maldad. Lo que él no sabe es que yo no cumplo mis juramentos. ¿Dónde se ha visto? Yo lo agarro. ¡Qué malo soy! ¡Soy una araña pelúa! Caminamos hasta donde se repite el Sacré Coeur y desde allí la vista de la ciudad, una ciudad que es el azar, el inmenso diorama. A lo lejos, la Tour. Espantosa siempre a lo lejos, anunciando los días y las horas y los minutos que faltan para el milenio, la Tour. Odio la Tour y me importa un rábano el milenio.*

17 de diciembre. El barón Félix tiene su madriguera al otro lado del Sena. Entre las aguas grises y su puerta de corredera hay apenas unos metros de tierra húmeda, resbalosa, una verja. Un árbol por ahora sin hojas. Allá nos vamos en su carro con Azul y Jean Ives, gente de teatro. «Aquí fue lo de la princesa Diana», murmura en el túnel y todos a la vez nos encogemos de hombros. «Sois una partida de insensibles». Hay champán. Azul dice que él (o ella, no sé si por fin se considera camionero o puta) se lava los dientes con champán. La noche se nos pasa hablando de una tal Sarah Kane, otra suicida que es furor en Inglaterra, furor del desencanto con raíces en Genet. Encantado pronuncio «desencanto», «desembrujo», «exorcismo», de ahí a la crueldad y lo muy sucio, lo nauseabundo, de por qué no se vale sustituir por una hembra a ninguno de los personajes que esperan a Godot. Beckett es un genio. Albee también. ¿Qué noticias hay de Albee? El champán me hace decir que Who's Afraid Virginia Woolf? es una amplificación del cuento del zoo donde el dúo Martha–George es una amplificación de Jerry. A lo mejor escribo un articulejo sobre eso.

Entretanto, Félix cocina las pastas con salmón, pues no como ranas ni sapos aunque me maten. ¿Qué se habrán creído? Nada de batracios ni caracoles ni babosas ni quesos pestíferos y eso que esta historia ya va para seis años. Soy un tipo tan imbécil que todavía me baño todos los días y le echo azúcar al té. Qué depravación. El bon savage de Cécile, la pobre. De mademoiselle Délerive a madame U por culpa de un primitivo cavernícola machista «sudamericano». Los franceses a veces se creen que son mejores que nadie, pero bien que les patearon el culo en Dien Bien

Phu. Bueno, en realidad los franceses no son los únicos que se creen eso. Si lo sabré yo... Ha dejado caer, Félix, una pipa de lo más original en mi bolsillo. Él las colecciona [aquí varias líneas tachadas a mano] *y de por qué sí se vale concluir que Blanche es una construcción gay, con una exquisitez gay y una promiscuidad definitivamente gay. Más claro ni el agua: ninguna mujer se tiempla un ejército entero así por la libre, sin cobrar. Y qué no sería el Kowalsky de Brando, el maldito polaco bestia, en el imaginario erótico gay... Lo dije entre susurros, como quien dice y no dice, cosa de no comprometerme demasiado, porque anteayer tuve una escaramuza con JL por causa de la homosexualidad de Andersen, tantos viajes a Italia y ciertas sospechosas resonancias en «La sirenita» y «El traje nuevo del emperador». JL me acusa de ver fantasmas por todos lados. «¡Está bueno ya con la mariconería, asere, me vas a volver loco!», aullaba el muy acomplejado. JL, como diría Virgilio Piñera, me ha salido lechero de la inmortalidad. Un típico extremano cubista. Pero a ellos, Azul y Jean Ives, les parece interesante lo de Blanche y no sé si es cuestión de idiosincrasia o de champán. A lo mejor escribo otro articulejo y así los voy reuniendo en un librito que bien podría titularse Champán.*

Una de Schopenhauer: «Honradamente nadie puede decir nada bueno acerca de ningún carácter nacional. Antes bien, lo único que aparece como diferente en cada país es la cortedad de miras, la perversidad y la maldad de los hombres; y a eso se le llama "carácter nacional". Asqueado de uno de ellos, alabamos el otro, hasta que nos ocurre lo mismo con él. Cada nación se burla de las otras y todas tienen razón».

19 de diciembre. De nuevo, pero esta noche solos, el barón y yo. Es la madrugada cuando regresamos por la parte del Moulin Rouge, que no es el mismo de Toulouse-Lautreac, según me explicó el primer día. «No te hagas ilusiones», dijo en medio del ajetreo. ¿A mí con ésas? «Yo nunca me hago ilusiones», le dije. «No es eso. Es el cabaret. Lo que pasó fue que hubo un incendio, se acabó el molino y desde entonces está prohibido encender fogatas en los nichos, en nuestras aburridas estufas desprovistas de leña. Mejor nos vamos al Bois de Boulogne a ver a los hijos de puta travestis», dijo. «No quiero saber nada de bosques», dije y recordé lo del

museo. «¿Por qué?», preguntó. «Yo sé por qué», respondí. «No te entiendo»,
dijo. «Si ahora mismo te meto un tallo en el ojo, seguro nos volcamos,
¿quieres verlo?», dije. Me miró con aprensión y murmuró algo así como
que Toulouse-Lautreac se definía a sí mismo como una cafetera chiquita
con el pito grande.

22 de diciembre. Otra de Jean Rostand: «Tal vez queremos castigar
a este hombre, más que por su crimen, por el desconcierto en que nos coloca
al no diferenciarse de nosotros sino por su crimen».

29 de diciembre. JL ha desaparecido y Félix también. La pipa de
Félix se la regalé a Paulot con el pretexto de las Navidades y las felices
codornices que comerá en Madrid. Le servirá para quemar hachís y para
recordarme, si quiere. Simpático, divertido Paulot, no anda creyéndose
cosas ni nada. Era imprescindible que se esfumaran para poder terminar
la novela. Con ellos revoloteando no hay quien trabaje. Todo el tiempo
se la pasan de una en otra, dando brincos y más brincos, no descansan
jamás. ¿Me estaré poniendo viejo? Cécile, en cambio, es un amor. No
molesta para nada. ¡Y mira que me aguanta cosas! Yo mismo no me las
aguantaría.

5 de enero. Ahora falta un solo capítulo, donde la negrita recoge al
protagonista en la calle. Memorandum: en la novela no debo escribir la
palabra «negrita», porque después va y me tildan de racista. Hay gente
muy susceptible. Pero si quiero la escribo, yo sé que no soy racista, qué
cojones. Si me pusiera a hacerle caso a la gente, no escribiría nada. Ella
será como Cécile, la mujer más generosa del mundo. ¿Por qué otra razón
iba ella a recoger a nuestro héroe? Es nuestro héroe, no el suyo.

¿Qué más se sabe de ella? Que también era generosa consigo misma.
¿De qué me vale —pensaba cuando pensaba, o sea, en los raros momentos en
que el whisky, la coca y las pastillas no entorpecían su entendimiento—, de
que me vale urdir y urdir venganzas y venganzas contra todos ésos que ya

ni sé por dónde andan? ¿De qué me vale odiar y odiar inútilmente, tragar y tragar alacranes y culebras que luego no puedo escupir, matar y matar en sueños? Ella repetía palabras. Su lema era olvidar, olvidar lo más posible, pero cuando recoge al protagonista medio cadáver en la calle medio cadáver y lo arrastra a su carro y luego a la bañadera con agua muy fría para espantar la fiebre y luego a la cama, todavía se aferraba a las palabras.

6 de enero. Un nombre, una apariencia. Me pongo a imaginar y descubro que a los veintisiete Aimée Despaigne aparentaba quince. Flaquita como un güin, pelada al cero, negra casi azul, ágil, dura, nerviosa. Enrico la encontraba bellísima y ella misma no entendía por qué, si el espejo no hacía más que devolverle una carita de güije, Puck Robin Buen Chico Negro, duende travieso de la charca, ojos grandes y saltones, la nariz tan chata como el hocico de un gato persa (misteriosa, divina criatura, sobre todo cuando negra casi azul) y los labios tan gruesos. «Una negrita cocotimba, una negrita fea», había escuchado siempre de blancos y de negros. Todos a su alrededor la despreciaban y la excluían. Casi pudiera decirse que la pateaban. Porque la negrita, no contenta con su fealdad y su cocotimbez, también adoptaba actitudes de víctima. O sea, era educada, tímida, modosita, incapaz de gritar o proferir una blasfemia de esas que, bien proferidas, tienden a calmar los ánimos.

¿Hay algo más? Sí. Su pacto con Enrico. A cambio de la tremenda casa con vitrales, tejadillos, una pareja de aves del paraíso y toda suerte de comodidades, el carro del año y la plata suficiente para vivir saturada sin matarse demasiado rápido, ella le proporcionaba al gran empresario una ficción de amor, una fantasía tan espléndida que el desconfiado piamontés había llegado a creérsela. Ah, y el lenguaje. Extraño, cadencioso, muy erótico, hecho de repeticiones como la magia del tam-tam africano. Aunque viejo y gordo, Enrico tenía la mejor virtud: era casi inexistente. Sus negocios y su familia lo retenían en Turín durante la mayor parte del año, de modo que la ficción de amor en sus aspectos más repulsivos duraba poco.

Todo eso, claro, no lo voy a contar así. Tiene un sabor a tropicalia, *a* tropical sunshine, *que da asco. A lo mejor ni siquiera lo cuento. Hay detalles que el lector en modo alguno necesita conocer, pues no forman parte de la historia. Pero el narrador sí debe conocerlos. Hasta donde sea posible, debe saber de quién habla y por qué los personajes hacen lo que hacen. Esta idea no es mía. Creo que es de una novelista inglesa o australiana, no sé, no me acuerdo bien.*

8 de enero. Me duele la cabeza. Me cuesta mucho escribir y al mismo tiempo no puedo parar. Esto no es un pasatiempo. Es la vida. Y la vida es difícil, dolorosa y trivial. Lo peor de todo: trivial. La vida no necesita estímulos, fluye porque sí y muy bien pudiera no fluir. Los capítulos finales suelen provocar en mí una grave ambivalencia, desequilibrio, terror. Quizás porque todo reaparece tan precario, tan impagable, tan carente de sentido... Vuelven las ganas de correr. Bajo la lluvia, correr. Cruzar la calle sin mirar ni por un instante la luz equivocada del semáforo ni tampoco los carros, los tres pilares básicos de la industria automovilística francesa...

Bajo la lluvia, correr. Tras una breve carrera hasta la desembocadura de la zona infame, muy próxima al muro con cruces griegas en relieve que rodea el cementerio de Colón, las dos siluetas, una pequeña y la otra aún más pequeña, se cuelan subrepticias en un garaje. Por suerte, lo han encontrado abierto, sin tipos altos y flacos, en general sin tipos y sin protección contra los intrusos que andan por ahí por la calle en busca de protección. Un lugar sofocante, umbroso, con olor a gasolina, a moho y baba de cucaracha, es este santuario del abandono, la decadencia, el asco. De la náusea literal, por más que parezca ingrato ponerle reparos a aquello que nos cobija y nos da ánimos para seguir adelante con la historia mientras el mundo, sacudido por los más diversos cataclismos, se va desmoronando como un castillo de naipes.

Afuera, en sordina, un repiqueteo rabioso, cada vez más atropellado. El dios de la lluvia llora sobre La Habana y su llanto no puede ser más destructivo ni más histérico. Adentro, sentadas en el suelo junto a una carrocería vaciada cual carapacho fósil, dos muchachas que más bien parecen dos ratones. Uno, cobaya de mirada romántica, perdida en los espacios siderales y siderúrgicos, incapaz de valerse por sí mismo, con el pelaje blanco de miedo, de agitar convulsivo las paticas durante la tortura, la vivisección, el destripamiento, el *snuff* sobre la mesa del laboratorio: Gabriela. El otro, guayabo de mirada inteligente, burlesca, en el fondo socarrona, hábil para evadir gatos y ratoneras, con el pelaje gris de husmear por los huecos de la cocina: la Persona Que Busca. El primero, en modo alguno bello; el segundo, francamente feo. Pero es tanta la oscuridad que apenas se distinguen las caras.

Permanecen largo rato en silencio, como si escucharan al dios.

–¿Quieres? –el guayabo ofrece el contenido ignoto de una cantimplora.

–¿Qué es? –mera retórica, pues ya el cobaya extiende la mano y tantea en la negrura hasta alcanzar y capturar aquello que suena a líquido–. Echa p'acá.

–Brebaje reconstituyente. Silver Dry. Los vasitos plásticos se quedan para la próxima. Te los debo.

–¿Me los debes? Hum. Qué tragedia. ¡Si tú supieras cómo yo odio los desgraciados vasitos plásticos...! –algo suena líquido, suena glu-glú–. Hace millones de años que no como. ¿Estaré metafísico? Lo que tengo en el estómago es un coro de grillos... –pero bebe, claro que sí, metafísico bebe aunque se estrague y se alcoholice mientras evoca de nuevo el inconfundible estilo de la cuadrilla harapienta–. Esto no es alcohol de farmacia... Oye, ¿en serio que tú vives en la calle?

–A veces. Pero el alcohol de farmacia no lo comparto con nadie. ¿Qué te has creído? Ese lo tengo reservado para las grandes ocasiones. Olvídalo –el guayabo se recuesta a la carrocería vaciada cual carapacho fósil, se acomoda para mirar al cobaya aunque no lo vea–. ¿Por qué mejor no me cuentas de Emilio?

Un relámpago atraviesa el adormecido cerebro del Perseo:

–¡Ah! Conque era eso, ¿no? –devuelve la cantimplora, en su cara se dibuja una mueca taciturna que bien pudiera ser una sonrisa–. Ya lo veía venir –el dibujo se borra sin nadie para atestiguar su anterior y muy recóndita existencia–. No digo yo si lo veía venir. ¿Sabes algo? Voy a ver si me consigo una placita de adivino. Lorenzo Lafita: adivino municipal. Experto en descubrir cuándo alguien está obsesionado con Emilio. ¿Qué quieres que te cuente, muchacha?

Qué sensación inquietante la de encontrar un espejo donde se espera una pared. Azogue en lugar de opacidad, confundidas la izquierda y la derecha, los propios rasgos en un rostro ajeno. Y peor es un espejo frente a otro con uno allí, en el medio, aprisionado por los espejos, untado a ellos como la mantequilla entre dos rebanadas de pan. Qué zozobra asistir a la infinidad de copias, imagen múltiple, imagen paranoica. La loquita perseguidora en su fase maníaca le recuerda algo. Algo de sí mismo que el Perseo, agotado, no consigue precisar ni tampoco olvidar.

–No sé. Cuéntame cualquier cosa. Dónde lo conociste, por ejemplo.

–¿Y de dónde tú sacaste que yo lo conozco? ¿Es una celebridad mundial o algo así? ¡En mi vida lo he visto! ¿Puedes creerlo?

–Bueno, por eso no. Yo tampoco lo he visto y no se puede decir que no lo conozca. Hay muchas, pero muchas, maneras de conocer... –una pausa con loquita pensativa–. Mira, tanto como una celebridad mundial, no creo. Pero es un escritor y...

–Sí, un escritor brillante y flamboyante.

–Flambo... ¿qué? Bueno, sí. Seguramente lo es. Hay muchos adjetivos que le pegan. ¿Ves que sí sabes? –transición–. ¿Tú has leído sus libros?

–Soy un enorme inculto.

–Es igual. Yo tampoco sé mucho de libros, a no ser de teatro y algunas boberías. Boberías de esas, tú sabes, de las que te enseñan en la escuela. El Quijote y eso. Ah, y Agatha Christie, que no la enseñan en la escuela pero deberían. Nada, los libritos que todo el mundo conoce... –por su lado optimista, muy desinformado con respecto a la información de los otros, la Persona Que Busca se aproxima a Su Real Majestad Analítica, Ph.D., quien solía afirmar que el teorema de Lagrange era muy conocido por todo el mundo y que cariñosamente lo llamaban «el teorema del valor medio» o algo por el estilo–. ¿Quieres saber algo? Yo soy actriz. De teatro. O al menos lo era...

–¿Tú...? –sin evitar el conato, Gabriela se detiene al borde de preguntarle si ha estado en Alepo. ¿Lo mismo otra vez? ¿Otra vez la oscuridad, el encierro, el malentendido? Ni pensarlo. Recuerda la fosforera y enciende un cigarro algo húmedo pero aún fumable, no tan maltrecho como el que antes le sirviera para espantar al genio de la lámpara. –Puf... No, nada. ¿Fumas?

–Oh, sí –la Persona Que Busca extiende la mano y tantea en la negrura hasta alcanzar y capturar–. Gracias. Puf... ¡Qué bien se está aquí! –adopta la pose del maharajá encima de un colchón de plumas–. Te decía que no es gran cosa lo que sé de libros. De novelas y cuentos y eso, lo que escribe Emilio. Pero a veces leo algo, no creas, tampoco soy analfabeta. Ocurre esto: muchos hombres leen pocos libros y pocos libros son leídos por muchos hombres. ¿Qué tal? A primera vista parece lo mismo, pero no. Son dos cosas completamente distintas. Fíjate para que tú veas... –espera, quizás, a que su interlocutor se fije, mas éste no hace ni el menor esfuerzo por fijarse–. Puf... Oye, creo que se te mojaron un poco los cigarros. Pero no mucho. Todavía sirven... Puf... Puf... En fin, la cosa es que me encanta leer. Soy ingenua y candorosa, muy crédula. Me fascina que me engañen. Y, además, sé sacar cuentas...

–¿A ti...? –sin evitar el conato, Lorenzo se detiene al borde de preguntarle si le gusta la Matemática. Pero qué idiotez. –No, nada. ¿Y entonces?

–Mira, no te me reprimas. Coge –la Persona Que Busca habla ahora con mucha suavidad, en tono psiquiátrico y el brebaje reconstituyente vuelve a cambiar de manos–. Reprimirse es malo para la salud. Nada, que la carga se va acumulando y se va acumulando y después uno se arrebata y quiere salir por ahí con una pistola disparándole a todo el mundo, es fatal. Tú di lo que te plazca... ¿Conoces la Constitución del Garaje? –se llena los pulmones de aire, viciado pero aire, como quien va a proponer algo bien espectacular–. Primera

Enmienda: libertad de expresión. Todo el mundo a parlanchinar. Es lo más horriblemente democrático que he visto en mi vida. Pero creo que Emilio estaría de acuerdo.

Por el silencio que sigue se expande el silencio del dios. De súbito, como sucede todo o casi todo en el trópico, el repiqueteo ha cesado para dar paso a la calma chicha. Una calma pesada, plúmbea, quizás artificial, con sentido de trampa. Al dios no le ha caído en gracia el tema de la Primera Enmienda. Su autoridad, sin embargo, no alcanza a disolver la reducida asamblea. Se traga la rabia sin chistar mientras planea futuros escarmientos. Pero los animalejos urbanos permanecen ocultos. Se enroscan, aún más ocultos, alrededor de su propia permanencia.

—¿Oíste? Parece que ya escampó.

—De eso nada, muchacho. No te confíes —la Persona Que Busca, ingenua y candorosa, muy crédula—. ¿Nunca le has puesto asunto a los ciclones? Lo que está pasando ahora es el epicentro. El ojo.

—¿Hojo? ¿Qué Hojo? No entiendo.

—Muy fácil. Lluvia, calma y lluvia. Es así. Ahora él, o ella, porque tiene nombre de mujer, se está haciendo el muerto para ver el entierro que le hacen. Cosa de que la gente salga a la calle y se ponga a fiestar y a bailotear y a gritar «¡por fin!» y entonces ahí mismo es donde él sale otra vez y los ametralla. No deja títere con cabeza —la Persona Que Busca traza con el índice una línea imaginaria de un lado a otro de su cuello, ¡zas!, mas nadie lo ve, y es que un diálogo en la oscuridad se parece mucho a un diálogo por teléfono—. ¿Está claro? Los libros de Emilio están llenos de lluvia. Huracanes, tempestades, chubascos, tormentas eléctricas, lloviznitas, de todo. Hasta las páginas se le mojan. Emilio...

El espejo. Regresa el espejo y la malignidad del ciclón rebota contra él. No logra quebrarlo, se enfurece. La loquita perseguidora en su fase maníaca aún le recuerda algo a nuestro héroe... ¿Malvadas que te mojan los libros y las páginas se pegan unas con otras y al de Matemática se le diluyen los gráficos y los teoremas, los l.q.q.d.? Quizás sea eso, pero hay más. Después de todo, Hojo dice que al libro de Matemática no le hicieron nada, que él mismitico se suicidó, se tiró al río con una pesa en cada bolsillo porque tenía muchos problemas. Ay, este Hojo Pinta siempre haciéndose el gracioso... Uno lo abandona y sus sandeces no lo abandonan a uno... Aquí hay más. Algo de sí misma que Gabriela, agotada, no consigue precisar ni tampoco olvidar.

–Oye, ahora que me acuerdo, no sé si te sirva de algo, pero yo creo que conozco a alguien que conoce a Emilio. Quiero decir, al que conozco lo conozco y lo conozco bastante. De lo que no estoy muy segura es de si él conoce a Emilio.

–Precioso trabalenguas –la loquita en su fase maníaca no puede no mostrar interés–. Vamos por partes. Primero dime: el que conoces y conoces bastante y estás segura de conocer y crees que conoce a Emilio, ¿quién es?

–Es Hojo. El de los vasitos plásticos.

–Ah, qué bien. Ojo –la loquita saborea el nombre–. ¿Y por qué se llama Ojo? ¿Se la pasa todo el tiempo mirando o qué?

–No, chica. No es Ojo de ojo. Este Hojo se escribe con hache y en buen español se pronuncia jouyou. Se llama así porque sus padres eran aficionados a las momias.

–A las momias. Muy bien. Ese es un dato muy importante. Ahora dime: ¿por qué crees tú que ese señor aficionado a las momias conoce a Emilio? ¿Acaso él piensa que Emilio es una momia? Emilio nació en el 67, lo dice en los libros, en la parte de los datos del autor. A mi juicio, le falta un tin de antigüedad para ser una momia cabal.

–Los de las momias eran los padres. Hojo, que yo sepa, jamás se interesó por ellas. Así que no empieces a enredar la pita –advirtió Lorenzo, muy contento de hablar como los locos–. Hojo es crítico de arte, ¿sabes? Y trabaja para una revista que se llama *El Bejuco Pelúo* o algo así. Ese bejuco no se publica aquí. Lo cual está muy bien, porque en este país se sobran los bejucos. La verdad es que yo no sé dónde se publica, creo que en México o en Constantinopla o en Alaska, pero lo cierto es que pagan en dólares. Y no pagan mal. Parece que el trabajo tiene cierta peligrosidad, dice Hojo que es como el de un camionero que transporta gasolina de cohete o algo así. Hojo también dice que...

—¿Gasolina de cohete? Esto se complica. ¿Qué tiene que ver Emilio con la gasolina de cohete? —la Persona Que Busca abandona el tono psiquiátrico para interrogar con la perentoriedad, el egoísmo y la indiscreción de los esbirros—. Dímelo ya.

—Ya voy, ya voy, coge calma. Resulta que... ¡Oye! —insidioso, vengativo, traidor, el repiqueteo ha vuelto y Gabriela se sobresalta como si nunca antes lo hubiera escuchado—. ¡La cosa está en candela!

—¿No te dije? Este es el segundo acto. Y el último. A no ser que, en vez de enfilar para la Florida, el tipo haga así y recurve para acá. Eso también puede pasar, a veces se encariñan con la isla y se enamoran y se aferran... ¡Y ahí sí que nos jodimos! —la Persona Que Busca parece encantada con su vasta sabiduría ciclonera—. Pero sigue, sigue. ¿Qué tiene que ver Emilio con el bejuco y la gasolina de cohete?

—Bueno, yo no estoy muy segura, pero creo que Emilio *también* trabaja para el bejuco. ¿Emilio no se llama Emilio U?

—Sí. Así mismito se llama. Esa es una de sus originalidades. ¿Y qué más?

—Pues nada. No creas que hay mucho más. Hojo dice que... Fíjate bien, es Hojo quien lo dice y no yo. Que quede claro: *yo* no digo nada. Te lo advierto —sin tomar en cuenta lo irrisorio del gesto en medio de las tinieblas, el Perseo apunta con el dedo de Dios en dirección al sitio de la curiosidad— para que después no te pongas a estar regando por ahí que yo lo dije. Ustedes, las mujeres... Pero a mí sí que no me gustan los chismes ni los bretes ni...

—Mira, sin lucha. ¡Si tú supieras la de improperios que han escuchado estas orejitas! Hasta los boniatos hablan mal de Emilio —sin tomar en cuenta lo irrisorio del gesto en medio de las tinieblas, la Persona Que Busca se encoge de hombros—. Hace millones de años que estoy curada de espanto. No me voy a desmayar ni nada. Así que no te sofoques ni te reprimas ni te pongas misógino y dime de una vez qué cosa tan horrenda es lo que dice Ojo con hache.

—¡Pero si casi ni dice! —el Perseo resopla, se revuelve inquieto—.

¿Qué más da? En realidad no se trata de nada personal. Habla de libros y artículos y esas cosas. Boberías, como tú dices. Insignificancias. Pequeñeces. Por eso es que no estoy muy seguro de que lo conozca personalmente...

–Vamos, vamos. Déjate de rodeos y desembucha.

Pespuntes azules y estrellas doradas en la charretera de la Persona Que Busca es lo que imagina Gabriela, estremecida y algo turulata por el cansancio, el miedo, el dolor en las piernas, los cigarros húmedos, el hambre y el ron. Su espacio acústico se puebla de órdenes, preceptos, voces de mando. Los oídos le zumban, la oscuridad se torna vertiginosa, ¿alguien le irá a pegar? Y entonces, como emplazada por el Tribunal del Santo Oficio, nuestra muchacha, que no tiene nada de Giordano Bruno, habla de corrido. Escupe frases y más frases que ni siquiera entiende muy bien. Desembucha y, según ella, Hojo *sólo* dice que Emilio es alambicado, torcido, caprichoso, pedante. Que le gusta hacerse el difícil, el hermético, el oscuro, el esotérico, el tipo de la supermetáfora, todo con tal de esconder un evidentísimo y muy lamentable déficit de neuronas, o sea, todo para nada. Que su descaro no reconoce límites: en su primera novela se compara con Cervantes y en la tercera, con Shakespeare. Que ambas novelas, y también la del medio, donde olvida su mala maña del parangón sin dejar por ello de perpetrar otras insolencias, son efectistas, truculentas, sensibleras, nocturnas y alevosas, una trilogía bellaca. Que con todo ese mal cocinado y peor servido fárrago de citas, alusiones, parodias y demás yerbajos, lo que pretende es exhibir una cultura de la que a todas luces carece, pues se le ve a la legua que no sabe ni dónde tiene la mano derecha. Que todo en él es falso, apócrifo, artificial, espurio y contrahecho, prendido con alfileres a última hora. Que mejor debía llamarse Pseudoemilio el Areopagita. Que sus chistes son lacrimógenos y sus tragedias risibles. Que no tiene principios ni ética ni salud mental, desprecia a la humanidad en bulto como si él mismo fuera un extraterrestre y hasta se atreve a insinuar que un violador de menores es un ser humano en el fondo no muy diferente al resto de los seres humanos. Que en general le encanta regodearse al muy puerco en toda clase de sadismos y asquerosidades, en el *gore* más vomitivo y repelente. Que asesina personajes y personajillos porque no se atreve a asesinar personas.

−Que... −el emotivo homenaje ha dejado al Perseo sin aliento−. Ay, chica, ¡para qué seguir! En resumidas cuentas, Hojo *lo único* que dice es que Emilio escribe con... con... escribe con...

−¿Por qué te detienes? ¿Con qué escribe Emilio? ¿Con los dedos de los pies?

−No precisamente. Hojo no es tan delicado −pero quizás Gabriela sí, pues baja la voz hasta convertirla casi en un suspiro−: dice que Emilio escribe con la pinga.

−¡Vaya! Se ve que lo admira −la Persona Que Busca parece muy satisfecha con la mera idea de semejante lápiz−. Tu Ojo con hache debe ser un gran crítico. Llega hasta lo más profundo, hasta el mismísimo intríngulis de las cosas. Aunque a mí, desde luego, me importa un pepino si Emilio es o no un buen escritor.

−¿Ah no? ¿Y por qué lo buscas?

−¡Ah! ¿Te molesta mucho si no te respondo eso?

No. No hay respuesta. En el Nuevo Realismo son muchas las veces en que no sólo no hay respuesta, sino que tampoco hace falta. Sobre todo cuando la fábula rebasa al narrador, lo excede y lo supera hasta colocarlo en un estado de lozana, irresponsable incertidumbre. Un territorio sin argumentos donde la finalidad de los actos radica en su propio transcurrir, donde la búsqueda más virtuosa, la búsqueda por excelencia, ni tiene causas ni se realiza en el encuentro, en la palabra *eureka*. El narrador asume entonces su ignorancia pura y dura y se presta a compartirla con sus lectores, a regalar ese cuento furtivo que, como la vida misma, se le va escurriendo entre los dedos, agua y arena[1]. ¿Cuál podría ser la respuesta de Gabriela si alguien le preguntara por qué busca a Daniel Fonseca? No lo sé. Ella tampoco lo sabe. Quizás un jadeo. Una sonrisa provocativa. Una exhalación aterradora. Un bostezo. Y esta vez no te voy a sugerir que le preguntes al diablo, porque a ese pobre señor ya lo hemos mortifi-

---

1 Lo de «regalar» es un decir, en modo alguno hay que tomárselo al pie de la letra: Pseudoemilio el Areopagita solía comportarse como una verdadera piraña en lo relativo a los derechos de autor. (N. del A.)

cado bastante y no conviene abusar. Menos ahora, cuando Lorenzo tropieza con el espejo y se golpea la frente... *¿Daniel...? ¿Alguien pregunta por Daniel...? ¿Quién pregunta...? ¿Dónde está...? ¿Dónde, dónde está Daniel...? ¿Y dónde estoy yo...? ¿Dónde coño estoy yo...? ¡Qué mala cabeza...! ¡Ah, Daniel! ¡Era eso! ¡Eras tú! Daniel Fonseca el más depravado de los hombres... Daniel Fonseca el de los iris negros... Se nos acaba el tiempo y yo aquí, de soplatubo con una muchacha, con idioteces de escritores y bejucos y trilogías bellacas...*

—Creo que me voy —con mucho esfuerzo y una mano sobre la carrocería vaciada cual carapacho fósil, nuestro héroe se pone de pie—. O sea, no es que crea. Es que estoy convencido. Me largo.

—¿Cómo que te largas? Mira, no te ofendas. Lo que pasa es que...

—No, si no me ofendo... —se tambalea, casi pierde el equilibrio—. No te preocupes. Nunca me ofendo. Nunca jamás. Sólo me voy. Hago así —un chasquido de dedos— y desaparezco.

—Está bien. Te vas —la Persona Que Busca suspira, pero no hace ademán de moverse de su sitio—. ¿Te vas a dónde?

—¡Ah! ¿Te molesta mucho si no te respondo eso?

—Sí, te berreaste —la Persona Que Busca vuelve a suspirar y al tono psiquiátrico—. Lo que está cayendo allá afuera es un diluvio. *El* diluvio. ¿No lo estás oyendo? Óyelo. Raíles de punta. Por ahí no anda ni el Arca de Noé. Los cables de alta tensión deben estar regados por el suelo... Y el suelo inundado, echando chispas, ¿entiendes? Cualquiera da un mal paso y se electrocuta... Muchacho, después de todo, ¿qué más te da a ti saber por qué yo busco a Emilio? Si sales ahora es como si te suicidaras. ¿Y por qué ibas a suicidarte? Para vivir en la calle hay que saber hacerlo, hay que saber cuándo la calle no da más, cuándo se vuelve intransitable...

—Pero resulta que yo no vivo en la calle... —el Perseo se detiene un instante junto a la salida y desde allí habla, tal vez con la Persona Que Busca, tal vez consigo mismo—: Ojalá lo encuentres. Vivo.

Por suerte, el enfurecido implacable mortífero dios que arranca los árboles de cuajo y también los techos y a las personas, tejas, ladrillos, cristales, trozos vivos y muertos de la ciudad descuartizada, visceral, ya había pasado para seguir rumbo a la Florida y no mostraba la menor intención de recurvar. Apenas la resaca del huracán le cayó encima a nuestro héroe. Mejor dicho, lo envolvió. Porque sus aguas, raíles de punta, no se mantuvieron verticales. Todo lo contrario. Movidas por las ráfagas, cambiaban de dirección a cada momento como los brochazos amarillo vibrante de un pintor enloquecido. Luego escampó. Y transcurrieron varios días, nunca supo cuántos, ni siquiera supo si muchos o pocos. El agua sucia se le secó en la piel.

El cuerpo y la fiebre.

A través del dolor, difuso pero ubicuo, uno accede a la conciencia de sus propios huesos. *¿Dónde se habrá metido la cucaracha reptil...?* Las articulaciones y hasta el cráneo reclaman atención. ¿Conque no me recordabas, eh? ¿Acaso pensaste que podías prescindir de mí? El cráneo comprime lo de adentro y duele. *¿Cómo lo habrá tratado el ciclón...?* Duele tanto que uno se arrancaría la cabeza si tuviera fuerzas. ¿Para qué le sirve? ¿Para qué si sólo es dolor? Hay una película rusa donde al comensal le ofrecen un pastel que es una réplica de su propia cabeza. *¿Habrá estado a cubierto o a la intemperie...?* El camarero moja el cuchillo antes de hundirlo en el pastel. Le sirve al comensal una tajada de cabeza. *A lo mejor anda cerca, muy cerca...* Pues sí. Uno se arrancaría la cabeza, los brazos y las piernas. A la basura. Soltar lastre, soltar amarras. Todo a la basura. Si el cuerpo y la memoria son lastre, hay que deshacerse de ellos. ¿Y qué nos queda? *A lo mejor tiene hambre...* Pero qué debilidad, qué redondo mareo. Cuesta caminar, incluso arrastrando los pies. *En una ciudad profunda se puede morir de hambre...* Cuesta caminar por una acera que sube y baja sin aviso, que ondula entre la sucesión de portales y casas ciegas donde poco a poco se va restableciendo el fluido eléctrico. ¿Y los otros fluidos? *¿A quién le importa...? Hay mucha gente y es como si no hubiera nadie...* Los árboles también ondulan. Bosque de Birnam, diezmado pero aún en pie. Bosque feroz. Lejano y feroz como los sonidos. Un resbalón, un vidrio roto, un carro que frena, alguien baja del carro, alguien se acerca... Los sonidos que llegan atenuados bajo la última llovizna para estallar contra los huesos del caminante febril.

10

I offer you explanations of yourself,
theories about yourself,
authentic and surprising news of yourself.

BORGES

Del vacío a veces queda cierta memoria. Todo oscuro. Tan oscuro como muy oscuro, insondable a ratos. Destellos, explosiones, pequeñas muertes. Fluorescencias. Nuestro héroe regresa a la verticalidad por unos instantes... *Como el mundo es redondo, me trastorna...* Pero es una verticalidad artificial. Algo lo sostiene, de modo que no es él sino su cuerpo quien regresa. Después de comprobar que no está herido, que no hay sangre... *¿estás entero?... ¿duro como el flan y entero como el picadillo...?* no, no, estás entero... algo lo arrastra y lo conduce hasta el sonido de la puerta del carro. De nuevo cae. Huele a gasolina y a cuero. Sobre lo blando, el olor de la fiebre se mezcla con la gasolina y el cuero y es la náusea. El sonido, muy lejano el sonido de la otra puerta, el ronroneo de un motor que nunca fue apagado, *illinx,* vértigo, mareo... Es el mundo, tan redondo, quien patina, salta y serpentea. Quien frena y vuelve a arrancar. Naves espaciales, globos, cometas, alfombras voladoras... Ay, su pobre cabeza hecha pirámide mientras Aimée duda entre la casa (la de ella, la de Enrico) y el cuerpo de guardia de algún hospital.

Quizás la duda se comunica de un modo misterioso, telepático, extrasensorial entre dos mentes perturbadas, y él le sopla desde atrás que al hospital no. A cualquier parte, a la zona infame, al bosque, al puerto, a las alcantarillas, al cementerio, pero al hospital no. Ni en broma... *Ni se te ocurra, fulanita, ni se te ocurra... Es lo peor que podrías hacer... Tú no tienes idea... ¿Por qué involucrarte...? Aunque, de hecho, ya estás involucrada... Eres una imbécil, fulanita...* Del cuerpo de guardia a la policía no hay más que un paso. El cuerpo de guardia es el purgatorio y la policía ya se sabe. Qué miedo. O quizás Aimée se inventa un soplo del soma inerte para evadir el hospital y llevar a su casa al extraño caído del cielo. Un extraño entre las piedras, ella sonríe... *¿Qué se habrá metido éste...? ¿Con una jeringuilla...? Qué fuerte... Debe ser un hijito de papá... ¿O lo habrán asaltado...? Sí, a lo mejor, con lo mala que está la calle y este niñito de su casa... Pobrecito...* Pasión malinche, soledad, amor a primera vista por un selenita destartalado que, además, se muestra agradecido y bastante razonable desde su inconsciencia... *Él entiende... Claro que entiende... ¿Cómo no va a entender...? No puede pedirme que me meta yo solita en la jaula de los leones...* Sí, porque del cuerpo de guardia a la policía no hay más que un paso. Da lo mismo si la inmovilidad del extraño proviene de una golpiza con lesiones internas o de una sobredosis, lo cierto es que la más generosa de las mujeres nunca le ha caído bien a la policía. Por algún inconcebible motivo, los de índigo piensan que ella es prostituta y drogadicta. *Mira que pensar eso de mí... ¿Qué daño les hago...? Lo que les molesta es mi carro, mi ropa... Son muy mentales, muy mal pensados... Más racistas...* No hay tiempo que perder, no hay tiempo, nunca hay tiempo. Los dedos tamborilean nerviosos encima del timón, suena el claxon. Aimée necesita, con urgencia necesita lo de siempre, lo que ha salido a buscar arriesgándose a un accidente y a toda clase de problemas, lo que ahora mismo lleva en la cartera... *¿Y si se muere...? Bah, si se muere lo entierro en el patio...* El movimiento discontinuo, en zigzag, el traqueteo del carro que sortea leños, cables, trozos, el cadáver de un gato, los baches inundados del pavimento roto. La calle casi intransitable, mala en varios sentidos... *No, creo que no... Eso de ente-*

rrar a alguien en el patio está un poco fuerte... *Demasiadas películas...*
Mejor será que no se muera... Todo oscuro, fluorescencias... *¿Oíste,*
tú...? Haz el favor y no te mueras... Nuestro héroe no desea arrancarse
la cabeza porque está convencido de que ya se la arrancó.

Se apaga el motor. De nuevo el sonido de la puerta del carro,
que ahora se embarulla con otros sonidos... crash crash... plic plac...
Verticalidad breve y confusa. La última caída... *Qué va... No puedo*
contigo... ¿Tú sabes cuánto yo peso...? Noventa y una libritas, mi vida,
noventa y una... Así que no abuses... Un desnivel en el suelo... plic
plac... Una arista se le encaja en los riñones, otra arista, mierda,
otra más... ¿Pero qué es esto? ¿Acaso lo remolcan escaleras arriba?
¡Y después hablan de abusar! Un dolor agudo, punzante, se añade
al otro dolor... plic plac... plic plac... Ojalá que la escalera no tenga
muchos escalones, porque si no... *Stairway to heaven...* Y concluye
el alpinismo, menos mal. Pero las desgracias no tienen fin. De
tanta negrura es la fotofobia cuando Aimée enciende la luz y lo
arrastra por el piso como si fuera un saco de papas. *No te me vayas*
a poner bravo, mi amiguito... Yo te respeto muchísimo, pero no puedo
más... No puedo más contigo, de verdad... Lo deja allí, en el centro
de la cocina. Uf. Las losas frías alivian el dolor en los riñones. Las
losas frías son lo mejor que se ha inventado. Aimée se despoja de
las plataformas para caminar descalza sobre las losas frías. *Ah...*
Qué bien... Una cadenita de oro alrededor del tobillo tan fino. Un
crucifijo, también de oro, pendiente de la cadenita. La cabeza de
nuestro héroe retorna o, al menos, retornan los ojos y se incrustan
en el crucifijo. Los brillos. Desde el fondo de lo oscuro le duelen
los ojos. ¿Habrá algo que no le duela? Fluorescencias de todos los
colores, alfileres que se clavan en lo profundo del nervio óptico,
chispazos, centelleos, pequeñas muertes. Ay, sus pobres ojos. Si
ahora mismo tuviera un arma en la mano, volvería a disparar. Sí,
con tremendo gusto, con furia, con saña, hasta vaciar el cargador.
Porque los brillos irritan, enloquecen, los brillos son peligrosos...
Pero la cadenita se aleja, se va con los brillos, con el crucifijo que
se balancea mientras Aimée busca algo en la cartera. Se afana,
revuelve, escarba como una gallina, sus manos tiemblan... *Aquí todo*

el mundo está muy jodido... No vale la pena ni... No es tragiquismo ni nada, es que es verdad, no vale la pena... Aquí todo el mundo está muy jodido... Se hace una raya en el mismo cristal de la meseta... *Sí, muy jodido...* Ávida, esnifa. Otra raya. Los pobres ojos suben del tobillo al temblor de las manos. ¿Qué manejos son ésos? En los rescoldos de la conciencia hay una película sobre un sacerdote empeñado en evangelizar, por supuesto, a los indios del Altiplano. Era de la Compañía, el sacerdote, un tipo muy listo y muy sutil. Pero los indios eran más listos y más sutiles y lo obligaron a hacer lo que ahora hace Aimée, varias veces lo obligaron y así lo evangelizaron. La conversión fue casi instantánea, el converso se arrancó la sotana, se puso a bailar y a cantar y a cometer toda clase de excentricidades. Debió tratarse de un argumento muy convincente... *¿Qué tú miras, eh? ¿Qué tú miras? ¿Cuál es el mirar? No hay nada para ti... Todavía no te toca...* Aunque la luz sigue encendida, la luz blanca, fría como las losas que ya se van calentando bajo su cuerpo, todo vuelve a ser oscuro. *Después, dentro de un rato... Primero tienes que parecer una persona... Eso, una persona... Luego, ya veremos... ¿No te gusta parecer una persona...?* En pose de Bette Davis, la más generosa de las mujeres fuma un tabaquito mentolado. Se recuesta a la meseta. Sus manos casi no tiemblan. Distante, lánguida, apacible, ella fuma y observa. *Estás hecha una mierda, blanquita... Una reverenda mierda...*

La luz encendida es ahora la de otra lámpara diminuta, pantalla cálida, japonesa, o quizás la llama de una vela. También han cambiado las losas. Más frías, las losas nuevas. Resbaladizas, pulidas. Del escenario anterior sólo permanece la oscuridad. Un líquido gorgotea... glop glop... La oscuridad huele a perfumería. Un olor tenue, crepuscular. Jazmín, lavanda inglesa o manzanitas verdes. Fanática de las esencias, aromas, ambientadores, madrastra osa lo hubiera identificado enseguida... glop glop... Si madrastra osa estuviera aquí y por una de esas casualidades de la vida alcanzara a contemplar la despatarrada pinta de Lorenzo, no habría quien aguantara sus chillidos en varios kilómetros a la redonda. Tiene una clase de galillo madrastra osa... Así que mejor la dejamos dondequiera que esté. Regresemos a nuestro héroe ahora que, hábiles, unas manos que ya no tiemblan le quitan la ropa... glop glop... El pulóver sale en pedazos... *¿Pero de dónde coño tú saliste...? ¿De un basurero, del plan tareco o qué...? Estás un poco hipindango tú... Eres un asco, un reverendo asco... Hay que cogerte con pinzas y yo no soy cangrejo...* Quien tiembla es él. La oscuridad huele a fiebre, mixtura de perfumería y fiebre y otra vez la náusea... glop glop... La oscuridad se estremece como gelatina... *Estás volando en fiebre... Debes estar por arriba de cuarenta... Perdido, perdido... Pobrecito... No dije nada... Oye, mi amiguito, si me estás oyendo, oye, de verdad que no dije nada, lo del asco era jugando... ¿Está bien...?* Desvalido, mudo, de tan vulnerable todo el cuerpo cual talón de Aquiles, quien se agita es él. Sacudidas, espasmos, la grotesca agonía de una cucaracha bocarriba. Una cucaracha que tirita mientras las hormigas, impacientes y voraces, cargan con ella. *Yo miraba eso cuando era niña... Es horrible... Las cucarachas son malas porque se comen la ropa y transmiten enfermedades y eso, pero yo me sentía en el lugar de la cucaracha... Horrible, horrible... Pero tú no tengas miedo... Tú tranquilo... Esta que está aquí no va a dejar que las hormigas te lleven...* Luego, nada. Como muerto... glop glop... El pantalón no sale en pedazos, pero igual habrá que botarlo. Aimée hace un bulto con la ropa. Mira a nuestro héroe, si acaso ese cuerpo rendido con olor a fiebre puede ser el héroe de alguien. Porque si bien la proporción áurea no se destruye con facilidad, si bien las medidas apolíneas también caben en una escultura yacente, aniquilada, lo cierto es que justo el Perseo, el original, el bronce de Benvenuto, representa la estampa misma del triunfo y uno, que es un gran idiota, se entusiasma, se embriaga, se arrebata, redime las frustraciones y los fracasos propios a través de él, jamás quisiera verlo derrotado... *Vaya, vaya... Pero qué bien está mi amiguito, qué bien... Si parece un artista de cine... Quién lo iba a decir... Todo en su lugar, muy bien puesto, como debe ser... Si lo que da son ganas de...* El cuerpo es algo ajeno, algo que puede romperse como un cacharro de cristal, así de simple... glop glop... Ahora pertenece a Aimée. Febril y desamparado, completamente indefenso, el Perseo es de ella, depende sólo de sus ganas. La más generosa de las mujeres, la más radiante, se felicita a sí misma. Y bien que lo merece, aunque no sea su cumpleaños. Salir en busca de las papelinas con tremendo miedo a la calle destrozada por uno de los más cruentos huracanes del siglo que se agota y volver entera, sin rollos con ése que vive al fondo de un pasillo tenebroso pero que siempre tiene de la buena... *sin mezcla...* y nunca ha tratado de aprovecharse... *cosa rara...* aunque ella no tiene a nadie que la proteja... *ni falta que hace...* sólo el pérforocortante en la cartera... *lo pincho, yo sí que lo pincho, a él y a quien sea...* sin rollos con la policía... *más envidiosos, más racistas...* sin abolladuras ni gomas ponchadas ni arañazos en la pintura del carro... *rojo fuego, como a mí me gusta, bien afocante...* con las papelinas... *hasta la semana que viene por lo menos...* y con esta criatura perfecta, este hombrecito sucio y medio muerto que parece un artista de cine, así de pronto a su disposición, sólo para ella, no es un mal negocio. No lo es... glop glop... Así las cosas, Lorenzo no sirve para nada. Pero ella no necesita que él haga nada. Se conforma con sentir que es suyo, que lo posee, con soñar que nadie vendrá a quitárselo. *Tú tranquilo... Tranquilito... Del resto me ocupo yo...* Ella lo mira y lo mira y advierte la cicatriz en la boca, la acaricia con los dedos nerviosos, advierte los dedos nerviosos, se aparta, se hace otra raya justo en el borde de la bañadera y esnifa.

Del vacío a veces queda cierta memoria. La inmersión, el contacto del agua con la piel, múltiples agujas que atraviesan la piel por todos lados hasta llegar al esqueleto. El frío ya no humano, el cabeceo, el manoteo, el pataleo... splash splash... *Tiene que ser así, blanquita, no me jodas... Si te la pongo caliente no resolvemos nada... Igual la vas a sentir fría...* Cuando se moja la fiebre por arriba de cuarenta, por arriba de cuarenta y uno, la fiebre en la ingravidez, en la plenitud, rozando el aura, el umbral de las convulsiones, es la violencia... *Ya, ya, tranquila, tranquila... Ay, coño, así no se puede...* Como si le inyectaran electricidad, el cuerpo ajeno de Gabriela se revuelca en el desorden, se dispara, se retuerce, levanta olas... splash splash... *Esto se va a convertir en una piscina...* Los brazos de Aimée no bastan para controlar el desbarajuste del cuerpo que rechaza el frío ya no humano, que se empeña en salir a flote... *Aguanta ahí, blanquita, aguanta como si fueras una mujer...* Aimée resbala y se golpea una rodilla. *Me cago en tu madre, blanquita...* Con qué gusto la abofetearía... *Una buena entrada de galletas...* Así, linda y todo. Con el pelo largo y todo, como las lindas de las telenovelas brasileñas. Pero no. Ni se enteraría, con el suene que tiene... *Estas niñitas burguesitas son una reverenda calamidad... Claro, como que todo les cae del cielo...* Piensa en un hombre fuerte, en alguien capaz de sofocar esta rebelión emergente... splash splash... Casi de inmediato se indigna consigo misma, con su propio pensamiento. ¿Quién necesita un hombre fuerte para domesticar a la fiera? No Aimée, desde luego... *Los machos son una porquería... Si lo sabré yo... Tanto lío y tanta cosa y luego, a la hora de los tomates, nada de nada... Eso, si no se ponen para el daño...* Esta muchacha es suya, sólo suya. Ningún hombre fuerte vendrá a quitársela. Ella la recogió cuando nadie la quería. Pues, ¿qué hace una muchacha tirada como basura en la calle a no ser que algún tipo le haya hecho algo malo? *O más de uno...* Aimée se estremece por causa de algún recuerdo ingrato. La rodilla sangra... splash splash... Sin quitarse el vestido, entra en la bañadera... *coño, qué fría... de verdad que está fría, pobrecita...* se coloca a horcajadas sobre el cuerpo convulso, aprieta los muslos contra las caderas de Gabriela como si domara un potro salvaje, apoya las manos con toda su fuerza, que no es mucha pero es, en los hombros de la rebelde y la hunde... *Vamos a ver ahora... Vamos a ver...* El cuerpo ajeno de Gabriela emerge y Aimée lo hunde. Así, muchas veces, muchas... *Tú tranquila, que no te vas a ahogar... Es por tu bien... Yo no voy a dejar que te ahogues ni nada...* El potro no oye. Qué va a oír. Salvaje se resiste, se sacude, intenta derribar al jinete... splash splash... Hay tirones, manotazos, espuma, burbujas, la sangre de la rodilla se mezcla con el agua... splash splash... Con el forcejeo se ha desgarrado el vestido, por el frente, del escote a la cintura. Los senos de Aimée tienen la forma de los de lady Chatterley, caen como pequeñas peras, se balancean, el vaivén entrecortado del otro cuerpo los hace brincar. Aimée los mira, le gustan. Luego mira los de Gabriela, firmes, puntiagudos, también le gustan, quisiera tocarlos pero no se atreve a apartar las manos de los hombros... *Esto está muy bien, blanquita... Muy requetebién... Ay, sí...*

Para la próxima vamos a cobrar la entrada... Tú verás que de ésta nos hacemos millonarias, multimillonarias... De nuevo retornan los ojos. Hay frío, pero va cediendo. Lentas, las agujas se desclavan. La luz, proveniente de otra lámpara diminuta, pantalla cálida, japonesa, o quizás la llama de una vela, se abre paso sin lastimar. Qué calma. Entre las brumas, de pronto, un relámpago... Pero no duele, es sólo un pincel fulgurante que recorre la noche, que la abre y la parte en dos, un destello que ilumina contrastes como en los cielos del Tintoretto... La piel muy clara junto a la piel muy oscura, los pezones morados y los rosa café... Débil, apenas una sombra de sí misma, Gabriela extiende ambas manos para tocar al ser encima de ella. ¿Una muchacha? ¿Una negrita? ¿Será posible? ¿Qué locura es ésta? No se pregunta dónde está, qué hace allí, por qué el agua, por qué le han quitado la ropa. Por qué la muchacha pelada al cero, con un vestido roto y unas argollas de oro viejo, sin pulir, sin agredir, suspira de alivio. No se pregunta nada. Sólo extiende ambas manos que tropiezan con la tela empapada, con el borde de un desgarrón en la tela empapada, la piel muy oscura, muy lisa, húmeda, como esperando... Sin finalidad, sin disfraz, sin otro nombre: el deseo. Sin dejar de sujetarla por los hombros, Aimée se inclina sobre la rebelde y la besa en la boca.

El agua tibia se lleva la espuma, diluye la grasa y el churre de todos esos días que nunca se sabrá si fueron muchos o pocos, deshace la ansiedad y la desesperación, borra las marcas exteriores de la noche peligrosa. La fiebre se degrada, se reduce a destemplanza. De más de cuarenta y uno a menos de treinta y ocho, bien lejos del aura, del umbral de las convulsiones. Sólo el diablo sabe si volverá a subir. Ojalá que no, pero es un ojalá débil, susurrante, referido a algo que ya no importa demasiado. El dolor también se degrada, se reduce a fatiga. A ese cansancio que entrevera los átomos del cuerpo con los de la sábana tan limpia, tan olor a violetas, para fundir al durmiente con la cama en horizontalidad perpetua. Ahora el cuerpo, volcado hacia adentro, en una especie de limbo donde reina la quietud de su propia nada, se apresta a renacer mientras amanece en una ciudad que es la devastación. Algunos rayos se cuelan por los vitrales de la sala, relucen corpúsculos. Rojo amarillo *cyan*, las franjas de corpúsculos chorrean, acarician los objetos hasta el suelo. En el patio, los graznidos de las aves del paraíso... *Pajarracos... Hoy los pongo a dieta...* Agotados y nocturnos, la más generosa de las mujeres y su hombrecito limpio han caído en la cama. Jamás sabrán cómo han logrado llegar hasta allí. Toda una proeza después de tantas horas, horas que forman siglos, de lidia con la fiebre. Para ellos no amanece. En la memoria del Perseo (en algún lugar de su memoria al que, por ahora, no tiene acceso) hay un duende entrometido haciendo toda clase de murumacas. Oscuro y pícaro, de ojos grandes, todo el tiempo encima de él, impidiéndole huir del frío ya no humano... splash splash... *Tranquilo, papi, tranquilo... Mira cómo me desgraciaste el vestido... Estos machos son más pendejos...* ¿Papi? ¿Macho? ¿Pendejo? El travieso encaramado estaba loco o quizás se dirigía a otra persona, a alguien muy distinto de Lorenzo. ¿O acaso Lorenzo se había transformado en alguien muy distinto? Salpicaduras, empujones, chapoteos... splash splash... *Tranquilo... No te me vas a escapar, blanquito, así que estáte tranquilo...* Imposible obedecer... splash splash... ¿Cómo quedarse tranquilo dentro de un cuerpo que se congela y se ahoga a la vez? *Te digo que es por tu bien... ¿Por qué no te entretienes en algo, eh...? Mira mis teticas... ¿No te gustan...? Claro que te gustan... Mira, mira cómo se mueven...* Sí, definitivamente Ojos Grandes estaba loco. De manicomio. De camisa de fuerza. La memoria de nuestro héroe, sin embargo, no registra nada parecido al miedo. Nada semejante a lo que debiera sentir el prisionero de un duende chiflado, acróbata y acuático. Qué raro... *Ya sé que está muy fría, pero se te va a pasar... Se te va a pasar... Se te tiene que pasar...* Dolor sí. Múltiples agujas que atravesaban la piel por todos lados hasta llegar al esqueleto, a la infortunada certeza de que los huesos, incluido el cráneo, aún estaban allí, aún persistían en reclamar su atención. Pero miedo no. Entre otros desmanes, el atrevido diablejo lo besó en la boca. Una cálida lengüita exploradora entre los labios ardientes de Lorenzo. ¿Se habrá visto descaro igual? Pero no le hizo daño. Nuestro héroe se congelaba y se ahogaba, mas no se ahogó ni se congeló... splash splash... Y a fin de cuentas lo del beso no fue tan desagradable. Bueno, ni siquiera fue desagradable. Quizás hubo alguna amenaza... *Oye, papito, si no te portas bien, ¿tú sabes lo que voy a hacer...? Voy a traer hielo y te lo voy a poner en...* Pero no lo hizo. Menos mal. Semiconsciente, indefenso y mudo, nuestro héroe no podía sacárselo de arriba y, sin embargo, lo sentía ligero, frágil, delicado como algo que se posa. Tal vez le hubiera gustado tocarlo, pero era tanta, tanta la debilidad... *Oye, loco, ¿a dónde van esas manos...? Quita, quita... Ni que se te fuera a acabar el mundo... Ya te dije que primero tienes que parecer una persona...* Las tinieblas se prolongan ahora en el sueño. El aire acondicionado ronronea y Aimée, desnuda, abraza al hombrecito por debajo de la sábana. Ella no puede dormir, hace mucho tiempo que no puede dormir. No sabe por qué y tampoco quiere saberlo. En realidad, lo que menos quiere es saberlo. Sus dedos, otra vez nerviosos, recorren el perfil del soñador. La nariz de Lorenzo es fina y breve, nada imponente, luciría muy bonita en la cara de una muchacha. *En la mía no, claro...* Hay días en que la insomne está de acuerdo con su propia nariz y, sin embargo, las prefiere distintas en los otros. La engolosinan hasta los perros de hocico afilado, collies, daxies, pomeranios... Ignora si lo más natural es que a uno le atraiga algo diferente de uno mismo o si tanta insistencia en los modelos blancos de belleza, ya sea nórdica o mediterránea, termina por hacer lo suyo o quién sabe si su preferencia no se deba al simple hecho de que, mientras los negros le pegan, los blancos le pagan y no hay más nada. Nunca se lo ha preguntado. Igual que sucede con la mayoría de las personas, el origen de los gustos le importa un rábano. Le gusta lo que le gusta y punto. *Me gustas tú...* Los dedos descienden a la boca, a la cicatriz... *Mira para eso... Qué lástima... Tú debes ser tremendo buscapleito...* También ha descubierto la cicatriz en la espalda y le preocupa. Dibuja sobre una y piensa en la otra. Aunque no se trata de pensar en el sentido de construir o destruir algo mediante la razón, más bien divaga, combina imágenes, junta retazos. Y esto ocurre contra su voluntad, lo cual no es nada asombroso. ¡Tantas cosas han ocurrido contra su voluntad! Es un hecho: su voluntad no cuenta. Quiere olvidar la cicatriz en la espalda y no lo consigue. Quiere colocar en su sitio algo inofensivo (un tatuaje, por ejemplo, un zun-zún que parezca vivo cuando el muchacho camine...) y no encuentra la manera. La cicatriz la ronda y la ronda, le hace guiños, la persigue. Insistente, se le impone. Obstinada cual marfuz, se convierte en el pretexto de hoy para no dormir. En vano la insomne busca explicaciones, argumentos, coartadas, alguna idea que funcione a modo de exorcismo. Frente al demonio de la perversidad, como diría Poe, las ideas no funcionan. A la insomne no le queda más remedio que aceptar la evidencia: alguien ha lastimado al hombrecito *deliberadamente*. Alguien lo ha torturado. Detrás de la cicatriz en la espalda hay una historia sádica. Por más que pretenda ignorarlo, Aimée sabe muy bien *cómo* se graban esas señales: tiene una idéntica en una nalga. La huella más visible de un viaje al infierno. Cinco, seis, siete, no recuerda, no quiere recordar... Pero el dique se ha roto y la avalancha de asociaciones es ya indetenible. Cinco, seis, siete, intoxicados hasta las orejas, la golpearon, la reventaron, casi la matan. Alguno habló de «firmar el trabajo»... *Pensaste que después de aquello no valía la pena vivir... Reconócelo, fue lo primero que pensaste en el hospital... Sólo que no podías moverte de la cama...* Cuando le preguntaron, después, ella dijo que no sabía nada, que no se acordaba de nada. Que no podría reconocerlos aunque los viera de nuevo. Quizás era cierto. Quizás ya desde entonces era cierto. Y no hubo nadie capaz de convencerla, no retrocedió un milímetro. No necesitaba que los agarraran y los juzgaran y los condenaran, la noción de «justicia» le parecía demasiado vaga para ser confiable. ¿Por qué seguir dándole vueltas a lo mismo y lo mismo? Nada cambiaría lo sucedido. Lo que ella necesitaba, con urgencia, era el punto final. Aún hoy lo necesita. Aún hoy lo busca en las papelinas, en un cuerpo hermoso, en el fondo de una botella... ¡Ah! ¿Será posible? Tantos años procurando entorpecer la memoria, domesticarla, ejercer algún control sobre ella, y ahora esto... *¿Quieres saber algo, fulanita...? Era verdad... Era verdad que no valía la pena... Unos son fuertes, otros no... ¿Qué es mejor...? ¿Ser fuerte o ser débil...? Nada es mejor...* Se ahoga en la avalancha, en la voluntad que no cuenta... *Tú... No me hagas reír... Tú no eres más que una fulanita que* *vive de prestado...* Por debajo de la sábana, Aimée abraza con desesperación al hombrecito, se aferra a él.

Entretanto, la soñadora atraviesa un páramo sin que sus pies toquen el suelo. Magnífico. Sí, porque el suelo se presenta cenagoso, turbio, humillante, un lodazal con detritus y hojarasca, olor a mierda y sangre podrida. Tal es el fondo del paisaje. Pero sólo eso, el fondo. En el páramo también hay un cielo donde la soñadora flota. *¡Ah! No hay nada como soltar lastre, soltar amarras... ¡Ah! Qué serenidad, qué alivio, qué paz...* Mira hacia abajo y nada ve. Ni el búho en el nicho, ni las orquídeas animales, ni los pájaros y peces escapando en bandadas de un solo huevo. El andarín ya no persigue al peludo, los escarabajos y las libélulas tampoco están, no hay nadie. ¿A dónde se han ido todos? La fiebre los ahuyentó y quizás no regresen. Pero la soñadora no los extraña, no siente la carencia. La soñadora vuela. Sin alas y sin sol, sin ese horrendo *tropical sunshine* que derrite la cera y los cerebros y quebranta a los soñadores-voladores de la zona tórrida para hacer de ellos, infelices, un hervidero de Ícaros. En el cielo del páramo está el fresco y es la noche. La soñadora se eleva, desciende, torna a elevarse entre piruetas. ¡Ah! Es maravilloso volar donde no hay nadie. Si hubiera alguien, ya hubiese acabado con el vuelo a pedrada limpia... *¿Qué hace aquella insolente por allá arriba...? ¿Qué se ha creído...? ¿A quién le pidió permiso...? Esto es verdaderamente inadmisible...* Nadie como los demás para estropear las cosas. Hasta en sueños. Dormida, Gabriela sonríe. Aimée, sentada en la cama con el whisky matutino y un tabaquito humeante, la observa. *Esa cara... Esa cara... ¿De dónde yo la conozco...? Porque de que la conozco, la conozco... Esa cara... No es tan linda nada... Tampoco fea... Se parece a... A cualquiera... Se parece a cualquiera... ¿De dónde...?* Bah... Acomoda el tabaquito en un cenicero. *Es igual... Lo mejor de esta muchacha no es la cara...* Subrepticia y sigilosa, como quien roba una pieza antigua y cristalina en un museo cundido de alarmas, aparta la sábana tan limpia, tan olor a violetas. La operación resulta un éxito: Gabriela ni se entera. Aimée la observa de nuevo, se observa a sí misma observándola y reaparecen los contrastes... La piel muy clara junto a la piel muy

oscura, los pezones morados y los rosa café... *Es lo que yo digo...*
Durísima la blanquita... Hasta parece medio deportista... Quién lo iba
a decir... Claro, eso de andar tan cochina y regada por el piso como un
juego de yaquis... Extrae del vaso (un muy correcto vaso de cristal,
de los que hacen chin chin, que ella no es ninguna aberrada) un
cubito de hielo y lo frota muy sutil contra el rosa café que se eriza de
inmediato. Luego se aleja, recobra el tabaquito y fuma sin dejar de
mirarla. A través del humo y de Johnny Walker, la soñadora sonríe
distinto. Y no es para menos. Entre las nubes del páramo hay ahora
otra criatura volante. Invisible, hecha de murmullos y repeticiones,
ligera, frágil, delicada como algo que se posa. Divina. A la soñadora le encantaría abrazarla, mezclarse con ella. Mientras, Aimée
derrama un chorrito de Johnny en el vientre cóncavo de Gabriela.
En modo alguno se siente usurpadora. Nadie la convencerá jamás
de que en la bañadera, en medio del maremoto, la rebelde no hizo
por tocarla con el aire posesivo y medio salvaje de los motoristas
imitadores de Marlon Brando... *si es tan fresca medio muerta, ¿qué no*
será cuando reviva...? de que no le devolvió el beso con la vehemen-
cia de un famélico que siente que le van a arrebatar el plato... *ahí sí*
que no le importaba ahogarse, le daba lo mismo ocho que ochenta y ocho...
de que no es, en fin, una lesbiana consumada y experimentada...
una tuerca fuertísima, de armas tomar... Aun así, no se atreve a lamer.
Sólo mira y mira la insidiosa expansión de Johnny, el conquistador
de territorios muy claros desde la piel hasta la sábana, y se felicita a
sí misma por su gran hallazgo. ¿Por qué sonríe la bella durmiente?
¿Por qué se saborea? ¡Ah! Porque vuela. Porque la otra criatura
volante se abraza a ella, se mezcla con ella. Porque sin verla, sin
saber qué es ni cómo es, la siente deliciosa, dura y suave entre los
brazos y las piernas. Aimée apaga el tabaquito. Los dedos nerviosos se deslizan por el vientre húmedo, el ombligo anegado... En el
vuelo están los vestigios de la fiebre, un dolor muy leve, difuso, casi
aéreo, casi nostalgia del dolor. Ingravidez. Fluorescencias. La otra
criatura lame, chupa, besa, muerde. Acaricia la nostalgia del dolor.
La soñadora gime. ¿Con quién estará soñando? *Yo soy Aimée... ¿Tú*
me oyes...? Aquí no hay más nadie... Nada más estoy yo, Aimée... Esta

es mi casa, esta es mi cama y tú eres mía... Pero la tentación resulta demasiado fuerte para una fulanita cuya voluntad no cuenta... *a la porra contigo, blanquita... hazte el cráneo que te dé la gana...* Aimée no puede no atreverse, aun cuando no le consta que su realidad sea más real que la realidad de la soñadora. Se siente miserable, puro objeto y ni siquiera objeto verdadero, mientras persigue el sabor de Johnny con la punta de la lengua sobre la piel muy clara. Es maravilloso sentirse miserable. Así, a plena conciencia, bien miserable, nulidad, poca cosa y absolutamente nadie, cuando la lengua desciende y el sabor de Johnny se va transformando en un sabor distinto. En algo que se anima y palpita y nuestro héroe, allá en las nubes, muy feliz. El cielo del páramo es el séptimo cielo, el jardín de las delicias, la fortaleza de Alimut. Lo que le hace la otra criatura también lo ha hecho él, miles de veces. Divina, invisible, hecha de murmullos y repeticiones, no importa qué es ni cómo es. Importa lo que hace y lo hace muy bien, como si él la hubiera enseñado, como si ella fuera él. Remanentes de la lidia con la fiebre, ejército diezmado pero aún batallador, los restos de energía se reúnen, se concentran en un rincón preciso del hombrecito de diecinueve años. Molido, convaleciente, apachurrado, pero diecinueve años y ya Aimée no puede tragársela entera. Lo intenta, golosa, mientras escucha la respiración de nuestro héroe. El ritmo de los labios y la lengua coincide con el ritmo de la respiración. Para sentirse miserable (y, por tanto, de maravilla), a ella le basta con imaginar el cuerpo de la muchacha que seguro él imagina ahora, blanca como la coca y rubia como un sol. Es tanto el placer de sentirse miserable que la más generosa de las mujeres desiste de cobrar lo suyo, renuncia a utilizar su propia obra y decide proseguir hasta el fin con los labios y la lengua. Y entonces, justo en el momento del estallido, aparece una tercera criatura volante en el cielo del páramo. Frente al soñador que se derrama, los iris negros del intruso ya no invitan. Por el contrario, excluyen. Una mirada fría, cruel, despectiva. El soñador se sobrecoge, se espanta, despierta en un grito áspero, tan extenso como el estallido. Frente a él, los iris negros llenos de miedo. Una mirada cálida, amable, suplicante...

Entre el sueño y la vigilia, un interregno. Para el soñador-volador ya es tiempo del aterrizaje forzoso con neblina en la pista. ¿Qué oculta la neblina? ¿Otra vez el nauseabundo suelo del páramo? *Daniel, Daniel...* La pesadilla se desprende poco a poco de nuestro héroe. Igual que dentro del agua, Ojos Grandes no parece hostil... *No, no... No pasa nada... Yo soy Aimée... Tú estás aquí, conmigo... No pasa nada... ¿Aimée? ¿Aquí dónde?* La mirada del color de una tierra llamada Rickey es de alivio y también de sorpresa... *Ah... Qué lindo... Si parecen dos lechugas acabaditas de lavar...* En todo hombre que despierta hay algo de Rip Van Winkle. Algo que tal vez acepta pero seguro no entiende cómo fue que el rey George cambió su uniforme rojo por uno azul y ahora lo llaman general Washington. Demasiado para un solo corazón. Rendido, el cuerpo ajeno extiende una mano hacia el diablejo que, agazapado en una esquina de la cama, habla de lechugas y otras hortalizas o algo así. Pero no llega a tocarlo ni tampoco a decirle ven, ven si quieres, no te voy a maltratar... *Maltratar* es una palabra muy larga y muy ancha para quien no es ni la sombra de sí mismo, de modo que Lorenzo balbucea alguna extravagancia más corta y más estrecha y vuelve a sumergirse en la neblina de la pista. Así transcurren muchas, muchas horas. Quizás días. Todo oscuro. Tan oscuro como muy oscuro, insondable a ratos. De vez en cuando, cierta luz. Vacilantes, los primeros pasos por la habitación, el corredor, el baño. Trastabilleos, el piso que ondula. Pasos de alguien que flota. El Perseo no medita, no razona, se deja llevar. Se apoya en el duende, quien lo sostiene mientras le ruega que no exagere y que no abuse. El Perseo no habla. El extravío de sus documentos en la noche peligrosa ha hecho de él un enigma. *¿Será posible que no haya que avisarle a nadie...? ¿Que no quiera ni llamar por teléfono...? Hay tipos que se dan golpes en la cabeza y se les funde el bombillo y no se acuerdan ni de su abuela... Qué suerte tienen...* Caldo de pollo, zumo de naranja, el frío va y viene. *O si no, les pasa como al vecino que se dio un tortazo con el bolón de hierro ese que usan para demoler los edificios y quedó, el pobre, que ahora tiene que pensar antes de hablar... Bueno, en realidad el vecino adelantó, porque así es como debe ser...* Mañoso, maternal, indiferente a los enigmas como alguien que sabe que la vida es lo que va sucediendo mientras uno piensa en otra cosa, el diablejo revolotea. Se tiende junto a nuestro héroe, fuma, esnifa, invita, lo calienta con su cuerpo. Murmura palabritas que nadie entiende pero que suenan de lo mejor. Por debajo de la sábana hay besos con sabor a Johnny, dos criaturas volantes que se abrazan y se mezclan. El Perseo le ha salido torpe, extrañamente virgen, pero muy dócil, muy sin límites, un cuerpo donde todo vale. Duro y suave, delicioso entre los brazos y las piernas, el duende no puede ser una mujer... *¿Ah no...? Primera noticia... Eso sí que nunca me lo habían dicho... ¿Tú lo dices por el pelado...? Yo antes llevaba unas trencitas plásticas, tú sabes, larguísimas... Pero me aburrí y me las quité... Para serte sincera, a mí toda esa plasticancia me parece una chealdá de la vida...* Lorenzo descubre la forma de los senos, los sostiene, los deja caer, los aprieta deslumbrado y piensa que no puede ser. De ninguna manera puede ser, porque las mujeres son repugnantes, unos venenosos y deletéreos bicharracos... *¡No me digas...! Era lo último que me faltaba por oír... ¿Qué es eso, deletéreos...? ¿Tiene que ver con el detergente...?* Ojos Grandes recorre, surca, investiga, se apodera. La lengüita exploradora se mueve en círculos por los lugares más recónditos, penetra. Luego un dedo, lento, profundo, en círculos... *Qué bien, papito, qué bien... ¿Tú sabes que hay una pila de imbéciles acomplejados por ahí que no se dejan...?* Por otro lado, es tanto lo que conoce el diablejo... No puede ser una mujer porque las mujeres son una pila de imbéciles acomplejadas que no saben nada de nada... *¿Ah sí? Cuéntame cómo es eso... Anda, chico, para enterarme... ¿Qué* le va a contar? Nuestro héroe curiosea con los dedos en una cosita húmeda, esponjosa... (*Cosita* no parece ser un término demasiado descriptivo, pero a él, que de pronto es Adán y ha tropezado con un mundo nuevo y desconocido, sin definiciones y sin nombres, no se le ocurre otro.) Balbucea alguna incongruencia. Retrocede. Eso sí que lo asusta... *Pero... Pero ven acá, papito, ¿de qué luna tú te caíste...? Yo creo que el golpe que te dieron en la cabeza te dejó un poco... Vaya, cómo decir, un poco así...* Aimée se ríe, le revuelve el pelo, canta, baila, mueve las caderas, se enrolla, se para de cabeza, hace muchas travesuras y de algún modo protege al selenita. *¿Diablejo...? ¿Qué* *es eso de diablejo...? Diablejo tu madre...* Fascinada, Gabriela contempla la danza desde la cama. De la fiebre y la fatiga, ha viajado sin escala al whisky y al Altiplano. Va de asombro en asombro. Alucina. Delira. Fantasea. No es posible que a su alrededor bailen un montón de negritas flaquitas, desnudas y pelonas, con argollas de oro viejo y un crucifijo en un tobillo. No es posible que *eso* la excite, que la estremezca por dentro. No es posible que se rían, tristes, muy tristes las negritas con los ojos gachos, que giren como trompos, que se den nalgadas, que expulsen el humo por la nariz. No es posible que los chorros de Johnny se entreveren con los de sudor y corran juntos por la piel muy oscura. No es posible que los senos como pequeñas peras salten frente a ella, los pezones morados y tan erectos a escasos centímetros de su boca, que se alejen cuando trata de alcanzarlos y que *eso* la ponga al borde del orgasmo. No es posible que se escuche intacta, sin impurezas, la voz desmerengada de Bob Marley rogándole que no llore... Con el cabello enredado, nudoso, harapiento como el de un pirata vikingo, Gabriela siente muchas ganas de llorar. Entre besos y cosquillas por todas partes con una exuberante pluma robada a los pajarracos del patio, le han susurrado al oído que... *la policía acaba de agarrar a ése... al monstruo, chica, al hijoeputa, al violador... Tuvieron que protegerlo de la furia de la gente porque la gente se enteró enseguida y partieron p'allá... Tú sabes cómo es eso, radio bemba... La gente se puso muy furiosa, no digo yo, y querían desguabinarlo allí mismito... Fue cerquita de aquí de la casa... ¿Tú te imaginas...? Nos lo perdimos... Qué lástima... Figúrate, que empezaron a tirarle piedras y cambolos al hijoeputa y no se sabe si llegaron a chocarle el cabezón, ojalá que sí... La cosa fue que la policía se metió en el medio, ellos como siempre, de intrusos y metíos en lo que no les importa, y entonces la gente, como es natural, se puso más furiosa todavía y empezaron a tirarle piedras y cambolos a la policía y entonces sonó un tiro ¡pun! y la gente se echó p'atrá porque un tiro es un tiro y ahí mismito fue donde chin chan, la policía y el violador aprovecharon para quemar el teni y se fugaron juntos en el patrullero... Y ojos que te vieron ir, jamás te verán volver...* Gabriela siente muchas ganas de llorar porque ha olvidado muchas cosas y toda esa historia lo que le da es tremenda risa. ¿Será verdad lo del golpe en la cabeza? Y las negritas ahí, saltarinas, bailonas, retozonas, girovagantes y sinuosas, gozando la papelina.

La evangelización suele adoptar formas diversas. Los sentidos se potencian, se alborotan, se disparan. Un cambio de velos se finge lucidez, milagro, encontronazo divino. A veces uno llega a pensar que lo único cierto es lo imposible. Otro síntoma, aún más grave y peligroso, es la incontinencia verbal. Gabriela no puede creerlo, pero lo cierto es que su propia voz se le ha vuelto ajena. Brota como un chorro a presión, no logra contenerla y ahora la oye enhebrando una sarta de incoherencias donde aparecen la tal Antonieta y el malvado Ruperto, la barraca donde alguien (en modo alguno ella misma) ensayaba no del todo consciente su destino (llamémosle así) con una escopeta de perle, apuestas y aplausos, la media tarde en el campo mugriento, muros y alambradas, la sombra, el Barriga con su letrerito conmovedor en el pulóver, seis o siete muchachos de pésima puntería, el artefacto muy cómodo en la mano, la infelicidad de las dianas, el olor a pólvora, acre, reverberaciones, los brillos de la resolana, el parche, las instrucciones del manual, el que-sirve-para-no-escuchar, el dedo de Dios, otra vez la sombra, la nube confusa de polvo y resplandor, el momento inerte donde todo res-bala... Desnuda, fumante y abrazada a Aimée, Gabriela habla y habla. No hay manera de que se calle. Su propia voz ajena se des-borda, se enreda en las volutas del tabaquito mentolado cuando llega al punto climático, aquel donde la instructora del mono deportivo, azul, era una negra de mierda que la había empujado y le había dicho... bang bang... Desmesurados se abren los ojos gachos de Aimée. Parpadea. Se eriza. Estornuda. Se aparta. *Así decían aque-llos... Así mismito decían... Negra de mierda...* Pero no se trata de las palabras. No hay que ser tan susceptible con las palabras. Después de todo, a cualquiera le dicen cualquier cosa de mierda. En esta vida todos participamos de alguna clase de mierda, de otra manera no seríamos seres humanos. Se trata del tono, la tesitura, esa modula-ción que destila un desprecio tan hondo, tan agudo, incondicional, irremediable... *Negra de mierda... Alguien que no es persona, que no es nada, que no es... Sí, negra de mierda... Alguien que se merece que la revuelquen y la pateen y la dejen sorda de un oído de tanto machucarle la cabeza contra el piso y la claven con un palo que le perfora el útero y la deja estéril y la quemen con un cigarro encendido y...* Pero Aimée no quiere recordar, no quiere. Durante los últimos tres o cuatro días ha estado recordando más que durante los últimos tres o cuatro años. No importa cuánto esnife ni cuánto beba: su voluntad no cuenta y ella recuerda. ¿Cómo es que la extraña, ahora mismo más extraña que nunca, se las arregla una y otra vez para obligarla a enfrentar su memoria? ¿Por qué lo hace? Podría echarla de allí, piensa, no volver a verla jamás, pero sabe que no valdría la pena. Si la extraña se marcha (en algún momento tendrá que hacerlo), no se llevará consigo todo ese fardo de recuerdos que no le pertenece. La memoria, como el pasaporte, es intransferible. *Vaya... Qué racista me has salido tú...* La más generosa de las mujeres no sabe nadar en aguas profundas. Criatura de superficie al igual que nuestro héroe, ella se ahoga. Se cubre el rostro con ambas manos. Vuelve a ser el diablejo agazapado en una esquina de la cama. Gabriela se ríe y ahora es Aimée quien no da crédito a lo que oye... *Y arriba se ríe... ¿De qué cojones se ríe...? Esta blanquita es más malvada que el malvado Ruperto ése... Los malvados siempre se están riendo... Son más risueños que nadie... ¿O será que está loca...? Ese cuento del tiroteo... No, no es malvada, pobrecita, lo que pasa es que está loca...* Ese cuento del tiroteo se parece, más que a lo que alguien ha hecho, a lo que a alguien le gustaría hacer, pura masturbación mental. Si todas las masturbaciones mentales de todas las personas se volvieran de pronto realidad... ¡ay! Gabriela se ríe porque tiene muchas ganas de llorar. Es tan bonita la negrita, se mueve tan bien, la desea tanto... Un deseo muy intenso puede incluir las ganas de llorar del mismo modo en que las provoca un incendio en una película, cuando el calor de las llamaradas condensa el aire en el lente de la cámara y la imagen se torna borrosa... *No te pongas así... Lo que te conté no tiene nada que ver contigo... No vayas tú a pensar que yo ando por ahí poniendo cruces de fuego... Tú me gustas... Cuando tú dices «blanquita» no suena igual... Para nada suena igual...* Se ríe, le tira un beso, gatea, se arrastra como una sierpe, se aproxima para capturar con la punta de la lengua las gotas de Johnny que aún ruedan por la piel muy oscura. El diablejo no huye. Se deja hacer, le acaricia la espalda, hunde los dedos nerviosos en la melena del pirata vikingo... *¿Y tú piensas que yo me lo creí...? Mentirosa, mentirosa... Eres la mata de la mentira... ¿Tú te piensas que yo nací ayer...? Todo eso que me contaste es una mentiraza grandísima... Tremenda turca... Ni tú misma te lo crees...* La mata de la mentira no discute. En lugar de eso, aprovecha para instalarse de nuevo en territorio caliente. Olfatea, lame, recorre. Curiosea con los dedos en la cosita húmeda, esponjosa, la misma que aún la asusta aunque no debiera. Una amalgama de ansiedad, torpeza y timidez, preside los primeros paseos por el desconocido reino de Afrodita Sáfica, la iniciación donde el supremo encanto consiste en reconocer que se ignoran las posibilidades del propio cuerpo y la suprema osadía en advertir que ninguna muchacha es igual a otra. Aimée sabe que gusta y al mismo tiempo se siente investigada por el mismísimo dios del miedo. Su voz se desparrama dulce, protectora... *Nunca lo has hecho, ¿verdad...? O por lo menos nunca lo has hecho con una negra de mierda...* Gabriela se ríe otra vez y otra vez la besa. De más está decir que no. Que ni siquiera se ha atrevido a imaginarlo en duermevela. Ella quería ser normal o, en última instancia, parecerlo. Aunque nunca logró saber a ciencia cierta en qué consistía la normalidad... *¿Por qué tú sigues con eso...? No seas así... Mira, cuando yo hablo nadie me cree... Así es la gente, incrédula... Y lo más increíble de todo es que yo no soy racista... Yo me he acostado con hombres de todos los colores y la verdad es que ninguno me ha gustado... Aunque en realidad yo no buscaba que me gustaran, eso era lo de menos... Yo buscaba que me abrazaran para hacerme la idea de que me querían, aunque fuera por un rato... Qué patético, ¿verdad...? Y yo debo ser tremenda imbécil, porque en realidad yo creo que todo eso del amor es una falacia, una turca, como tú dices, un pretexto que usan las personas para joderse la vida unas a otras... Fíjate para que tú veas... Porque te amo te persigo y no te dejo ni respirar... Porque amo a otra te dejo plantada, no sin antes hacerte saber que no vales nada... Pero, así y todo, yo quería que me quisieran... Después del tiroteo, en el que tú,* *por supuesto, no crees, ya yo no quería más nada... Quizás escapar, irme lejos, muy lejos... Lo de la instructora fue una casualidad... Apenas nos conocíamos, yo no sé ni cómo se llama... Es decir, cómo se llamaba... A lo mejor yo tenía que matar a alguien de todas maneras y le tocó a ella... ¿Tú no has oído hablar de la gota que colmó la copa...? Era negra porque tenía que ser de algún color... El Barriga era blanco, como la tripa de un pescado, pero eso no cuenta, claro, porque eso fue en defensa propia... Lo de Antonieta y el malvado Ruperto no es lo único, es nada más que una pequeña parte, pequeñísima, de todas las cosas horribles que... Si ahora me pongo a contártelo todo no acabaríamos nunca... Y en cuanto a Daniel, no sé... Sinceramente, no sé... De todas maneras ya no importa... Pero fíjate, si nada de eso hubiera pasado, yo ahora no estaría aquí contigo...* Aimée la escucha impávida. Piensa en el lado oscuro del arrebato, espacio trágico de mentiras y verdades trágicas donde no pesan ni unas ni otras, donde se diluye la diferencia y sólo queda la tragedia. Porque el arrebato es un vaivén, un columpio, un reloj de péndulo. Primero sube y luego baja. Todo lo que sube tiene que bajar. Mientras más asciendas, más dura será la caída. Algunos bajones son terriblemente dolorosos, más allá del límite de lo soportable. El único modo de permanecer arriba, arriba para siempre, sería morirse. Y aun así, quién sabe... *Sí, blanquita, como tú digas... Así mismo es... ¿Quién dice que no te creo...? ¿Tú te piensas que yo nací ayer...?* Entorna los ojazos y le propone jugar al malvado Ruperto. Es tan fácil... Y tan divertido, tan rico... *Tú verás, tú verás que sí... Tú verás que eso sí es lo máximo...* Se prepara una sopa mágica y se la beben entre las dos. Un solo trago hasta el fondo del vaso, glu-glu-glu, como beben los rusos. Pero no hay que romper el vaso, no hay que ser tan estridente. Uno detrás de otro, se beben los vasos consecutivos, glu-glu-glu, hasta que se acabe la sopa. El vodka no arde en la garganta, el whisky sí. Al principio uno siente como si se hubiera tragado un erizo con claustrofobia o la bomba atómica. Pero no importa. Hay que ser fuerte, no se vale vomitar. Hay que seguir y seguir. Y una vez que se hayan tomado la sopa... ¡zas! Aimée se convierte en la tal Antonieta, rubia como un sol y blanca como la coca, sin barrio bajo, sin amenazas, sin gritos, sin ofensas, sin golpes, sin violaciones, sin policía, sin un viejo asqueroso. Sin memoria. Es lo más parecido que hay al nirvana, al paraíso, a la gran felicidad. Gabriela, por su parte, se convierte en el malvado Ruperto, sin... *Bueno, blanquita, tu personaje te lo inventas tú...*

A nuestro héroe le gusta este bichito rarísimo que de ninguna manera puede ser una mujer. Le gusta como no le ha gustado nunca nadie. A la vista, al tacto, al oído, al olfato, la desea tal y como es, no hace falta que se transforme en otra cosa. A él, en cambio, sí que le vendría bien cierta dosis de transformación. Para poseer al bichito como el bichito quiere que lo posean, para haber aprendido francés y música, para ser un pendejo en lugar de un temerario, la mata ₍de la mentira en lugar de un asesino. Para nunca dejar de reírse. Venga, pues, la sopa mágica. Ahora hay una figurita de ébano, de pie frente a la meseta de la cocina, enfrascada en misteriosos manejos. Lorenzo la abraza por detrás, se pega a ella para atisbar por encima del hombro. Aimée vierte la botella casi completa en un recipiente panzudo. Le explica a su hombrecito... *tan desfachatado... haciéndose el de los ojos verdes... mira que venirme con eso de que es gay...* que en el principio fue Johnny y Johnny era en Dios y Johnny era Dios. Con etiqueta negra, por supuesto. Lorenzo la besa en el cuello mientras acaricia los senos... *sí, cómo no, gay... nunca se ha visto nada más gay...* y atiende a la explicación. A la etiqueta roja, según el bichito, le falta categoría, le falta swing. Corresponde a un Johnny frívolo, dulzón, empalagoso. No hay que fiarse de la etiqueta roja. Solemne, el Perseo promete no fiarse. En realidad él entiende de etiquetas mucho más que ella, pero le agrada complacerla, seguirle la corriente... *A mister Gay se le está parando otra vez... Qué raro...* Por ahí se comenta que existe otra etiqueta, azul, aún mejor que la negra. Pero sólo son rumores, utopías, leyendas. Aimée no conoce a nadie que la haya probado. Lorenzo tampoco, pero no le importa. Sobre todo ahora que vuelve a curiosear con los dedos en la cosita empapada, acogedora... *Ajá... Perdiendo el miedo...* Aimée introduce las pastillas en el mortero, canta que como cocinera ella es la primera. Más de once pastillas, más de veinte, quién sabe, muchísimas. Las suficientes para que la transformación no se detenga en el lastimoso coma barbitúrico, para que sea eterna. Nuestro héroe no se percata del alcance de la maniobra. Mientras ella machaca, machuca y canta, él la besa en el cuello. Mordisquea y lame. Piensa que ahora el bichito, ocupado como está, no advertirá el susto ni la torpeza... *Ay, así... Así, mi amor, así, qué bien... ¿Tú ves que no era tan difícil encontrarle la vuelta...?* Vierte el contenido del mortero en el recipiente panzudo y revuelve aunque no hace falta. Revuelve por revolver, como una bruja. Más tarde, sentados a la mesa, muy serios y formales para que la magia funcione, se tomarán la sopa. Nuestro héroe quizás pregunte algo. La más generosa de las mujeres se limitará a sonreír.

La Habana, 22 de mayo de 2000